하이탑 무료 스마트러닝

첫째 QR코드 스캔하여 1초 만에 바로 강

둘째 최적화된 강의 커리큘럼으로 학습

1권 초등 과학 개념 강의
학습시 강의를 활용하여 빈틈없는 개념 완성

2권 심화 문제 풀이 강의
창의 서술형 문제 풀고, 심화 문제 풀이 강의로 마무리하여 영재고·영재원 입시 완벽 대비

#하이탑#초등과학#개념강의#무료

하이탑 **초등 과학 5학년** 강의 목록

구분	1학기		2학기	
1권 5학년 개념 강의	1. 과학자는 어떻게 탐구할까요?		1. 재미있는 나의 탐구	
	❶ 과학 탐구	10쪽	❶ 자유 탐구	10쪽
	2. 온도와 열		2. 생물과 환경	
	❶ 온도와 열의 이동	18쪽	❶ 생태계와 먹이 관계	18쪽
	❷ 고체, 액체, 기체에서 열의 이동	22쪽	❷ 비생물 요소와 환경	22쪽
	3. 태양계와 별		3. 날씨와 우리 생활	
	❶ 태양계 구성원과 행성의 크기	38쪽	❶ 습도, 응결, 구름	38쪽
	❷ 행성까지의 거리와 별자리	42쪽	❷ 기압과 온도 변화	42쪽
	❸ 북극성, 행성과 별	46쪽	❸ 해풍과 육풍, 계절별 날씨	46쪽
	4. 용해와 용액		4. 물체의 운동	
	❶ 가루 물질의 용해와 용액	62쪽	❶ 운동하는 물체	62쪽
	❷ 용질이 물에 용해되는 양	66쪽	❷ 물체의 빠르기 비교	66쪽
	❸ 용액의 진하기	70쪽	❸ 속력과 안전	70쪽
	5. 다양한 생물과 우리 생활		5. 산과 염기	
	❶ 우리 수변의 다양한 생물	86쪽	❶ 용액의 분류	86쪽
	❷ 세균, 다양한 생물의 영향	90쪽	❷ 산성 용액과 염기성 용액	90쪽
2권 5학년 심화 문제 풀이 강의	2. 온도와 열: 창의 서술형 문제	8쪽	2. 생물과 환경: 창의 서술형 문제	48쪽
	3. 태양계와 별: 창의 서술형 문제	18쪽	3. 날씨와 우리 생활: 창의 서술형 문제	58쪽
	4. 용해와 용액: 창의 서술형 문제	28쪽	4. 물체의 운동: 창의 서술형 문제	68쪽
	5. 다양한 생물과 우리 생활: 창의 서술형 문제	38쪽	5. 산과 염기: 창의 서술형 문제	78쪽

하이탑
초등 과학 5학년
학습 계획표

학습 계획표를 따라
차근차근 과학 공부를
시작해 보세요.
하이탑과 함께라면
과학 공부, 어렵지 않습니다.

구분	단원명	교재 쪽수		학습한 날		
		1권 개념	2권 심화			
1학기	1. 과학자는 어떻게 탐구할까요?	8～15쪽		1일차	월	일
	2. 온도와 열	16～21쪽		2일차	월	일
		22～25쪽		3일차	월	일
		26～29쪽		4일차	월	일
		30～35쪽		5일차	월	일
			6～15쪽	6일차	월	일
	3. 태양계와 별	36～41쪽		7일차	월	일
		42～45쪽		8일차	월	일
		46～49쪽		9일차	월	일
		50～53쪽		10일차	월	일
		54～59쪽		11일차	월	일
			16～25쪽	12일차	월	일
	4. 용해와 용액	60～65쪽		13일차	월	일
		66～69쪽		14일차	월	일
		70～73쪽		15일차	월	일
		74～77쪽		16일차	월	일
		78～83쪽		17일차	월	일
			26～35쪽	18일차	월	일
	5. 다양한 생물과 우리 생활	84～89쪽		19일차	월	일
		90～93쪽		20일차	월	일
		94～97쪽		21일차	월	일
		98～103쪽		22일차	월	일
			36～45쪽	23일차	월	일
2학기	1. 재미있는 나의 탐구	8～15쪽		1일차	월	일
	2. 생물과 환경	16～21쪽		2일차	월	일
		22～25쪽		3일차	월	일
		26～29쪽		4일차	월	일
		30～35쪽		5일차	월	일
			46～55쪽	6일차	월	일
	3. 날씨와 우리 생활	36～41쪽		7일차	월	일
		42～45쪽		8일차	월	일
		46～49쪽		9일차	월	일
		50～53쪽		10일차	월	일
		54～59쪽		11일차	월	일
			56～65쪽	12일차	월	일
	4. 물체의 운동	60～65쪽		13일차	월	일
		66～69쪽		14일차	월	일
		70～73쪽		15일차	월	일
		74～77쪽		16일차	월	일
		78～83쪽		17일차	월	일
			66～75쪽	18일차	월	일
	5. 산과 염기	84～89쪽		19일차	월	일
		90～93쪽		20일차	월	일
		94～97쪽		21일차	월	일
		98～103쪽		22일차	월	일
			76～85쪽	23일차	월	일

5학년 1학기 · 2학기

HIGHTOP

하이탑 초등 과학

1학기 HIGHTOP

초등 과학의 구성과 특징

Start **1** 단계

① 만화로 보는 단원

단원 시작 전에 한 컷 만화로 핵심 주제에 대해 알고 하이탑 시작!

② 개념 학습

과학 이야기를 읽듯이 차근차근 읽다 보면 과학 개념을 체계적으로 이해할 수 있습니다.

③ 심화

초등 과학 개념에서 확장된 내용으로 이해의 폭을 넓힐 수 있다.

④ 보충 플러스

과학 원리에 대한 보충 설명으로 개념을 더 쉽게 이해할 수 있습니다.

4 용해와 용액

2 용질이 물에 용해되는 양 ②

개념 강의

만화로 보는 '용질이 용해되는 양' ①

1. 여러 가지 용질이 물에 용해되는 양

(1) **여러 가지 용질을 물에 넣고 저었을 때** 같은 양의 여러 가지 용질을 온도와 양이 같은 물에 넣으면 어떤 용질은 모두 용해되고, 어떤 용질은 어느 정도 용해되다 더 이상 용해되지 않고 바닥에 남는다. 이처럼 물의 온도와 양이 같아도 용질마다 물에 용해되는 양은 서로 다르다.

(2) **소금, 설탕, 베이킹 소다를 물에 넣고 저었을 때** 온도와 양이 같은 물에서 설탕 > 소금 > 베이킹 소다 순으로 물에 많이 용해된다. 탐구 68쪽

③ **심화** 용해도

어떤 온도에서 물 100g에 최대로 용해될 수 있는 용질의 g 수를 용해도라고 한다. 온도 변화에 따른 물질의 용해도 변화를 그래프로 나타낸 것이 용해도 곡선이다. 용해도 곡선 상의 점은 포화 용액, 곡선 아래에 있는 점은 불포화 용액, 곡선 위에 있는 점은 과포화 용액을 나타낸다.

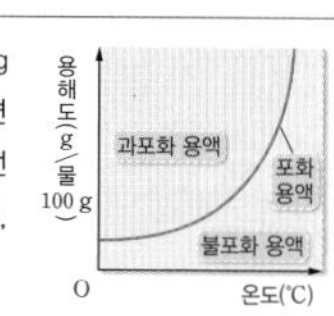

포화 용액, 불포화 용액, 과포화 용액 어떤 온도에서 일정한 양의 용매에 용질이 최대로 녹아 있는 용액을 포화 용액이라고 하고, 용매에 용질이 더 녹을 수 있는 용액을 불포화 용액이라고 한다. 또 용매가 녹일 수 있는 양보다 더 많은 용질이 녹아 있는 용액을 과포화 용액이라고 한다.

2. 물의 양과 온도에 따라 용질이 용해되는 양

(1) 물의 양에 따라 용질이 용해되는 양

① 온도가 일정한 경우 일정한 양의 물에 녹는 용질의 양은 일정하다.

② 물의 양이 많아지면 더 많은 용질이 용해된다. 따라서 물의 양이 많아지면 소금, 설탕, 베이킹 소다가 더 많이 용해된다. 하지만 물의 양이 많아지더라도 설탕 > 소금 > 베이킹 소다의 순으로 많이 용해된다.

④ **보충 플러스** 일정한 양의 용매에 녹는 용질의 양이 일정한 까닭

용질을 용해시키는 용매 입자의 수가 일정하기 때문이다. 일정한 양의 용매에 용질이 들어오면 용매 입자들과 용질 입자들이 서로 끌어당겨 용질 입자가 용매 입자에 둘러싸이면서 용해된다. 용질 입자의 수가 계속 늘어나면, 용매 입자의 수가 부족해져 용질이 용해되지 않는다.

66 하이탑 초등 과학 5-1

과학 고수가 되는 길!

초등부터 HIGHTOP(하이탑)과 함께라면
과학 공부 어렵지 않아요.

2단계

(2) 물의 온도에 따라 용질이 용해되는 양

① 물의 온도가 높을수록 용질이 많이 용해된다.

② 용질이 다 용해되지 않고 남아 있을 때 물의 온도를 높이면 용해되지 않고 남아 있던 용질을 더 많이 용해할 수 있다. 코코아 가루가 물에 모두 용해되지 않고 컵 바닥에 가라앉았을 때 컵을 전자레인지에 넣고 돌려 물의 온도를 높이면 컵 바닥에 가라앉았던 코코아 가루가 더 많이 용해된다.

▲ 코코아차를 전자레인지에 데워 온도를 높이면 코코아 가루가 더 많이 용해된다.

Mini 탐구 물의 온도에 따라 백반이 용해되는 양 비교하기

과정

1. 얼음과 전기 주전자를 이용해 10℃와 40℃의 물을 준비한다.
2. 눈금실린더로 10℃와 40℃의 물을 50mL씩 측정해 두 비커에 각각 담는다.
3. 각 비커에 백반을 두 숟가락씩 넣고 유리 막대로 젓는다.
4. 각 비커에 넣은 백반이 용해된 양을 비교한다.

결과

구분	차가운 물(10℃의 물)	따뜻한 물(40℃의 물)
같은 양의 백반을 넣고 저었을 때 용해된 양	어느 정도 용해되다가 용해되지 않은 백반이 바닥에 남는다.	다 용해된다.

• 물의 온도가 높으면 백반이 더 많이 용해된다.

젓는 빠르기와 용해되는 양
소금을 용해한 포화 용액에 소금을 더 넣어 바닥에 소금이 가라앉았을 때 유리 막대로 용액을 빨리 저어도 소금은 더 이상 용해되지 않는다. 물에 소금을 넣고 젓는 빠르기는 소금이 용해되는 양과는 관계가 없다.

(3) 따뜻한 백반 용액의 온도를 낮추었을 때

① 따뜻한 물에서 백반이 더 이상 용해되지 않을 때까지 넣고 모두 용해한 백반 용액이 든 비커를 얼음물에 넣으면 백반 알갱이가 다시 생겨 바닥에 가라앉는다.

② 백반이 따뜻한 물에 녹아 보이지 않다가 물의 온도가 낮아지면서 다 용해되지 못한 백반이 바닥에 가라앉는다. 이때 온도가 낮아진 물에 녹아 있는 백반의 양은 바닥에 가라앉은 백반의 양만큼 적어진다.

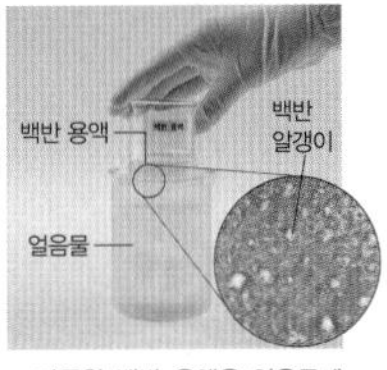

▲ 따뜻한 백반 용액을 얼음물에 넣었을 때

용어
• **백반** 명반이라고도 불리며 떫은 맛이 나는 무색투명한 물질로, 물에 녹음.

4. 용해와 용액 67

5 Mini 탐구

과학 교과서의 기본 탐구를 개념 학습과 함께 익힐 수 있습니다.

무료 스마트러닝
• 1권 초등 과학 개념 강의

개념 동영상 강의를 보고 들으면서 좀 더 쉽게 학습할 수 있습니다.

HIGHTOP 초등 과학의 **구성과 특징**

2 단계

① 교과서 속 탐구

과학 교과서의 핵심 탐구를 과정, 결과, 알 수 있는 사실까지 꼼꼼하게 정리할 수 있습니다.

② 탐구 문제

탐구 관련 문제를 풀면서 탐구로 알 수 있는 사실을 다시 한 번 정리할 수 있습니다.

③ 확인문제

문제를 풀면서 오늘 공부한 개념을 정리하고 다질 수 있습니다.

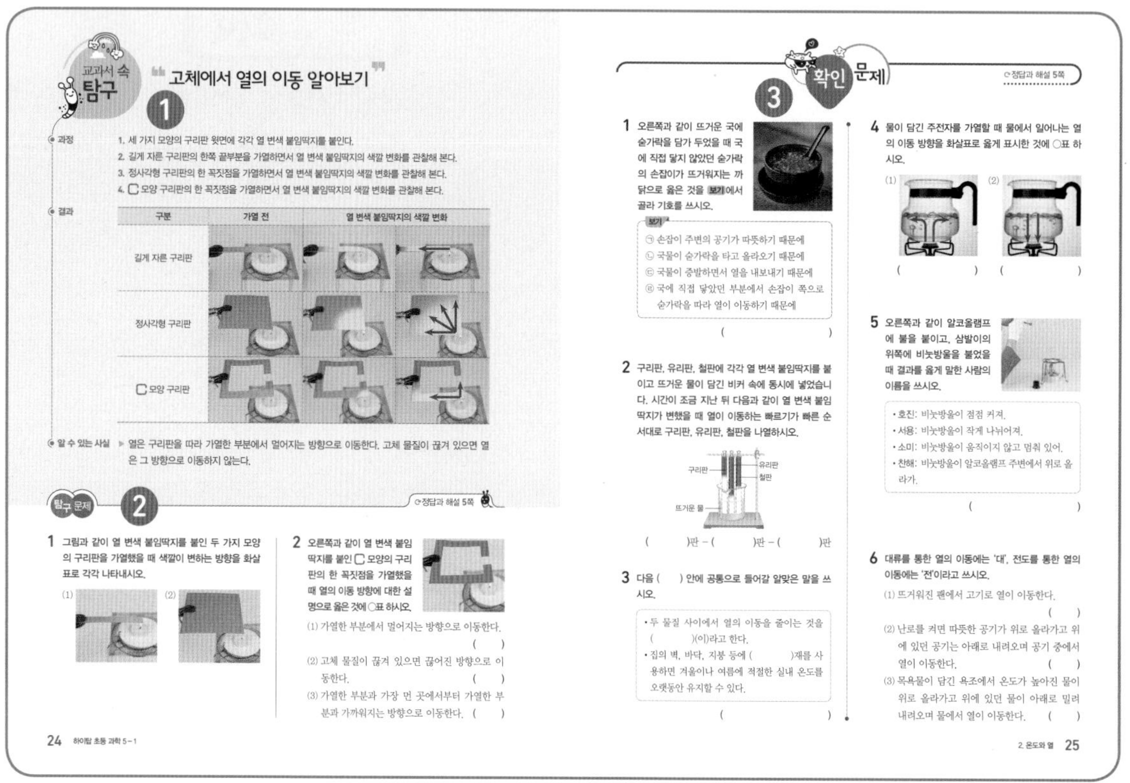

교과서 속 탐구 ①

고체에서 열의 이동 알아보기

과정
1. 세 가지 모양의 구리판 윗면에 각각 열 변색 붙임딱지를 붙인다.
2. 길게 자른 구리판의 한쪽 끝부분을 가열하면서 열 변색 붙임딱지의 색깔 변화를 관찰해 본다.
3. 정사각형 구리판의 한 꼭짓점을 가열하면서 열 변색 붙임딱지의 색깔 변화를 관찰해 본다.
4. ⊏ 모양 구리판의 한 꼭짓점을 가열하면서 열 변색 붙임딱지의 색깔 변화를 관찰해 본다.

결과

구분	가열 전	열 변색 붙임딱지의 색깔 변화	
길게 자른 구리판			
정사각형 구리판			
⊏ 모양 구리판			

알 수 있는 사실 ▸ 열은 구리판을 따라 가열한 부분에서 멀어지는 방향으로 이동한다. 고체 물질이 끊겨 있으면 열은 그 방향으로 이동하지 않는다.

탐구 문제 ②

정답과 해설 5쪽

1 그림과 같이 열 변색 붙임딱지를 붙인 두 가지 모양의 구리판을 가열했을 때 색깔이 변하는 방향을 화살표로 각각 나타내시오.

(1) (2)

2 오른쪽과 같이 열 변색 붙임딱지를 붙인 ⊏ 모양의 구리판의 한 꼭짓점을 가열했을 때 열의 이동 방향에 대한 설명으로 옳은 것에 ○표 하시오.

(1) 가열한 부분에서 멀어지는 방향으로 이동한다. ( )
(2) 고체 물질이 끊겨 있으면 끊어진 방향으로 이동한다. ( )
(3) 가열한 부분과 가장 먼 곳에서부터 가열한 부분과 가까워지는 방향으로 이동한다. ( )

24 하이탑 초등 과학 5-1

확인 문제 ③

정답과 해설 5쪽

1 오른쪽과 같이 뜨거운 국에 숟가락을 담가 두었을 때 국에 직접 닿지 않았던 숟가락의 손잡이가 뜨거워지는 까닭으로 옳은 것을 보기에서 골라 기호를 쓰시오.

보기
㉠ 손잡이 주변의 공기가 따뜻하기 때문에
㉡ 국물이 숟가락을 타고 올라오기 때문에
㉢ 국물이 증발하면서 열을 내보내기 때문에
㉣ 국에 직접 닿았던 부분에서 손잡이 쪽으로 숟가락을 따라 열이 이동하기 때문에

( )

2 구리판, 유리판, 철판에 각각 열 변색 붙임딱지를 붙이고 뜨거운 물이 담긴 비커 속에 동시에 넣었습니다. 시간이 조금 지난 뒤 다음과 같이 열 변색 붙임딱지가 변했을 때 열이 이동하는 빠르기가 빠른 순서대로 구리판, 유리판, 철판을 나열하시오.

( )판 - ( )판 - ( )판

3 다음 ( ) 안에 공통으로 들어갈 알맞은 말을 쓰시오.

• 두 물질 사이에서 열의 이동을 줄이는 것을 ( )(이)라고 한다.
• 집의 벽, 바닥, 지붕 등에 ( )재를 사용하면 겨울이나 여름에 적절한 실내 온도를 오랫동안 유지할 수 있다.

( )

4 물이 담긴 주전자를 가열할 때 물에서 일어나는 열의 이동 방향을 화살표로 옳게 표시한 것에 ○표 하시오.

(1) ( ) (2) ( )

5 오른쪽과 같이 알코올램프에 불을 붙이고, 삼발이의 위쪽에 비눗방울을 불었을 때 결과를 옳게 말한 사람의 이름을 쓰시오.

• 호진: 비눗방울이 점점 커져.
• 서용: 비눗방울이 작게 나뉘어져.
• 소미: 비눗방울이 움직이지 않고 멈춰 있어.
• 찬해: 비눗방울이 알코올램프 주변에서 위로 올라가.

( )

6 대류를 통한 열의 이동에는 '대', 전도를 통한 열의 이동에는 '전'이라고 쓰시오.

(1) 뜨거워진 팬에서 고기로 열이 이동한다. ( )
(2) 난로를 켜면 따뜻한 공기가 위로 올라가고 위에 있던 공기는 아래로 내려오며 공기 중에서 열이 이동한다. ( )
(3) 목욕물이 담긴 욕조에서 온도가 높아진 물이 위로 올라가고 위에 있던 물이 아래로 밀려 내려오며 물에서 열이 이동한다. ( )

2. 온도와 열 25

3 단계 심화 →

① 단원평가

학교에서 실시하는 단원평가에 자주 출제되는 문제 유형으로 구성하였습니다. 문제를 푼 후 틀린 문제는 자세한 풀이를 보면서 확실하게 이해할 수 있습니다.

② 서술형 문제

서술형 문제를 풀면서 답을 쓸 때 꼭 들어가야 하는 핵심 내용을 정리하는 습관을 들일 수 있습니다.

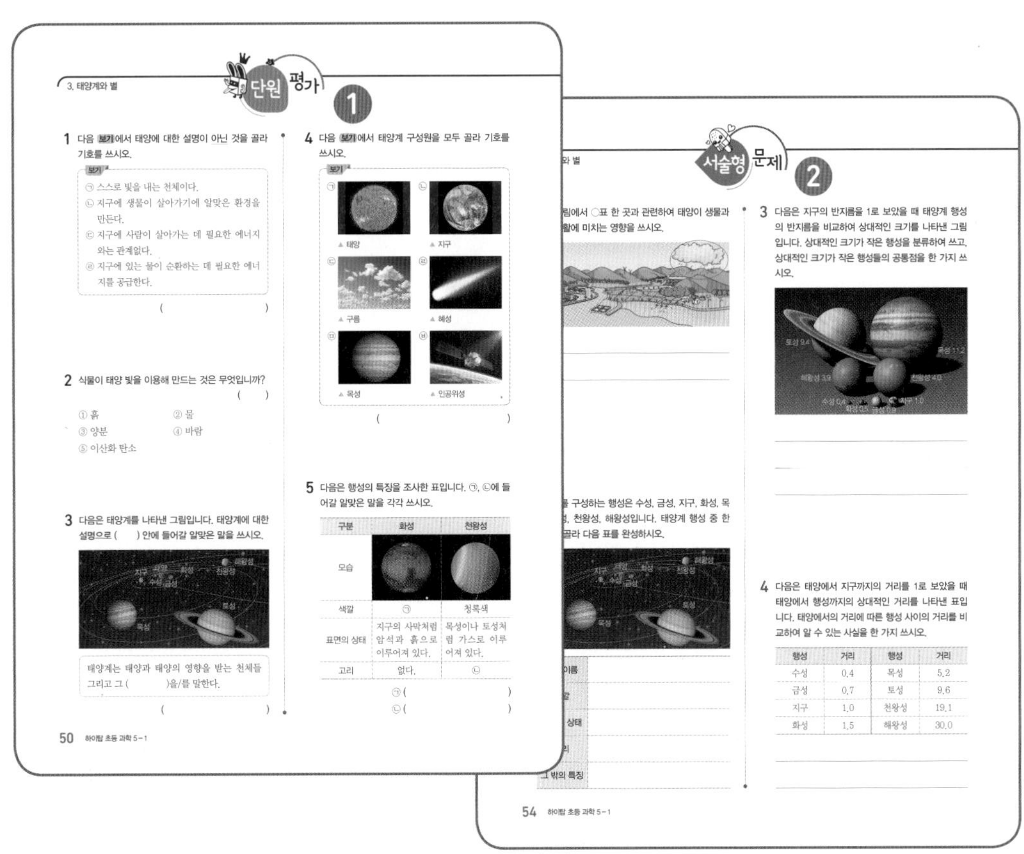

1학기 HIGHTOP

초등 과학의 **차례** 개념

1 과학자는 어떻게 탐구할까요?

1 과학 탐구 10
• 단원평가 14
• 서술형 문제 15

2 온도와 열

1 온도와 열의 이동 18
2 고체, 액체, 기체에서 열의 이동 22
• 단원평가 26
• 서술형 문제 30
• 단원 핵심 정리 32
• 중학교 개념 33
• 비주얼 사이언스 34

3 태양계와 별

1 태양계 구성원과 행성의 크기 38
2 행성까지의 거리와 별자리 42
3 북극성, 행성과 별 46
• 단원평가 50
• 서술형 문제 54
• 단원 핵심 정리 56
• 중학교 개념 57
• 비주얼 사이언스 58

4 용해와 용액

1 가루 물질의 용해와 용액 62
2 용질이 물에 용해되는 양 66
3 용액의 진하기 70
• 단원평가 74
• 서술형 문제 78
• 단원 핵심 정리 80
• 중학교 개념 81
• 비주얼 사이언스 82

5 다양한 생물과 우리 생활

1 우리 주변의 다양한 생물 86
2 세균, 다양한 생물의 영향 90
• 단원평가 94
• 서술형 문제 98
• 단원 핵심 정리 100
• 중학교 개념 101
• 비주얼 사이언스 102

과학자는 어떻게 탐구할까요?

1 과학 탐구

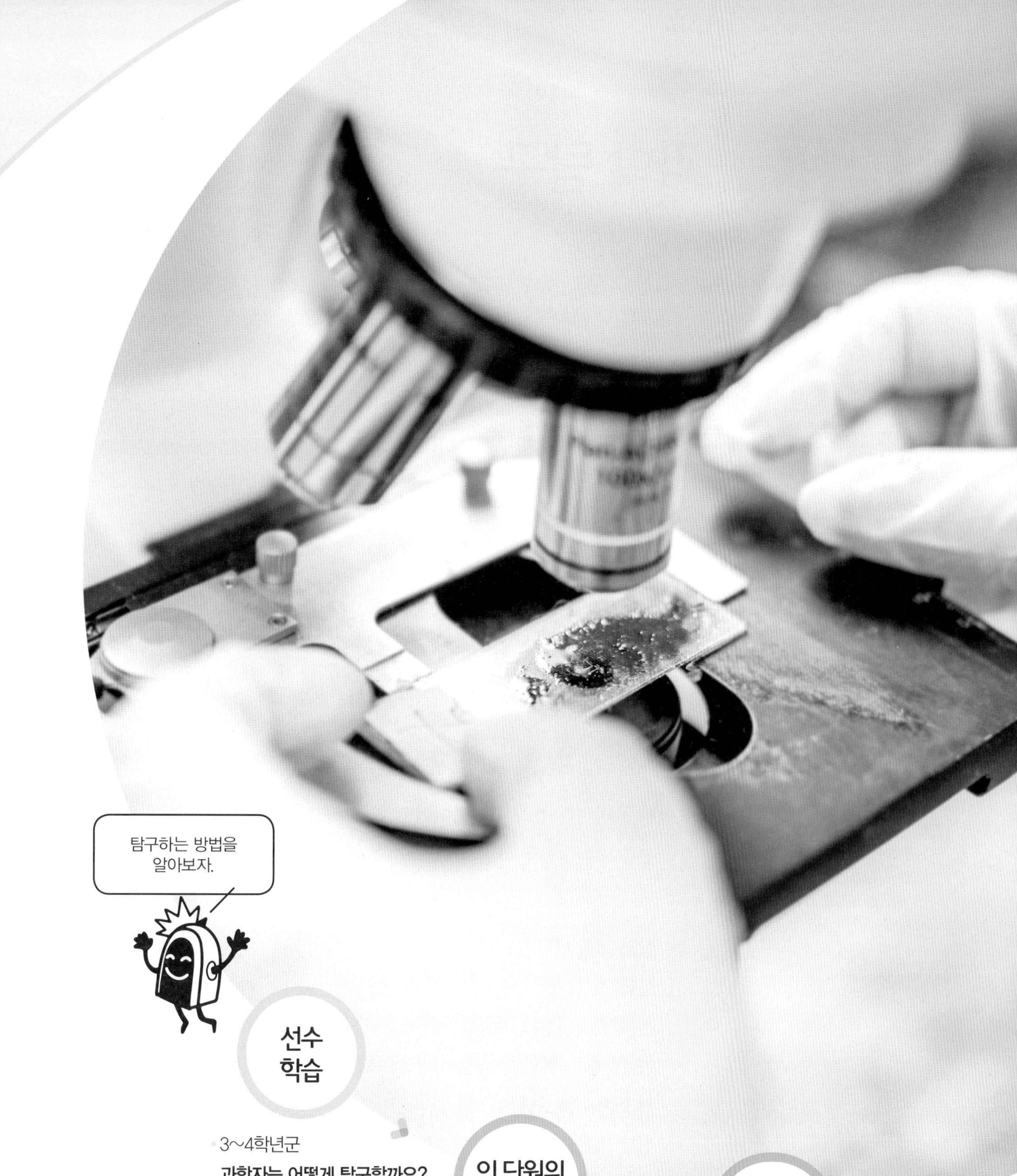

선수 학습

- 3~4학년군
  과학자는 어떻게 탐구할까요?
  재미있는 나의 탐구
  과학자처럼 탐구해 볼까요?

이 단원의 학습

- 5~6학년군
  과학자는 어떻게 탐구할까요?

후속 학습

- 5~6학년군 **재미있는 나의 탐구**
  과학자처럼 탐구해 볼까요?

과학 탐구

만화로 보는
'과학 탐구'

잘못된 탐구 문제의 예

- 검은색 사인펜은 어떨까?: 탐구하고 싶은 내용이 분명하게 드러나지 않아서 실험을 계획할 수 없다.
- 모든 사인펜의 잉크는 어떻게 번질까?: 탐구 범위가 너무 넓어서 탐구를 모두 실행하기가 어렵다.
- 사인펜의 잉크는 어떻게 만들까?: 간단한 조사로 답을 알 수 있어서 탐구하기에 좋지 않다.

1. 탐구

① 넓은 의미의 탐구는 우리 주변에서 일어나는 여러 가지 자연 현상에 의문을 갖고, 그 의문에 대한 답을 찾기 위해 노력하거나 활동하는 과정이다.

② 진정한 의미의 탐구에는 스스로 탐구 문제를 정하고, 실험을 설계하여 수행하고, 결과를 정리하고 해석하여 결론을 내리는 과정이 포함된다.

2. 탐구 문제 정하기

① 탐구 문제는 '왜 그럴까?', '이것이 무엇일까?', '~하면 어떻게 될까?'와 같은 방법으로 정할 수 있다.

② 우리 주변의 자연 현상을 관찰하고, 탐구할 문제를 찾아 명확하게 나타내는 것을 문제 인식이라고 한다.

탐구의 방법과 내용 등이 분명하게 드러나도록 한다.

③ 탐구 문제를 정할 때에는 탐구하고 싶은 내용이 분명하게 드러나야 하고, 탐구 범위가 좁고 구체적이어야 한다. 또 스스로 탐구할 수 있어야 하므로 관찰이나 실험을 하면서 스스로 해결할 수 있는 문제를 정해야 한다.

3. 실험 계획 세우기

① 실험 계획 세우기 단계에서 중요한 탐구 요소는 변인 통제이다. 변인 통제는 실험에서 다르게 해야 할 조건과 같게 해야 할 조건을 확인하고 통제하는 것이다. 변인 통제를 해야 다르게 한 조건이 실험 결과에 어떤 영향을 미치는지 알 수 있다.

탐구 문제에서 알아보려는 것, 즉 어떤 조건이 실험 결과에 영향을 미치는지 정확하게 가설을 정하면 이에 따라 다르게 할 조건을 쉽게 찾을 수 있다.

② 실험 조건을 정하고 나면 실험하면서 관찰하거나 측정해야 할 것이 무엇인지 확인한다. 그리고 실험에 필요한 준비물, 실험 과정, 모둠 구성원의 역할 등을 정한다.

③ 실험 계획을 세울 때에는 탐구 문제를 해결할 수 있는 적절한 실험 방법인지 생각하고, 다르게 해야 할 조건과 같게 해야 할 조건, 관찰하거나 측정해야 할 것을 정한다. 스스로 실행할 수 있는 실험 과정을 구체적으로 생각하고, 실험을 하면서 지켜야 할 안전 수칙을 생각한다.

4. 실험하기 교과서 속 탐구 12쪽

① 실험할 때에는 변인 통제에 유의하면서 계획한 과정에 따라 실행한다.
안전 수칙을 지킨다.

② 관찰하거나 측정하려고 했던 것을 생각하면서 결과를 기록한다.

③ 실험 결과를 있는 그대로 기록하고, 실험 결과가 예상과 다르더라도 고치거나 빼지 않는다.

5. 실험 결과 정리하고 해석하기

실험을 하여 얻은 결과를 한눈에 비교하기 쉽게 정리하면 그 의미를 더 잘 알 수 있다.

① 실험 결과를 표나 그래프의 형태로 바꾸어 나타내는 것을 자료 변환이라고 한다. 표를 사용하면 많은 자료를 가로와 세로 칸에 체계적으로 정리할 수 있다. 그래프를 이용하면 자료를 점과 선 또는 넓이 등으로 나타내어 자료의 분포와 경향을 쉽게 알 수 있다.

〈표〉

연도(년)	인구수(명)
1975	40억
1985	48억
1995	57억
2005	65억
2015	73억

▲ 세계의 인구수

〈그래프〉

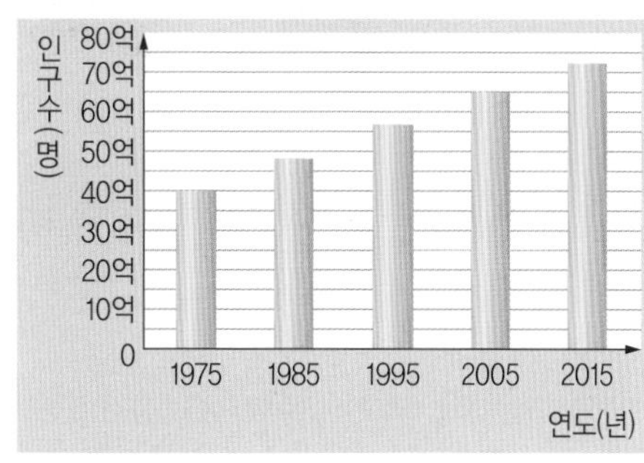

▲ 세계의 인구수

② 실험 결과를 표나 그래프로 나타낸 다음에 실험 결과를 통해 알 수 있는 점을 생각하고, 자료 사이의 관계나 규칙을 찾아낸다. 이런 과정을 자료 해석이라고 한다. 자료를 해석할 때에는 실험하는 동안 문제가 있었는지 되돌아보고 문제가 있었다면 실험을 다시 해야 한다.
다르게 한 조건과 실험 결과는 어떤 관계가 있는지 살펴본다.

6. 결론 내리기

① 실험 결과와 자료 해석을 종합하여 결론을 내린다. 결론은 실험 결과를 해석하여 얻은 탐구 문제에 대한 답이다. 결론을 내리는 단계에서 중요한 탐구 요소는 결론 도출이다. 결론 도출은 실험 결과에서 결론을 이끌어 내는 과정이다. 결론을 도출할 때에는 간단하고 명확하게 나타내야 하고, 수집한 실험 결과를 바탕으로 도출해야 한다. 이 과정에서 예측과 추측을 피해야 한다.

② 결론 도출 후 새로운 실험을 계획하는 경우도 있다. 탐구를 하여 얻은 결론을 뒷받침하거나 검증할 수 있는 실험을 다시 하는 경우에는 지난 탐구 과정이나 결과에서 생겨난 궁금증에서 새로운 탐구를 시작할 수 있다.
결론 도출 과정에서 이후 진행할 새로운 탐구 활동의 문제 인식이 시작될 수 있다.

실험을 바르게 했는지 확인하기

'계획한 과정에 따라 실험했나요?', '다르게 해야 할 조건과 같게 해야 할 조건을 지키며 실험했나요?', '관찰하거나 측정하려고 했던 내용을 빠짐없이 기록했나요?', '실험 결과를 있는 그대로 기록했나요?', '안전 수칙을 지키면서 실험했나요?' 등의 질문으로 실험을 바르게 했는지 확인할 수 있다.

실험 결과를 표로 나타내는 방법

- 다르게 한 조건과 실험 결과가 드러나도록 제목을 정한다.
- 표의 첫 번째 가로줄과 세로줄에 나타낼 항목을 정한다.
- 항목 수를 생각해 가로줄과 세로줄의 개수를 정하고, 표로 그린다.
- 표의 각 칸에 결괏값을 알맞게 기록한다.

사인펜 잉크의 색소 분리하기

과정

1. 세 장의 거름종이에 아래에서 2cm 되는 높이에 연필로 표시하고 가로선을 긋는다.
2. 선의 중간에 검은색, 빨간색, 파란색 사인펜으로 각각 점을 찍고, 거름종이의 윗부분에 점의 색깔을 쓴다.
3. 셀로판테이프로 거름종이를 스탠드에 붙이고, 거름종이가 페트리 접시의 바닥에 거의 닿을 정도로 높이를 조절한다.
4. 거름종이의 끝이 물에 잠기도록 페트리 접시에 물을 붓는다. 이때 사인펜으로 찍은 점이 물에 잠기지 않도록 한다. 15분 동안 거름종이에 나타나는 변화를 관찰해 본다.

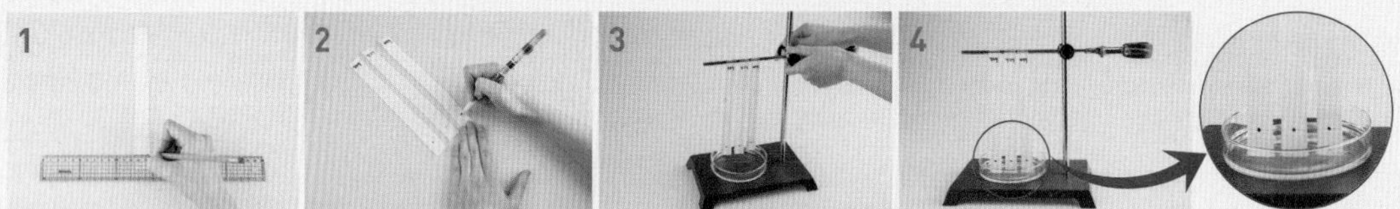

결과

▶ **실험하면서 관찰한 내용을 글이나 그림으로 나타내기**

- 검은색 사인펜: 보라색, 분홍색, 노란색, 하늘색 순으로 색소가 나타난다.
- 빨간색 사인펜: 진분홍색, 분홍색, 노란색 순으로 색소가 나타난다.
- 파란색 사인펜: 하늘색, 보라색, 분홍색 순으로 색소가 나타난다.

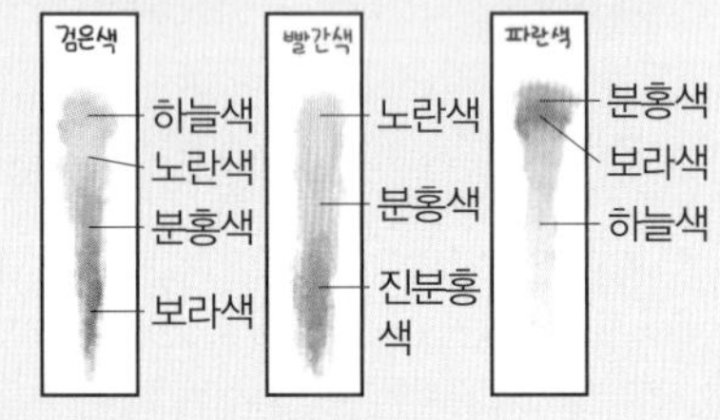

알 수 있는 사실 ▶ 실험 계획에 따라 실험을 하고, 실험 결과를 그림이나 글로 정확하게 기록할 수 있다.

정답과 해설 2쪽

1 다음은 사인펜 잉크의 색소 분리 실험 결과입니다. 어떤 그림에 대한 결과인지 보기에서 알맞은 그림을 각각 골라 기호를 쓰시오.

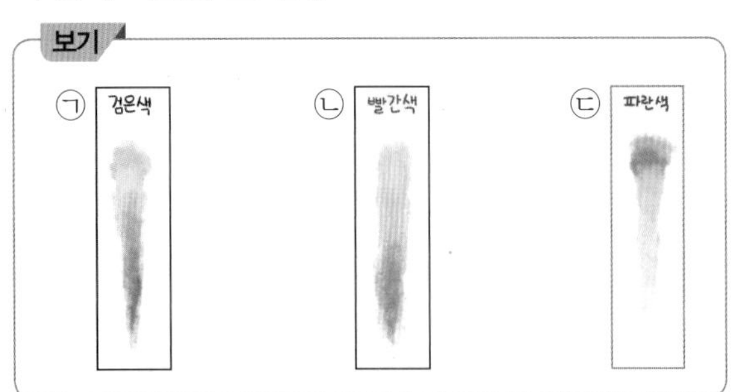

(1) 하늘색, 보라색, 분홍색 순으로 색소가 나타난다. ( )

(2) 진분홍색, 분홍색, 노란색 순으로 색소가 나타난다. ( )

2 사인펜 잉크의 색소 분리 실험을 하는 과정에 대해 잘못 말한 사람의 이름을 쓰시오.

- 미진: 실험에서 다르게 해야 할 조건은 사인펜의 색깔이야.
- 용수: 빨간색 사인펜의 분리가 잘 되지 않았어도 결과를 그대로 기록해.
- 안희: 실험에서 종이의 종류와 크기, 점의 크기와 위치 등은 같게 해야 할 조건이야.
- 종호: 검은색 사인펜에서 검은색이 분리될 거라고 예상했으면 결과가 그렇지 않아도 예상했던 것을 결과로 기록해.

( )

확인 문제

정답과 해설 2쪽

1 다음 (　　) 안의 알맞은 말에 ○표 하시오.

> 넓은 의미의 탐구는 우리 주변에서 일어나는 여러 가지 (사회 현상, 자연 현상)에 의문을 갖고, 그 의문에 대한 답을 찾기 위해 노력하거나 활동하는 과정이다.

2 다음 보기에서 잘못된 탐구 문제를 모두 골라 기호를 쓰시오.

보기
- ㉠ 검은색 사인펜은 어떨까?
- ㉡ 사인펜의 잉크는 어떻게 만들까?
- ㉢ 간장을 끓이면 검은색 김이 나올까?
- ㉣ 배추가 잘 자라는 온도는 몇 도일까?
- ㉤ 사인펜의 색깔에 따라 잉크에 섞여 있는 색소는 같을까?

(　　　　　　　　)

3 '물의 온도에 따라 소금이 용해되는 양이 다를까?' 라는 탐구 문제를 해결할 실험 계획을 세울 때 다르게 해야 할 조건을 쓰시오.

(　　　　　　　　)

4 실험할 때 주의할 점으로 ㉠, ㉡ 안에 들어갈 알맞은 말을 각각 골라 쓰시오.

> ㉠(시간, 변인) 통제에 유의하면서 계획한 과정에 따라 실행한다. 관찰하거나 측정하려고 했던 것을 생각하면서 실험 ㉡(과정, 결과)을/를 기록한다.

㉠ (　　　　　　), ㉡ (　　　　　　)

5 다음은 실험 결과를 정리하는 방법에 대한 설명입니다. ㉠과 ㉡에 들어갈 알맞은 말을 각각 쓰시오.

> 실험 결과를 (　㉠　)(이)나 (　㉡　)의 형태로 바꾸어 나타내는 것을 자료 변환이라고 한다. (　㉠　)을/를 사용하면 많은 자료를 가로와 세로 칸에 체계적으로 정리할 수 있고, (　㉡　)을/를 이용하면 자료를 점과 선 또는 넓이 등으로 나타내어 자료의 분포와 경향을 쉽게 알 수 있다.

㉠ (　　　　　　), ㉡ (　　　　　　)

6 실험을 하고 난 뒤에 실험 결과와 자료 해석을 바탕으로 결론을 이끌어 내는 것을 무엇이라고 하는지 보기에서 골라 알맞은 말을 쓰시오.

보기

> 문제 인식, 탐구 요소, 변인 통제, 결론 도출

(　　　　　　　　)

정답과 해설 3쪽

[1~2] 다음은 민준이의 일기입니다. 물음에 답하시오.

수성 사인펜으로 쓴 탐구 일지에 실수로 물을 떨어뜨렸더니 사인펜의 잉크가 번지면서 여러 색깔이 나타났다.

1 민준이가 관찰한 내용에서 탐구 문제를 정할 때 생각할 점이 아닌 것을 보기에서 골라 기호를 쓰시오.

보기
㉠ 탐구 범위는 넓을수록 좋다.
㉡ 스스로 탐구할 수 있어야 한다.
㉢ 탐구 범위는 구체적이어야 한다.

( )

2 민준이가 관찰한 내용에서 정할 수 있는 탐구 문제로 알맞은 것은 어느 것입니까? ( )

① 사인펜은 어떻게 만들까?
② 빨간색, 파란색 사인펜은 어떨까?
③ 수성 사인펜에 물을 떨어뜨려 보자.
④ 모든 사인펜의 잉크에는 어떤 색소가 있을까?
⑤ 사인펜의 색깔에 따라 잉크에 섞여 있는 색소는 같을까?

3 '사탕의 크기에 따라 물에 다 녹을 때까지 걸리는 시간이 다를까?'라는 탐구 문제를 해결할 실험 계획을 세우려고 합니다. 보기의 내용을 다르게 해야 할 조건과 같게 해야 할 조건으로 분류하여 빈칸에 알맞은 기호를 각각 쓰시오.

보기
㉠ 물의 양 ㉡ 물의 온도
㉢ 사탕의 크기 ㉣ 사탕의 종류

다르게 해야 할 조건	같게 해야 할 조건
(1)	(2)

4 다음은 앞 3번 탐구 문제를 해결할 실험 결과를 표로 나타낸 것입니다. 이 실험 결과를 통해 알 수 있는 점으로 옳은 것에 ○표 하시오.

사탕의 지름(cm)	사탕이 물에 다 녹을 때까지 걸린 시간(초)
1	15
2	20

(1) 사탕의 크기가 클수록 물에 다 녹을 때까지 걸린 시간이 짧다. ( )
(2) 사탕의 크기가 클수록 물에 다 녹을 때까지 걸린 시간이 길다. ( )

5 다음은 사인펜 잉크의 색소 분리 실험 결과입니다. 실험 결과를 표로 나타낼 때 ㉠, ㉡에 들어갈 알맞은 말을 각각 쓰시오.

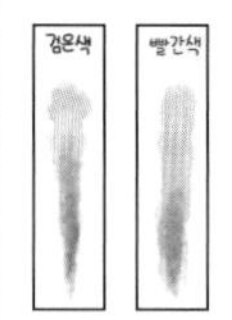

• 검은색 사인펜: 보라색, 분홍색, 노란색, 하늘색 순으로 색소가 나타난다.
• 빨간색 사인펜: 진분홍색, 분홍색, 노란색 순으로 색소가 나타난다.

㉠ / 분리된 색소	검은색	빨간색
보라색	나타난다.	나타나지 않는다.
진분홍색	나타나지 않는다.	나타난다.
분홍색	나타난다.	나타난다.
㉡	나타난다.	나타나지 않는다.
노란색	나타난다.	나타난다.

㉠ ( ), ㉡ ( )

6 위 5번 실험 결과에서 이끌어 낸 결론으로 알맞은 것에 ○표 하시오.

(1) 사인펜의 색깔과 관계없이 잉크에 섞여 있는 색소의 개수가 같다. ( )
(2) 사인펜의 색깔에 따라 잉크에 섞여 있는 색소의 종류와 개수는 다르다. ( )

정답과 해설 3쪽

1 다음은 희영이네 반 친구들이 정한 탐구 문제입니다. 탐구 문제로 알맞지 않은 것을 두 가지 골라 기호를 쓰고, 그 까닭을 각각 쓰시오.

㉠ 지구는 어떤 모양일까?
㉡ 모든 식물의 한살이는 어떠할까?
㉢ 큰 소금 결정은 어떻게 만들 수 있을까?
㉣ 딸기가 잘 자라는 흙의 종류는 어떤 것일까?

2 다음은 '사인펜의 색깔에 따라 잉크에 섞여 있는 색소는 같을까?'라는 탐구 문제를 해결하려면 어떻게 실험해야 할지 글과 그림으로 나타낸 뒤, 이에 따라 실험 과정을 정리한 것입니다. 밑줄 친 부분에 들어갈 실험 과정을 쓰시오.

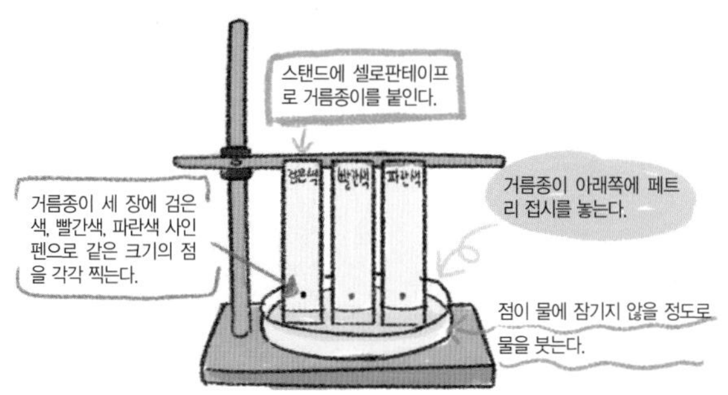

① 세 장의 거름종이에 아래에서 2cm 되는 높이에 연필로 표시하고 가로선을 긋는다.
② 선의 중간에 검은색, 빨간색, 파란색 사인펜으로 각각 점을 찍고, 윗부분에 점의 색깔을 쓴다.
③ 거름종이를 스탠드에 붙이고, 거름종이가 페트리 접시의 바닥에 거의 닿게 높이를 조절한다.
④ ____________

3 다음은 세계의 인구수를 표와 그래프로 나타낸 것입니다. 실험 결과를 정리할 때 표와 그래프를 사용하면 좋은 점을 각각 쓰시오.

〈표〉

연도(년)	인구수(명)
1975	40억
1985	48억
1995	57억
2005	65억
2015	73억

〈그래프〉

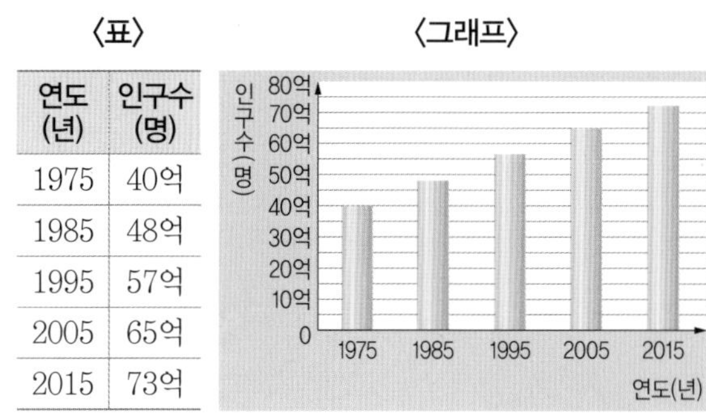

4 수호네 모둠은 주스를 담는 그릇에 따라 주스의 모양과 부피가 변하는지 탐구했습니다. 실험을 통해 다음과 같은 결과를 얻었을 때 결과를 통해 내릴 수 있는 결론을 쓰시오.

• 탐구 문제: 주스는 담는 그릇에 따라 모양과 부피가 변할까?
• 실험 결과

담는 그릇의 모양에 따라 주스의 모양이 달라진다. 주스를 처음 사용한 그릇으로 다시 옮기면 주스의 높이가 처음과 같다.

2 온도와 열

1 온도와 열의 이동

2 고체, 액체, 기체에서 열의 이동

선수 학습

- 3~4학년군 **물의 상태 변화**

이 단원의 학습

- 5~6학년군 **온도와 열**

후속 학습

- 5~6학년군 **날씨와 우리 생활**
- 중학교 1~3학년군 **열과 우리 생활**

온도와 열의 이동

만화로 보는
'온도계'

헉, 온도가 36도야. 빨리 에어컨 켜.

액체샘을 잡고 있으면 평생 에어컨 켜게 돼.

1. 온도

공기의 온도는 기온, 물의 온도는 수온, 몸의 온도는 체온이라고 한다.

① 물질의 차갑거나 따뜻한 정도는 온도로 나타낸다. 온도를 사용하면 물질의 차갑거나 따뜻한 정도를 정확하게 나타낼 수 있다.

② 온도는 숫자에 단위 ℃(섭씨도)를 붙여 나타낸다. 예를 들어 25.0℃라고 쓰고, '섭씨 이십오 점 영 도'라고 읽는다.

③ 정확한 온도를 측정해야 하는 경우는 다양하다. 비닐 온실에서 배추를 재배할 때는 배추가 잘 자라는 온도인 20℃를 유지해야 하고, 새우튀김 요리를 할 때는 적당한 기름 온도인 180℃를 유지해야 한다.

④ 온도를 측정할 때는 온도계를 사용한다.

2. 온도계 사용법

(1) 귀 체온계

① 귀 체온계는 체온을 측정할 때 사용한다.

② 귀 체온계의 끝을 귀에 넣고 측정 버튼을 누르면 온도 측정이 됐음을 알리는 소리가 난다. 이때 귀에서 체온계를 빼고 온도 표시 창에 나타난 체온을 확인한다.

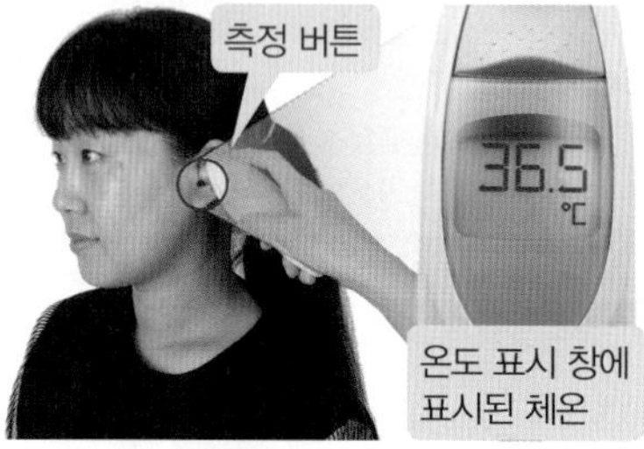

(2)• 적외선 온도계

① 적외선 온도계는 주로 고체 물질의 온도를 측정할 때 사용한다.

② 적외선 온도계로 측정하려는 물질의 표면을 겨누고 측정 버튼을 누른 뒤 온도 표시 창에 나타난 물질의 온도를 확인한다.

③ 적외선 온도계는 물질의 표면 온도를 측정하기 때문에 액체 물질의 온도를 측정할 경우 정확성이 떨어질 수 있다. 적외선 온도계로 비커에 담긴 물의 온도를 측정하려고 하면 물의 표면을 정확히 겨눌 수 없어 측정하는 데 어려움이 있다.

• **적외선** 눈에 보이지는 않지만 가열 효과가 있고 물질의 내부를 잘 통과해서 요리, 의료, 특수 사진 등에 이용되는 빛의 종류 중 하나.

(3) 알코올 온도계

① 알코올 온도계는 주로 액체나 기체의 온도를 측정할 때 사용한다.

② 주변보다 따뜻한 물에 알코올 온도계를 넣으면 액체샘에 있는 빨간색 액체가 몸체 속의 관을 따라 위로 올라간다. 액체의 움직임이 멈추면 액체 기둥의 끝이 닿는 부분의 눈금을 읽어 온도를 측정한다.

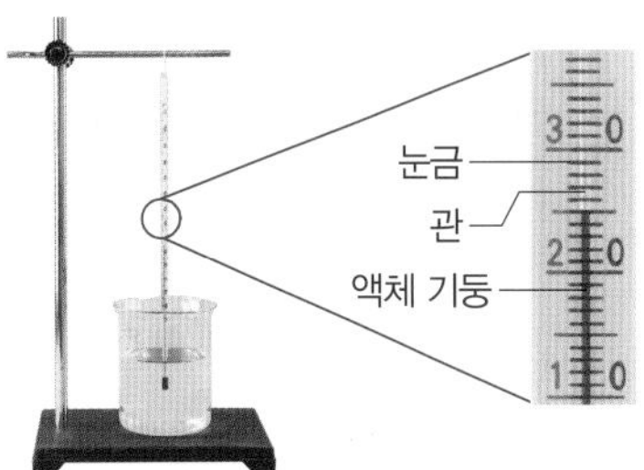

③ 액체의 온도를 측정할 때는 액체샘을 액체 속에 잠기도록 넣는다.

알코올 온도계의 구조
고리, 몸체, 액체샘으로 이루어져 있다. 알코올 온도계 속에 넣는 액체로는 보통 알코올을 사용하지만, 최근에는 색소를 섞은 기름을 사용하기도 한다. 몸체에 있는 눈금은 10℃ 간격으로 큰 눈금이 있고, 작은 눈금은 1℃ 간격으로 있다. 고리 부분에 실을 매달아 사용한다.

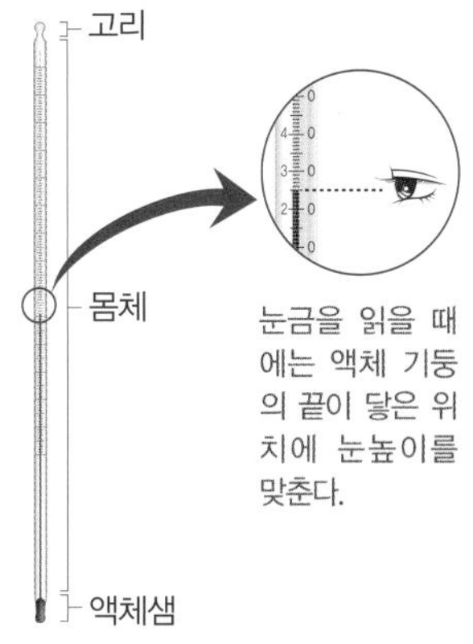

눈금을 읽을 때에는 액체 기둥의 끝이 닿은 위치에 눈높이를 맞춘다.

3. •물질의 온도 측정

(1) 쓰임새에 맞는 온도계 사용 쓰임새에 맞는 온도계를 사용해야 온도를 정확하게 측정할 수 있다.

① 체온을 측정할 때는 귀 체온계를 사용한다.

② 칠판, 나무 그늘의 흙, 교실의 벽 등 고체 물질이나 고체 물질 표면의 온도를 측정할 때는 적외선 온도계를 사용한다.

③ 교실의 기온, 운동장의 기온 등 기온을 측정할 때는 알코올 온도계의 고리에 실을 매달고 땅으로부터 1.5m 정도의 높이에서 측정한다.

④ 연못 속 물과 같이 액체의 온도를 측정할 때는 알코올 온도계의 고리에 실을 매달고 액체샘을 액체 속에 충분히 넣은 다음 측정한다.

(2) 물질의 온도에 영향을 주는 것 물질의 온도는 물질이 놓인 장소, 측정 시각, 햇빛의 양 등에 따라 다르다. 다른 물질이라도 온도가 같을 수 있고, 교실의 기온과 운동장의 기온이 다른 것처럼 같은 물질이라도 온도가 다를 수 있다.

온도와 물질의 특성
추운 겨울에 교실 책상의 다리를 만지면 매우 차갑지만 무더운 여름에는 교실 책상의 다리를 만지면 뜨겁다. 같은 책상의 다리라도 측정 장소, 측정 시각에 따라 온도가 다르기 때문에 온도는 물질의 특성이 될 수 없다.

4. 열의 이동 교과서 속 탐구 20쪽

(1) 두 물질 사이에서 열의 이동 온도가 다른 두 물질이 접촉하면 따뜻한 물질의 온도는 점점 낮아지고 차가운 물질의 온도는 점점 높아져서, 두 물질이 접촉한 채로 시간이 지나면 두 물질의 온도는 같아진다. 접촉한 두 물질 사이에서 온도가 높은 물질에서 온도가 낮은 물질로 열이 이동하기 때문이다.

(2) 우리 주변에서 일어나는 열의 이동

▲ 달걀부침 요리를 할 때는 온도가 높은 프라이팬에서 온도가 낮은 달걀로 열이 이동한다.

▲ 삶은 면을 차가운 물에 헹굴 때는 온도가 높은 삶은 면에서 온도가 낮은 물로 열이 이동한다.

▲ 얼음 위에 생선을 올려놓으면 온도가 높은 생선에서 온도가 낮은 얼음으로 열이 이동한다.

용어
• **물질** 나무, 유리, 금속 등과 같이 물체를 이루는 재료.

온도가 다른 두 물질이 접촉할 때 나타나는 두 물질의 온도 변화 측정하기

과정

1. 차가운 물이 담긴 음료수 캔을 따뜻한 물이 담긴 비커에 넣는다.
2. 알코올 온도계 두 개를 스탠드에 매달아 음료수 캔과 비커에 각각 넣는다.
3. 1분마다 음료수 캔과 비커에 담긴 물의 온도를 측정해 본다.

결과

▶ **1분마다 측정한 음료수 캔과 비커에 담긴 물의 온도 변화**

시간(분) / 온도(℃)	0	1	2	3	4	5	6
음료수 캔에 담긴 물	14.5	16.0	17.0	18.0	19.0	20.0	21.0
비커에 담긴 물	67.0	55.0	48.0	42.0	37.0	33.0	30.0

알 수 있는 사실 ▶ 온도가 다른 두 물질이 접촉할 때 온도가 높은 물질은 온도가 낮아지고, 온도가 낮은 물질은 온도가 높아진다. 두 물질이 접촉한 채로 시간이 지나면 두 물질의 온도는 같아진다.

정답과 해설 4쪽

[1~2] 다음은 오른쪽과 같이 차가운 물이 담긴 음료수 캔을 따뜻한 물이 담긴 비커에 넣고 두 물의 온도를 2분마다 측정한 결과입니다. 물음에 답하시오.

시간(분) / 온도(℃)	0	2	4	6
음료수 캔에 담긴 물	14.5	17.0	19.0	21.0
비커에 담긴 물	67.0	48.0	37.0	30.0

1 앞 실험에서 음료수 캔에 담긴 물과 비커에 담긴 물 중 시간이 지날수록 물의 온도가 낮아지는 것을 쓰시오.

( )

2 앞 실험에서 음료수 캔에 담긴 물과 비커에 담긴 물이 접촉한 채로 시간이 지났을 때 결과로 옳은 것에 ○표 하시오.

(1) 음료수 캔에 담긴 물과 비커에 담긴 물의 온도가 같아진다. ( )

(2) 비커에 담긴 물의 온도가 음료수 캔에 담긴 물의 온도보다 낮아진다. ( )

확인 문제

정답과 해설 4쪽

1 다음 (   ) 안에 공통으로 들어갈 알맞은 말을 쓰시오.

- 물질의 차갑거나 따뜻한 정도는 (   )(으)로 나타낸다.
- (   )은/는 숫자에 단위 ℃(섭씨도)를 붙여 나타낸다.

(   )

2 온도를 측정할 때 사용할 수 있는 것을 **보기**에서 모두 골라 기호를 쓰시오.

보기

㉠ ㉡ ㉢ ㉣

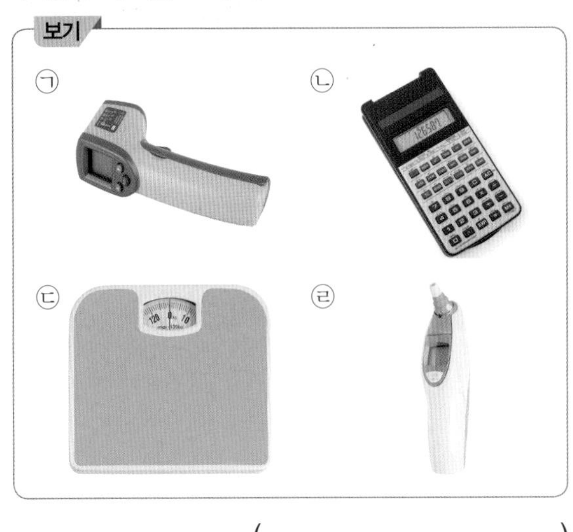

(   )

3 다음과 같이 알코올 온도계로 액체의 온도를 측정하였습니다. 알코올 온도계의 눈금을 읽어 액체의 온도를 쓰시오.

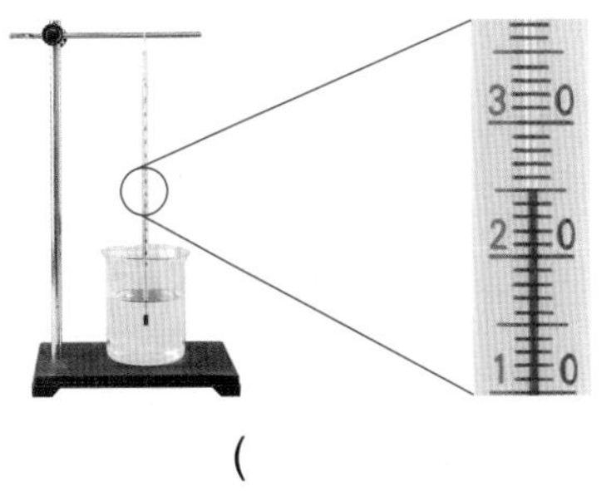

(   )℃

4 여러 장소에서 물질의 온도를 측정한 결과에 대해 잘못 말한 사람의 이름을 쓰시오.

- 인영: 같은 물질의 온도는 항상 같아.
- 수호: 다른 물질이라도 온도가 같을 수 있어.
- 빈희: 물질의 온도는 물질이 있는 장소, 측정 시각, 햇빛의 양 등에 따라 다를 수 있어.
- 민우: 그늘진 곳에 있는 흙과 햇빛이 뜨겁게 내리쬐는 곳의 흙은 온도가 다를 수 있어.

(   )

5 다음 (   ) 안의 알맞은 말에 각각 ○표 하시오.

갓 삶은 달걀을 차가운 물에 담가 두면 뜨거운 달걀의 온도는 점점 ㉠(낮아지고, 높아지고), 차가운 물의 온도는 점점 ㉡(낮아진다, 높아진다).

6 위 5번 답과 같이 접촉한 두 물질의 온도가 변하는 까닭은 무엇 때문입니까? (   )

① 열의 증발
② 열의 이동
③ 물질의 변화
④ 차가운 공기의 이동
⑤ 고체와 액체의 상태 변화

2 고체, 액체, 기체에서 열의 이동

개념 강의

만화로 보는 '열의 이동'

1. 고체에서 열의 이동

24쪽

(1) **열의 이동 방법** 고체 물질의 한 부분을 가열하면 그 부분의 온도가 높아진다. 이때 온도가 높아진 부분에서 주변의 온도가 낮은 부분으로 열이 이동하여 주변의 온도가 낮았던 부분도 점점 온도가 높아진다.

▲ 뜨거운 불 위에 올려놓은 팬에서 열은 불과 가까운 쪽에서 불에서 먼 쪽으로 이동한다.

▲ 뜨거운 찌개에 숟가락을 담가 두면 열이 찌개에 직접 닿지 않았던 숟가락의 손잡이까지 이동한다.

(2) **전도** 고체에서 열이 온도가 높은 곳에서 온도가 낮은 곳으로 고체 물질을 따라 이동하는 것을 전도라고 한다. 고체 물질이 끊겨 있거나, 두 고체 물질이 접촉하고 있지 않다면 열의 전도는 일어나지 않는다.

(3) **열이 이동하는 빠르기** 고체 물질의 종류에 따라 열이 이동하는 빠르기가 다르다.
열은 구리, 철, 유리 순으로 빠르게 이동한다.

① 크기가 같은 버터 조각을 붙인 각 판이 담긴 비커에 같은 온도의 뜨거운 물을 같은 양만큼 동시에 부었을 때 버터는 구리판 → 철판 → 유리판의 순서로 빠르게 녹는다.

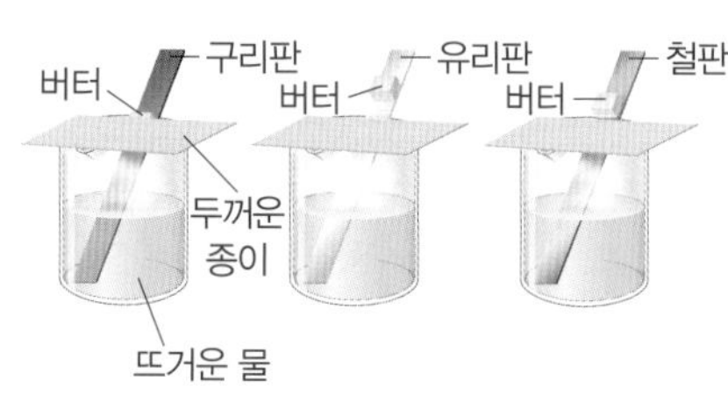

② 열 변색 붙임딱지를 붙인 구리판, 유리판, 철판을 뜨거운 물이 있는 비커에 동시에 넣었을 때 열 변색 붙임딱지의 색깔은 구리판 → 철판 → 유리판의 순서로 빠르게 변한다.

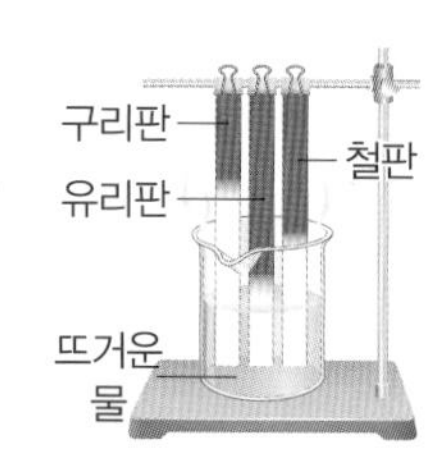

(4) **단열** 두 물질 사이에서 열의 이동을 줄이는 것을 단열이라고 한다. 집을 지을 때 집의 벽, 바닥, 지붕 등에 단열재를 사용하면 겨울이나 여름에 적절한 실내 온도를 오랫동안 유지할 수 있다.

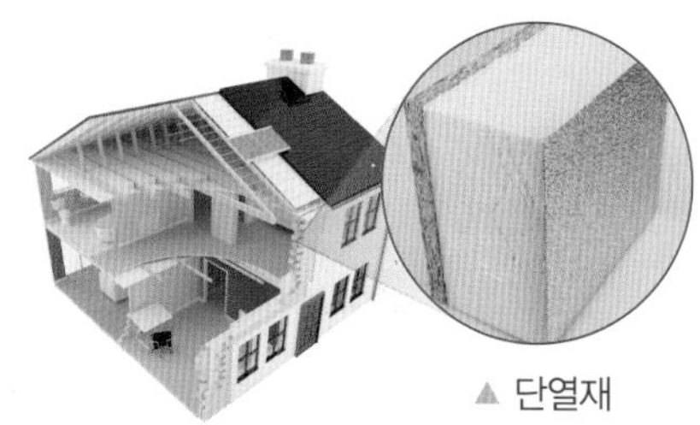
▲ 단열재

고체에서 열이 이동하는 빠르기가 다른 성질을 이용한 예

• 냄비의 바닥은 열이 빠르게 이동하는 금속으로 만들고, 냄비의 손잡이는 열이 빠르게 이동하지 않는 나무나 플라스틱으로 만든다.

• 빵 굽는 틀은 열이 이동하는 빠르기가 빠른 물질로 만든다.

2. 액체에서 열의 이동

(1) **열의 이동 방법** 물이 담긴 주전자를 가열하면 주전자 바닥에 있는 물의 온도가 높아져서 위로 올라가고 위에 있던 물은 아래로 밀려 내려온다. 이 과정이 반복되면서 물 전체가 따뜻해진다.

(2) **대류** 액체에서 온도가 높아진 물질이 위로 올라가고, 위에 있던 물질이 아래로 밀려 내려오는 과정을 대류라고 한다. 액체에서는 대류를 통해 열이 이동한다.

Mini 탐구 액체에서 열의 이동 알아보기

과정

1. 사각 수조에 차가운 물을 $\frac{1}{2}$ 정도 넣고 받침대 위에 올려놓는다.
2. 스포이트를 사용해 수조 바닥에 파란색 잉크를 천천히 넣는다.
3. 파란색 잉크의 아랫부분에 뜨거운 물이 담긴 종이컵을 놓고 파란색 잉크가 움직이는 모습을 관찰해 본다.

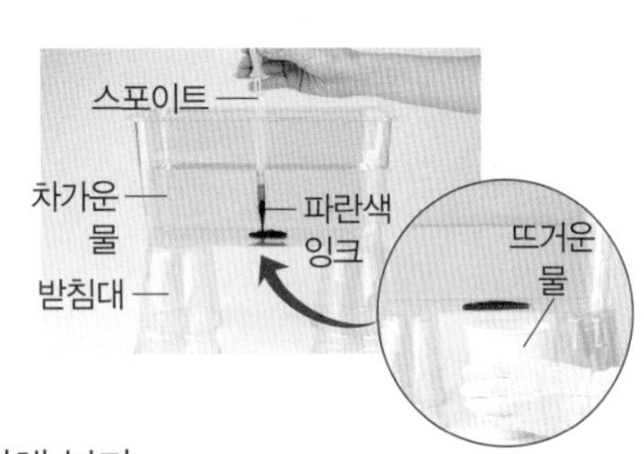

결과

• 뜨거워진 물이 위로 올라가며, 파란색 잉크가 위로 올라간다.

3. 기체에서 열의 이동

(1) **열의 이동 방법** 온도가 높은 물체 주변의 공기는 가열되어 온도가 높아진다. 온도가 높아진 공기는 위로 올라가고 위에 있던 공기는 아래로 내려온다.

(2) **대류** 기체에서는 대류를 통해 열이 이동한다.

① 알코올램프에 불을 붙이지 않고, 삼발이의 위쪽에 비눗방울을 불어 보면 비눗방울이 아래로 떨어진다.

② 알코올램프에 불을 붙이고 삼발이의 위쪽에 비눗방울을 불어 보면 비눗방울이 알코올램프 주변에서 위로 올라간다. 이는 불을 붙인 알코올램프 주변의 뜨거워진 공기가 위로 올라갔기 때문이다.

욕조에 담긴 물의 온도

목욕물이 담긴 욕조에서 온도가 높아진 물이 위로 올라가기 때문에 욕조에 담긴 물의 윗부분이 아랫부분보다 더 따뜻하다.

우리 생활에서 기체의 대류를 활용한 예

• 난방 기구를 낮은 곳에 설치하면 따뜻한 공기가 위로 올라가는 성질을 이용해 실내를 골고루 따뜻하게 하기 좋다.

• 에어컨을 높은 곳에 설치하면 차가운 공기가 아래로 내려와 실내를 골고루 시원하게 한다.

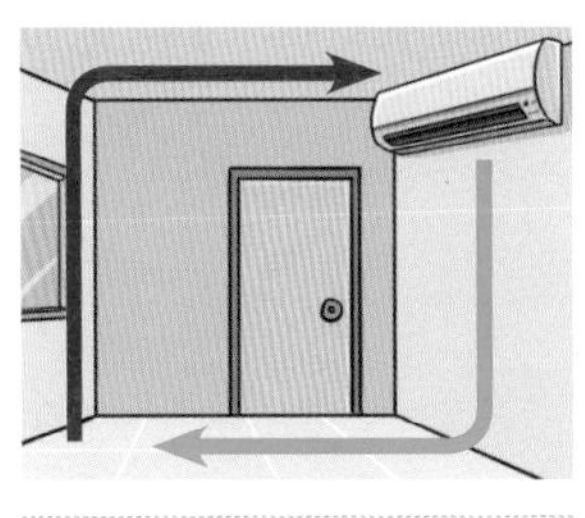

고체에서 열의 이동 알아보기

과정

1. 세 가지 모양의 구리판 윗면에 각각 열 변색 붙임딱지를 붙인다.
2. 길게 자른 구리판의 한쪽 끝부분을 가열하면서 열 변색 붙임딱지의 색깔 변화를 관찰해 본다.
3. 정사각형 구리판의 한 꼭짓점을 가열하면서 열 변색 붙임딱지의 색깔 변화를 관찰해 본다.
4. ㄷ 모양 구리판의 한 꼭짓점을 가열하면서 열 변색 붙임딱지의 색깔 변화를 관찰해 본다.

결과

구분	가열 전	열 변색 붙임딱지의 색깔 변화	
길게 자른 구리판			
정사각형 구리판			
ㄷ 모양 구리판			

알 수 있는 사실 ▶ 열은 구리판을 따라 가열한 부분에서 멀어지는 방향으로 이동한다. 고체 물질이 끊겨 있으면 열은 그 방향으로 이동하지 않는다.

정답과 해설 5쪽

1 그림과 같이 열 변색 붙임딱지를 붙인 두 가지 모양의 구리판을 가열했을 때 색깔이 변하는 방향을 화살표로 각각 나타내시오.

(1)

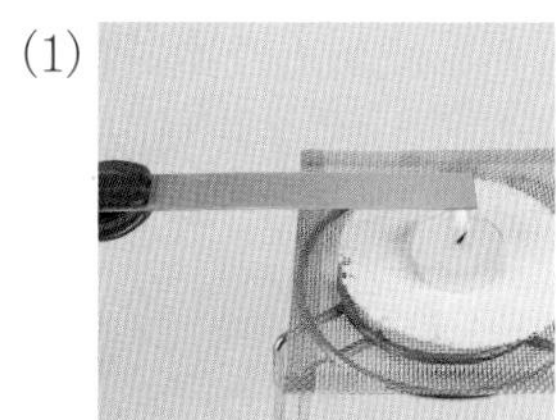

(2)

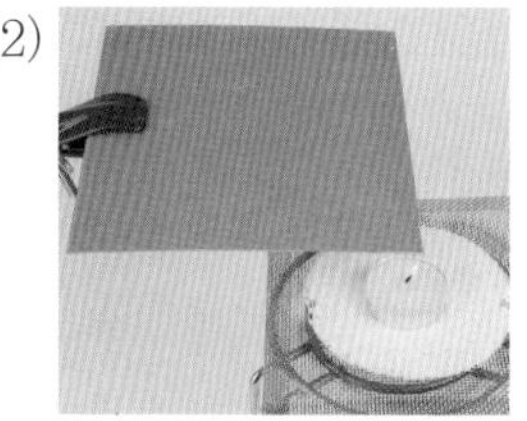

2 오른쪽과 같이 열 변색 붙임딱지를 붙인 ㄷ 모양의 구리판의 한 꼭짓점을 가열했을 때 열의 이동 방향에 대한 설명으로 옳은 것에 ○표 하시오.

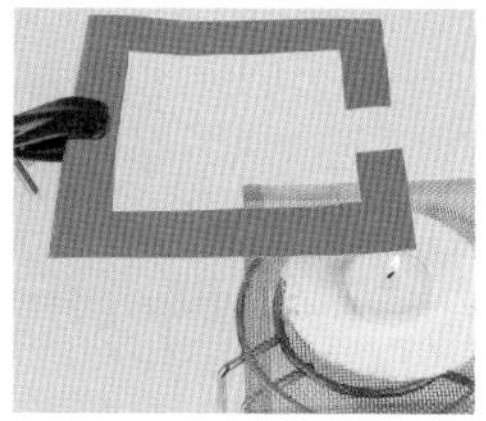

(1) 가열한 부분에서 멀어지는 방향으로 이동한다. ( )

(2) 고체 물질이 끊겨 있으면 끊어진 방향으로 이동한다. ( )

(3) 가열한 부분과 가장 먼 곳에서부터 가열한 부분과 가까워지는 방향으로 이동한다. ( )

정답과 해설 5쪽

1 오른쪽과 같이 뜨거운 국에 숟가락을 담가 두었을 때 국에 직접 닿지 않았던 숟가락의 손잡이가 뜨거워지는 까닭으로 옳은 것을 보기에서 골라 기호를 쓰시오.

보기

㉠ 손잡이 주변의 공기가 따뜻하기 때문에
㉡ 국물이 숟가락을 타고 올라오기 때문에
㉢ 국물이 증발하면서 열을 내보내기 때문에
㉣ 국에 직접 닿았던 부분에서 손잡이 쪽으로 숟가락을 따라 열이 이동하기 때문에

( )

2 구리판, 유리판, 철판에 각각 열 변색 붙임딱지를 붙이고 뜨거운 물이 담긴 비커 속에 동시에 넣었습니다. 시간이 조금 지난 뒤 다음과 같이 열 변색 붙임딱지가 변했을 때 열이 이동하는 빠르기가 빠른 순서대로 구리판, 유리판, 철판을 나열하시오.

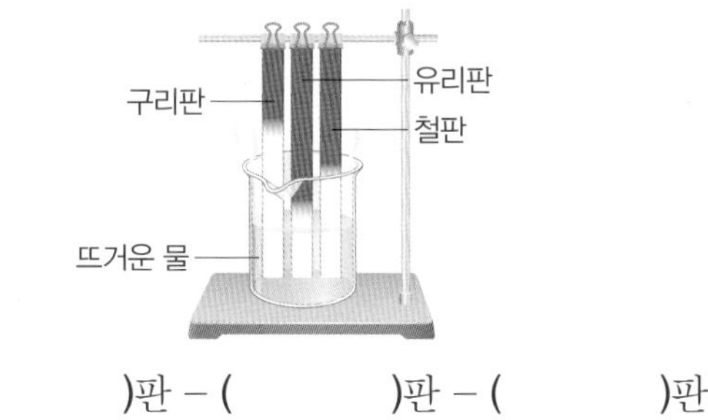

( )판 – ( )판 – ( )판

3 다음 ( ) 안에 공통으로 들어갈 알맞은 말을 쓰시오.

- 두 물질 사이에서 열의 이동을 줄이는 것을 ( )(이)라고 한다.
- 집의 벽, 바닥, 지붕 등에 ( )재를 사용하면 겨울이나 여름에 적절한 실내 온도를 오랫동안 유지할 수 있다.

( )

4 물이 담긴 주전자를 가열할 때 물에서 일어나는 열의 이동 방향을 화살표로 옳게 표시한 것에 ○표 하시오.

(1) ( ) (2) ( )

5 오른쪽과 같이 알코올램프에 불을 붙이고, 삼발이의 위쪽에 비눗방울을 불었을 때 결과를 옳게 말한 사람의 이름을 쓰시오.

- 호진: 비눗방울이 점점 커져.
- 서용: 비눗방울이 작게 나뉘어져.
- 소미: 비눗방울이 움직이지 않고 멈춰 있어.
- 찬해: 비눗방울이 알코올램프 주변에서 위로 올라가.

( )

6 대류를 통한 열의 이동에는 '대', 전도를 통한 열의 이동에는 '전'이라고 쓰시오.

(1) 뜨거워진 팬에서 고기로 열이 이동한다. ( )

(2) 난로를 켜면 따뜻한 공기가 위로 올라가고 위에 있던 공기는 아래로 내려오며 공기 중에서 열이 이동한다. ( )

(3) 목욕물이 담긴 욕조에서 온도가 높아진 물이 위로 올라가고 위에 있던 물이 아래로 밀려 내려오며 물에서 열이 이동한다. ( )

1 공기의 온도는 기온, 물의 온도는 수온, 몸의 온도는 체온이라고 합니다. 이때 온도가 무엇인지 쓰시오.

____

____

2 온도를 사용하는 까닭에 대해 옳게 말한 사람의 이름을 쓰시오.

- 인호: 차갑거나 따뜻한 정도는 모두 비슷하기 때문이야.
- 주연: 어떤 물질이 더 빨리 차가워지는지 알기 위해서야.
- 승민: 어떤 물질이 더 무거운지 정확하게 비교하기 위해서야.
- 라미: 어떤 물질이 더 따뜻한지 정확하게 나타내기 위해서야.

( )

3 다음 알코올 온도계가 나타내는 온도를 단위와 함께 쓰고, 바르게 읽으시오.

(1) 온도: ( )

(2) 읽기: ( )

4 다음은 귀 체온계 사용법을 나타낸 것입니다. 순서에 맞게 기호를 쓰시오.

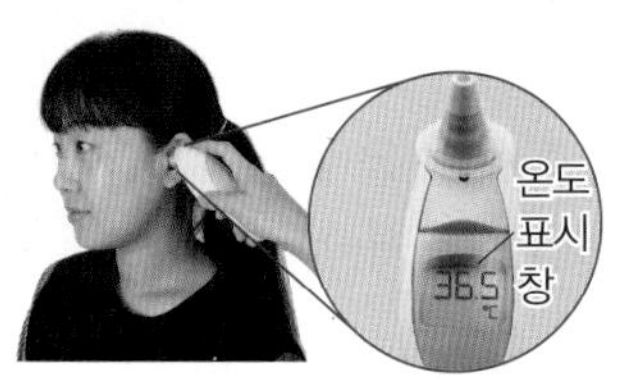

▲ 귀 체온계

㉠ 측정 버튼을 누른다.
㉡ 체온계의 끝을 귀에 넣는다.
㉢ 온도 표시 창에 나타난 체온을 확인한다.
㉣ 온도 측정이 됐음을 알리는 소리가 나면 귀에서 체온계를 뺀다.

( ) – ( ) – ( ) – ( )

5 오른쪽 알코올 온도계에 대한 설명으로 옳지 않은 것은 어느 것입니까? ( )

① 10℃ 간격으로 큰 눈금이 있다.
② 온도계 속에 알코올을 넣어 사용한다.
③ 고리, 몸체, 액체샘으로 이루어져 있다.
④ 관 속 빨간색 액체의 움직임이 멈추면 액체 기둥의 끝이 닿는 부분의 눈금을 읽어 온도를 측정한다.
⑤ 주변보다 따뜻한 물에 알코올 온도계를 넣으면 액체샘에 있는 빨간색 액체가 관을 따라 아래로 내려간다.

6 다음 각 물질의 온도를 측정하려고 할 때 가장 적합한 온도계를 보기에서 각각 골라 기호를 쓰시오.

보기

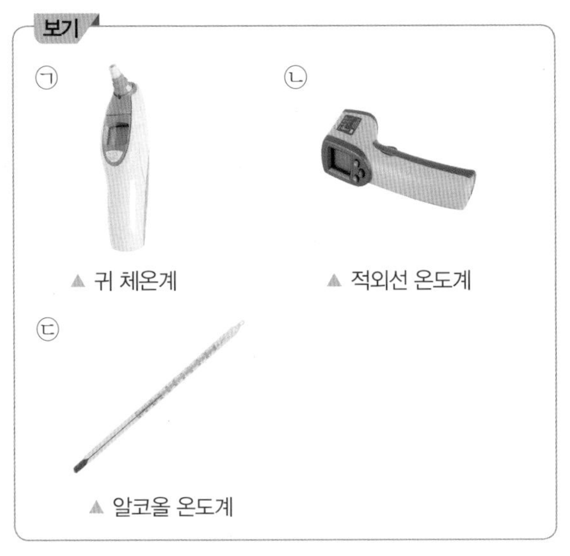

▲ 귀 체온계
▲ 적외선 온도계
▲ 알코올 온도계

(1) 체온: (　　　　　　)

(2) 칠판의 온도: (　　　　　　)

(3) 운동장의 기온 : (　　　　　　)

[7~8] 다음은 여러 장소에서 물질의 온도를 측정한 결과입니다. 물음에 답하시오.

장소	온도(℃)	장소	온도(℃)
교실의 기온	13.5	운동장의 기온	18.0
나무 그늘의 흙	17.1	햇빛이 내리쬐는 흙	20.0

7 교실의 기온과 운동장의 기온을 측정하는 방법으로 (　　) 안의 알맞은 말에 각각 ○표 하시오.

알코올 온도계의 ㉠(고리, 몸체)에 실을 매달고 땅으로부터 ㉡(1.5cm, 1.5m) 정도의 높이에서 측정한다.

8 앞 실험 결과를 통해 알 수 있는 사실을 보기에서 골라 기호를 쓰시오.

보기

㉠ 다른 물질의 온도가 같을 수 있다.

㉡ 같은 물질이라도 온도가 다를 수 있다.

㉢ 기온을 측정할 때에는 귀 체온계를 사용한다.

㉣ 물질의 온도는 물질이 있는 장소와 관계없이 같다.

(　　　　　　)

9 두 물질이 접촉할 때 온도가 높아지는 경우를 두 가지 고르시오. (　　　)

① 얼음에 올려놓은 생선의 온도

② 냉장고 속에 넣어 둔 주스의 온도

③ 차가운 물속에 넣어 둔 수박의 온도

④ 따뜻한 손난로를 잡고 있는 손의 온도

⑤ 뜨거운 프라이팬에 올려 둔 고기의 온도

10 열의 이동의 예를 한 가지 쓰고, 열의 이동 방향에 대해 설명하시오.

11 다음 중 전도의 예를 골라 ○표 하시오.

(1) 

▲ 뜨거운 팬에서 고기로 열이 이동한다.

( )

(2) 

▲ 뜨거워진 물이 위로 올라가고 위에 있던 물이 아래로 내려온다.

( )

12 오른쪽과 같이 뜨거운 고구마를 금속 쟁반에 담아 두었습니다. 고구마에 직접 닿지 않았던 쟁반 끝부분의 온도 변화를 쓰고, 그 까닭을 쓰시오.

____

____

13 다음은 구리판, 유리판, 철판 끝부분에 크기가 같은 버터 조각을 붙이고 비커에 각각 넣은 뒤 비커에 같은 온도의 뜨거운 물을 같은 양만큼 동시에 부었을 때의 결과입니다. 이를 통해 알 수 있는 사실에 ○표 하시오.

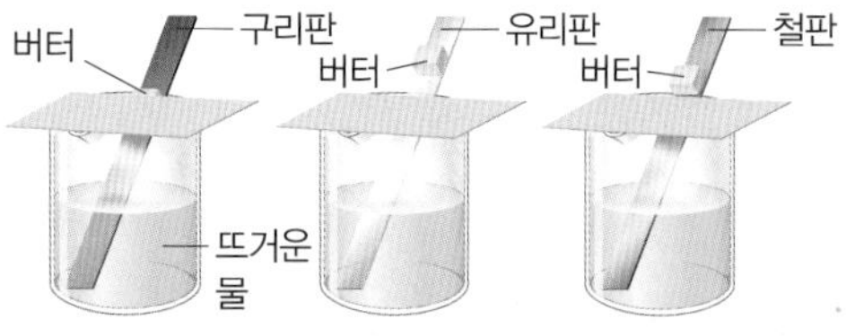

(1) 버터의 종류에 따라 녹는 빠르기가 다르다. ( )

(2) 물의 양에 따라 열이 이동하는 빠르기가 다르다. ( )

(3) 고체 물질의 종류에 따라 열이 이동하는 빠르기가 다르다. ( )

14 구리판, 유리판, 철판으로 다음과 같은 실험을 했습니다. 실험 결과에 알맞게 ( ) 안에 구리판, 유리판, 철판을 각각 쓰시오.

• 실험 과정

비커에 뜨거운 물을 붓고, 열 변색 붙임딱지를 붙인 구리판, 유리판, 철판을 비커에 동시에 넣은 후 열 변색 붙임딱지의 색깔이 변하는 빠르기를 비교한다.

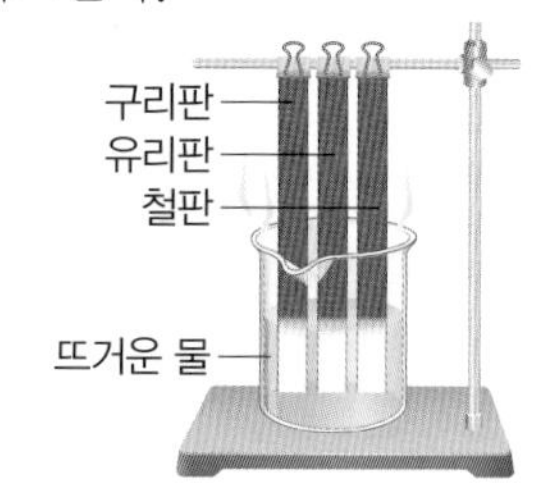

• 실험 결과

열 변색 붙임딱지의 색깔이 빨리 변하는 순서는 (㉠)판 → (㉡)판 → (㉢)판이다.

㉠ ( )

㉡ ( )

㉢ ( )

15 단열이 무엇인지 쓰고, 우리 생활에서 단열을 이용한 예를 한 가지 쓰시오.

____

____

____

16 다음과 같이 열 변색 붙임딱지를 붙인 ⊂ 모양의 구리판을 가열할 때 열 변색 붙임딱지의 색깔이 변하는 방향을 옳게 나타낸 것을 골라 ○표 하시오.

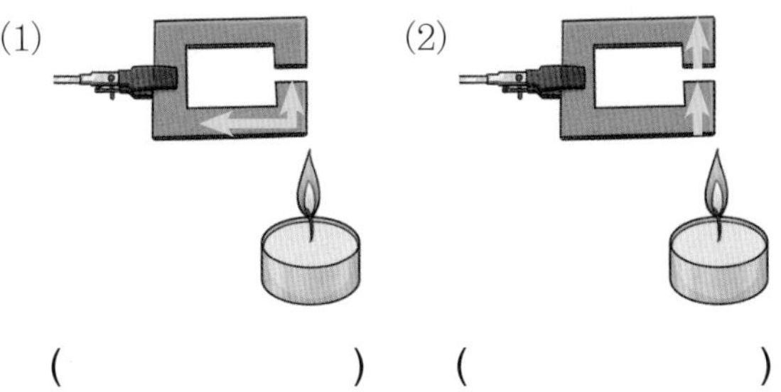

( ) ( )

17 고체 물질의 종류에 따라 열이 이동하는 빠르기가 다른 성질을 이용한 예를 잘못 말한 사람의 이름을 쓰시오.

- 아진: 냄비 바닥은 열이 빠르게 이동하는 물질로 만들어.
- 혁우: 빵을 굽는 틀은 열이 빠르게 이동하는 물질로 만들어.
- 민지: 주전자 손잡이는 열이 빠르게 이동하는 물질로 만들어.
- 강인: 뜨거운 그릇을 잡는 주방 장갑은 열이 빠르게 이동하지 않는 물질로 만들어.

( )

18 다음 ( ) 안의 알맞은 말을 골라 쓰시오.

비커에 있는 물의 아랫부분을 가열하면 윗부분까지 따뜻해지는 까닭은 온도가 높아진 물이 (위, 아래)로 이동하기 때문이다.

( )

19 대류에 해당하는 현상을 두 가지 고르시오. ( )

① 식초를 컵에 두고 며칠이 지나면 양이 줄어든다.
② 욕조에 담긴 물의 윗부분이 아랫부분보다 더 따뜻하다.
③ 뜨거운 프라이팬 위에 고기를 올리면 고기가 골고루 익는다.
④ 에어컨을 천장에 설치하면 바닥까지 실내가 골고루 시원해진다.
⑤ 뜨거운 수프에 숟가락을 담가 두면 수프에 직접 닿지 않았던 숟가락의 손잡이가 뜨거워진다.

20 다음 ㉠과 ㉡에 들어갈 알맞은 말을 각각 쓰시오.

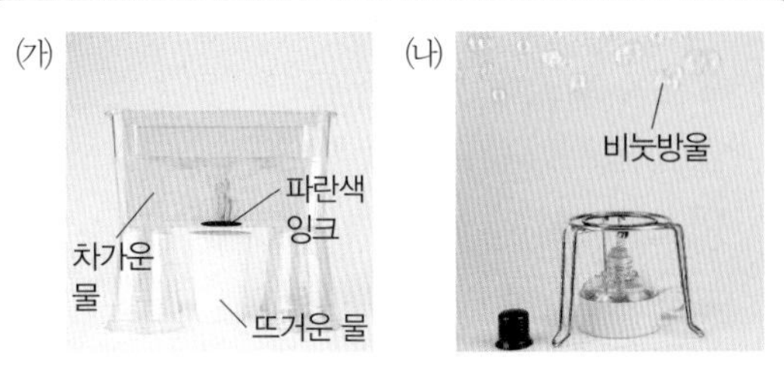

- 실험 (가)와 같이 차가운 물을 넣은 사각 수조의 바닥에 파란색 잉크를 넣은 후, 파란색 잉크의 아랫부분에 뜨거운 물이 담긴 종이컵을 놓으면 뜨거워진 물과 파란색 잉크가 위로 올라간다.
- 실험 (나)와 같이 알코올램프에 불을 붙이고, 삼발이의 위쪽에 비눗방울을 불어 보면 비눗방울이 알코올램프 주변에서 위로 올라간다.
- 실험 (가), (나)와 같이 액체와 기체 모두 가열된 물질이 위로 이동하면서 (㉠)이/가 이동한다. 액체와 기체에서는 (㉡)을/를 통해 (㉠)이/가 이동한다.

㉠ ( ), ㉡ ( )

1 우리 생활에서 온도를 정확하게 측정해야 하는 경우를 두 가지 쓰시오.

---

2 오른쪽과 같이 차가운 물이 담긴 음료수 캔을 따뜻한 물이 담긴 비커에 넣고 두 물의 온도를 1분마다 측정한 결과가 다음 표와 같았습니다. 온도가 다른 두 물질이 접촉하면 두 물질의 온도가 어떻게 변하는지 쓰시오.

온도(℃) \ 시간(분)	0	1	2	3	4	5
음료수 캔에 담긴 물	14.5	16.0	17.0	18.0	19.0	20.0
비커에 담긴 물	67.0	55.0	48.0	42.0	37.0	33.0

---

3 다음 표는 여러 장소에서 다양한 시각에 물질의 온도를 측정한 결과입니다. 같은 물질의 온도와 관련하여 표를 보고 알 수 있는 사실을 쓰시오.

장소	온도(℃)	장소	온도(℃)
교실의 기온	13.5	운동장의 기온	18.0
나무 그늘의 흙	17.1	햇빛이 내리쬐는 흙	20.0
새벽의 운동장 기온	16.0	정오의 운동장 기온	18.5

---

4 다음 ㉠과 ㉡의 경우에 열은 어디에서 어디로 이동하는지 각각 쓰시오.

㉠

▲ 뜨거운 프라이팬 위에 달걀을 놓았을 때

㉡
▲ 삶은 면을 차가운 물에 헹굴 때

---

5 다음 그림과 같이 뜨거운 수프에 숟가락을 담가 두면 수프에 직접 닿지 않았던 숟가락의 손잡이까지 뜨거워집니다. 그 까닭을 쓰고, 이와 같은 예를 한 가지 쓰시오.

6 다음과 같이 열 변색 붙임딱지를 붙인 구리판, 유리판, 철판을 뜨거운 물에 넣었습니다. 구리판, 유리판, 철판에 붙인 붙임딱지 중 색깔이 빠르게 변하는 순서를 나열하고, 이를 통해 알 수 있는 사실을 쓰시오.

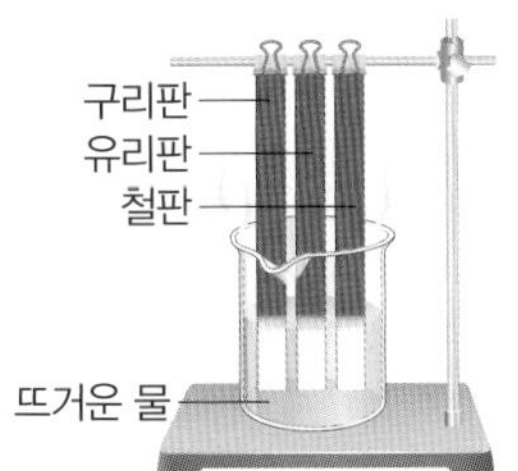

7 목욕물이 담긴 욕조에 들어갈 때 윗부분에 있는 물과 아랫부분에 있는 물을 만져 보면 윗부분에 있는 물이 더 뜨겁습니다. 이러한 현상이 나타나는 까닭을 쓰시오.

8 알코올램프에 불을 붙이고, 삼발이의 위쪽에 비눗방울을 불어 비눗방울의 움직임을 관찰하는 실험을 했습니다. ㉠과 ㉡ 중 비눗방울이 움직이는 방향으로 옳은 것의 기호를 쓰고, 그렇게 생각한 까닭을 쓰시오.

㉠

▲ 비눗방울이 알코올램프 주변에서 아래로 떨어진다.

㉡

▲ 비눗방울이 알코올램프 주변에서 위로 올라간다.

온도와 온도계

온도	• 물질의 차갑거나 따뜻한 정도를 나타낸다. • 숫자에 단위 ℃(섭씨도)를 붙여 나타낸다.
온도계	• 온도를 측정할 때 사용한다. • 체온을 측정하는 귀 체온계, 주로 고체 물질의 온도를 측정하는 적외선 온도계, 주로 액체나 기체의 온도를 측정하는 알코올 온도계 등이 있다.

온도계 사용법

귀 체온계	귀 체온계의 끝을 귀에 넣고 측정 버튼을 누르면 온도 측정이 됐음을 알리는 소리가 난다. 이때 귀에서 체온계를 빼고 온도 표시 창에 나타난 체온을 확인한다.
적외선 온도계	적외선 온도계로 측정하려는 물질의 표면을 겨누고 측정 버튼을 누르면 온도 표시 창에 물질의 온도가 나타난다.
알코올 온도계	주변보다 따뜻한 물에 알코올 온도계를 넣으면 액체샘에 있는 빨간색 액체가 몸체 속의 관을 따라 위로 올라간다. 액체의 움직임이 멈추면 액체 기둥의 끝이 닿는 부분의 눈금을 읽어 온도를 측정한다.

두 물질이 접촉할 때 나타나는 온도 변화

프라이팬과 달걀 사이의 열의 이동	삶은 면과 물 사이의 열의 이동	생선과 얼음 사이의 열의 이동
뜨거운 프라이팬에서 달걀로 열이 이동한다.	뜨거운 면에서 물로 열이 이동한다.	생선에서 차가운 얼음으로 열이 이동한다.

▶ 온도가 다른 두 물질이 접촉하면 온도가 높은 물질에서 온도가 낮은 물질로 열이 이동한다. 접촉한 두 물질의 온도가 변하는 까닭은 열의 이동 때문이다.

전도

전도	고체에서 열은 온도가 높은 곳에서 온도가 낮은 곳으로 고체 물질을 따라 이동하는데, 이러한 열의 이동을 전도라고 한다.
전도의 예	뜨거운 찌개에 숟가락을 담그면 뜨거운 찌개에서 찌개에 담긴 숟가락의 부분으로 열이 전도되고, 찌개에 담긴 숟가락의 부분에서 온도가 낮은 숟가락의 손잡이 부분으로 열이 전도된다.

▶ 고체 물질이 끊겨 있거나, 두 개의 고체 물질이 접촉하고 있지 않으면 열의 전도는 일어나지 않는다.

대류

대류	• 액체나 기체에서 온도가 높아진 물질이 위로 올라가고 위에 있던 물질이 아래로 밀려 내려오는 과정을 대류라고 한다. • 액체와 기체에서는 대류를 통해 열이 이동한다.
대류의 예	• 목욕물이 담긴 욕조에서 윗부분에 있는 물이 아랫부분에 있는 물보다 더 따뜻하다. • 난방 기구를 낮은 곳에 설치하면 따뜻한 공기가 위로 올라가고 차가운 공기가 밀려 내려와서 데워지기 때문에 실내가 골고루 따뜻해진다.

열의 이동

1 온도와 열

개념 18쪽

온도는 물체의 따뜻하고 차가운 정도를 측정하여 수치로 나타낸 것이다.

온도가 다른 두 물체가 접촉했을 때 온도가 높은 물체에서 온도가 낮은 물체로 이동하는 에너지를 **열** 개념 19쪽 이라고 한다.

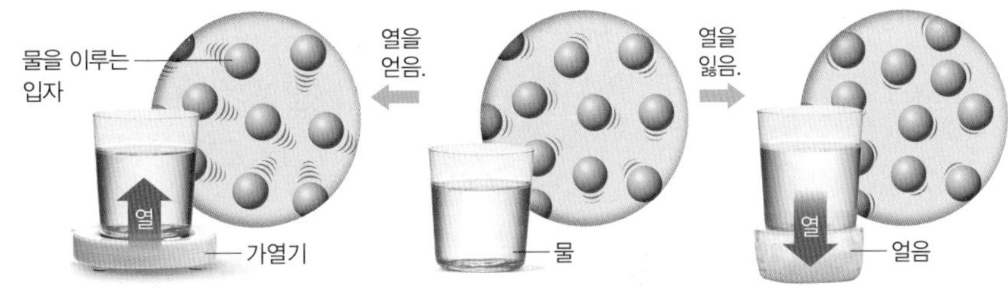

▲ 열을 얻어 물의 온도가 높아지면 입자 운동이 활발해지고, 열을 잃어 물의 온도가 낮아지면 입자 운동이 둔해진다.

2 열평형

개념 19쪽

온도가 다른 두 물체가 접촉했을 때 고온의 물체에서 저온의 물체로 **열이 이동**하여, 고온의 물체는 온도가 낮아지고 저온의 물체는 온도가 높아진다. 이렇게 서로 접촉한 두 물체의 온도가 같아져서 물체의 온도가 더 이상 변하지 않는 상태를 열평형 상태라고 한다.

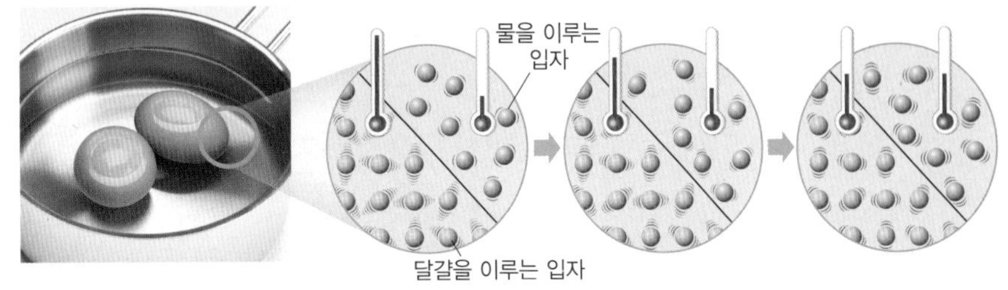

▲ 갓 삶은 달걀을 찬물에 담가 두고 시간이 지나면 열평형 상태를 이루어 달걀과 물의 온도가 같아진다.

3 열의 이동 방법

고체 물체를 이루는 입자의 운동이 이웃한 입자에 차례로 전달되어 열이 이동하는 방법을 **전도** 개념 22쪽 라고 한다. 기체나 액체를 이루는 입자가 직접 이동하여 열을 전달하는 방법을 **대류** 개념 23쪽 라고 한다. 열을 물질의 도움 없이 직접 이동하는 방법을 복사라고 한다.

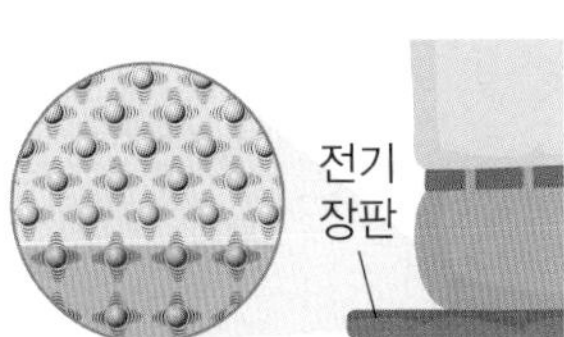

▲ 전도: 전기장판 위에 앉아 있으면 엉덩이가 따뜻해진다.

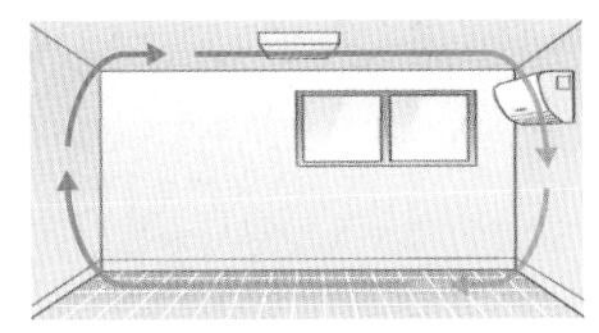

▲ 대류: 에어컨을 켜면 방 안 공기가 시원해진다.

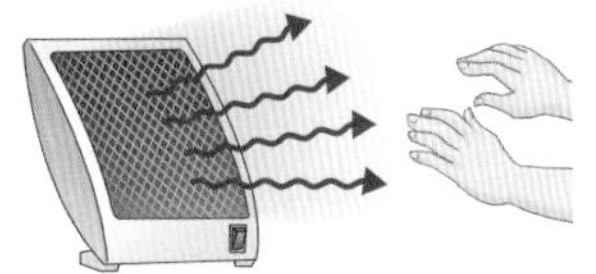

▲ 복사: 전기난로를 향한 손바닥이 손등보다 따뜻해진다.

VISUAL SCIENCE

비주얼 사이언스

22쪽 참고 바이메탈의 원리

전기주전자 안의 물이 끓으면 전기가 끊어지는 원리가 바이메탈의 원리이다. 바이메탈은 열팽창 정도가 서로 다른 두 개의 얇은 금속을 붙여 합친 것이다. 바이메탈은 온도가 높아지면 열팽창 정도가 큰 금속이 열팽창 정도가 작은 금속보다 많이 팽창하여 한쪽으로 휘어지면서 전기가 차단된다.

▲ 바이메탈의 원리

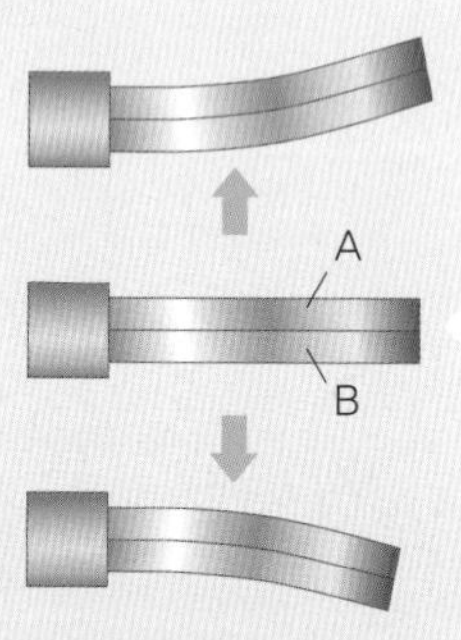

▲ 바이메탈의 휘어짐

A는 열팽창 정도가 작은 금속이고 B는 열팽창 정도가 큰 금속이다. 온도가 높아지면 A쪽으로 휘어지고, 온도가 낮아지면 B쪽으로 휘어진다.

23쪽 참고 찬물과 뜨거운 물에서 잉크가 퍼지는 정도

같은 크기의 비커에 같은 양의 찬물과 뜨거운 물을 넣은 후 각각 잉크를 한 방울씩 물에 떨어뜨리면 찬물보다 뜨거운 물에서 잉크가 더 빨리 퍼져 나간다.

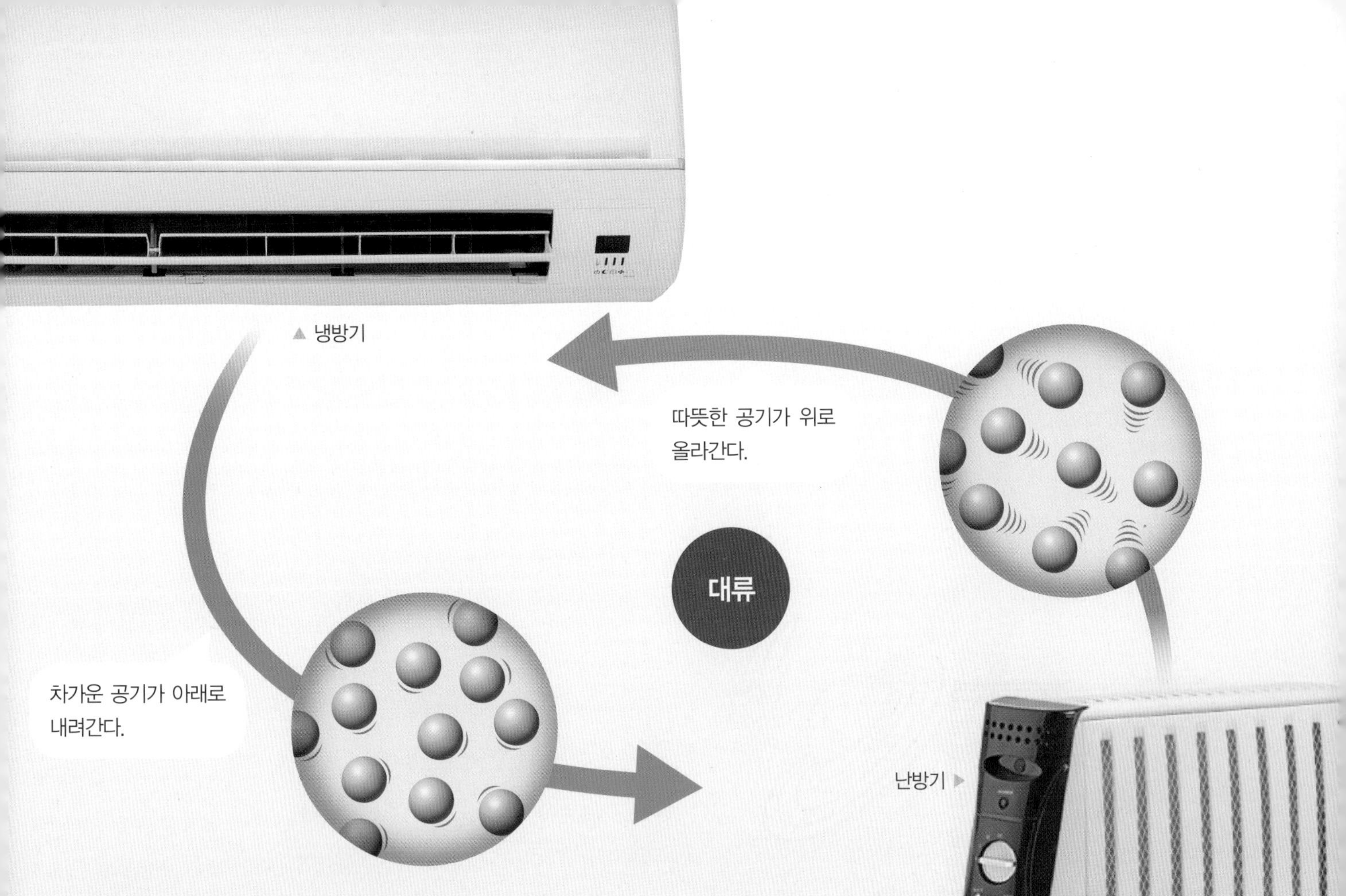

▲ 냉방기
따뜻한 공기가 위로
올라간다.
대류
차가운 공기가 아래로
내려간다.

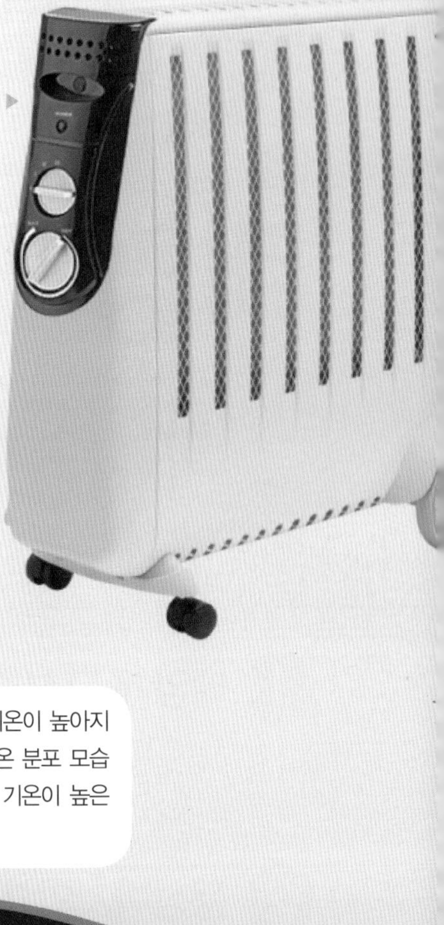

난방기 ▶

23쪽 참고 냉난방 기구를 효율적으로 사용하는 방법

실내 공기에서 대류가 잘 일어나게 하기 위해 냉방기는 위쪽에 설치하고, 난방기는 아래쪽에 설치한다.

23쪽 참고 열섬 현상

도시가 늘어나고 녹지가 줄어들면서 도시에서 만들어지는 인공적인 열과 대기 오염으로 인해 도시 지역이 주변 지역보다 기온이 높아지는 현상을 열섬 현상이라고 한다. 열섬 현상은 도시 지역에서 부는 강한 바람(도시풍)의 원인이 되기도 한다.

주변 지역에서 도시 중심으로 갈수록 기온이 높아지기 때문에 도시 지역과 주변 지역의 기온 분포 모습이 섬과 비슷하게 되는데, 도시 지역의 기온이 높은 부분을 '열섬'이라고 부른다.
도시 지역은 인공적인 열을 많이 방출하여 기온이 높아지기 때문에 상승 기류가 형성되는 반면에, 주변 지역은 하강 기류가 형성되어 주변 지역에서 도시 지역의 중심을 향해 강한 도시풍이 불게 된다.
하강 냉기류
도시풍
도시풍
하강 냉기류

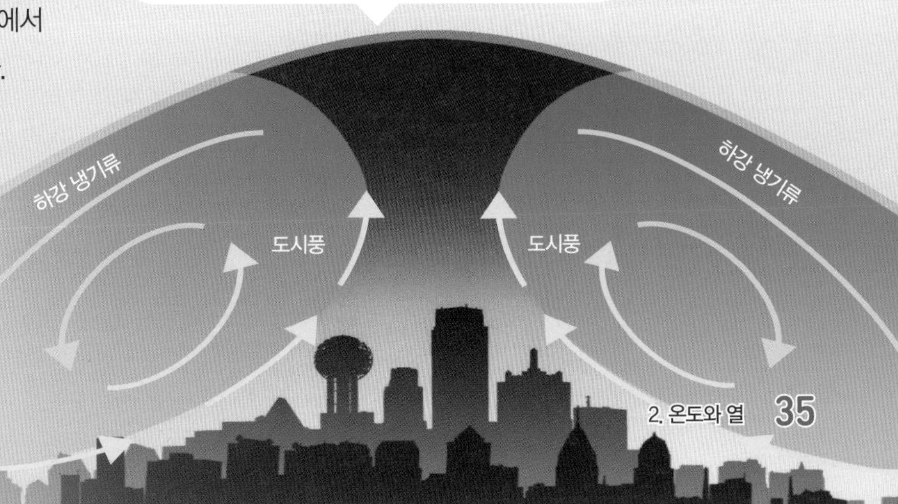

3 태양계와 별

1 태양계 구성원과 행성의 크기

2 행성까지의 거리와 별자리

3 북극성, 행성과 별

태양계에는 태양, 지구, 위성 등이 속해 있어.
선수 학습
•3~4학년군 **지구의 모습**
이 단원의 학습
•5~6학년군 **태양계와 별**
후속 학습
•5~6학년군 **지구와 달의 운동**
•중학교 1~3학년군 **태양계**

태양계 구성원과 행성의 크기

만화로 보는
'태양계 구성원'

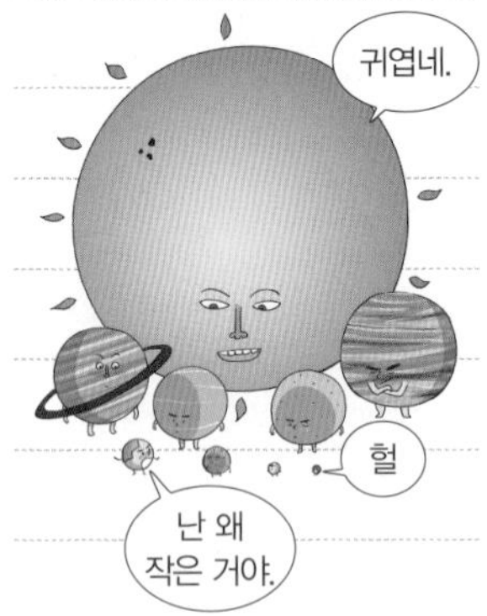

1. 태양의 영향

① 우리가 살아가는 데 필요한 대부분의 에너지는 태양에서 얻는다.
태양 빛을 이용해 전기를 만든다.

② 지구에 있는 물이 •순환하는 데 필요한 에너지를 끊임없이 공급해 준다.

③ 지구를 따뜻하게 하여 생물이 살아가기에 알맞은 환경을 만들어 준다.

④ 식물은 태양 빛이 있어야 양분을 만들어 살아갈 수 있고, 일부 동물은 식물이 만든 양분을 먹고 살아가기도 한다.

2. 태양계 구성원

(1) 태양계 태양계는 태양과 태양의 영향을 받는 천체들 그리고 그 공간이다. 천체는 우주에 있는 별, 행성, 위성, 소행성 등을 모두 가리킨다.

(2) 태양계 구성원

① 태양, 행성, 위성, 소행성, 혜성 등이다.

② 태양은 태양계에서 유일하게 스스로 빛을 내는 천체이다.
태양계의 중심에 있다.

③ 행성은 태양의 주위를 도는 둥근 천체이다.

④ 위성은 행성의 주위를 도는 천체로 달은 지구 주위를 도는 위성이다.

⑤ 소행성은 태양 주위를 도는 작은 행성이다.
대부분 화성과 목성 사이의 궤도에서 태양의 둘레를 공전한다.

⑥ 혜성은 먼지가 섞인 작은 가스 덩어리가 태양을 향하여 접근하는 천체이다.

(3) 태양계 행성의 특징

① 수성은 전체적으로 어두운 회색으로 달처럼 충돌 구덩이가 있다. 표면은 바위와 먼지로 이루어져 있으며, 대기, 고리, 위성이 없다.
태양계 행성 중 가장 작다.

② 금성은 땅이 있고, 고리가 없다.

③ 지구는 푸른색을 띠며, 땅이 있고 고리가 없다.

④ 화성은 붉은색을 띠고, 지구의 사막처럼 암석과 흙으로 이루어져 있다. 고리는 없고, 대기가 있으나 지구보다 훨씬 적다.

▲ 수성

▲ 금성

▲ 지구

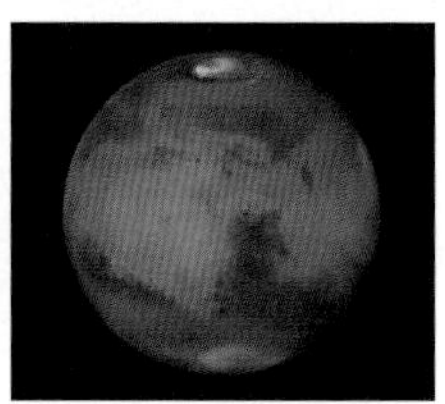
▲ 화성

유성과 운석

• 유성: 소행성이나 혜성의 작은 조각이 지구 대기 안으로 들어올 때 대기와 마찰하며 밝은 빛을 내는 것이다.
• 운석: 소행성이나 혜성의 작은 조각이 대기 중에서 완전히 소멸되지 않고 지면에 떨어진 것이다.

혜성의 꼬리

혜성은 태양에 가까워지면 꼬리가 생기기도 한다.

용어

•**순환** 주기적으로 자꾸 되풀이하여 도는 과정.

⑤ 목성은 표면이 기체로 되어 있고, 고리가 있다.

⑥ 토성은 연노란색을 띠며, 땅이 없고 표면이 기체로 되어 있다. 커다란 고리가 있고, 여러 개의 위성을 가지고 있다.

⑦ 천왕성은 청록색을 띠고, 기체로 이루어져 있다. 고리가 세로 방향으로 있지만 희미해서 잘 보이지 않는다.

⑧ 해왕성은 표면이 기체로 되어 있고, 고리가 있다.

▲ 목성

▲ 토성

▲ 천왕성

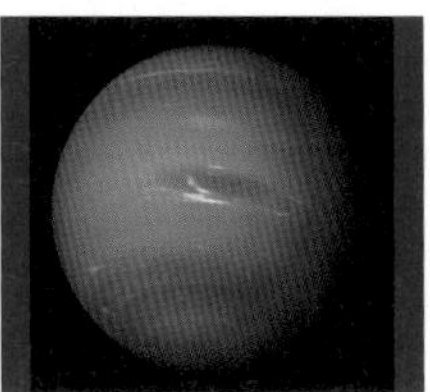
▲ 해왕성

태양계 행성의 표면 상태와 고리 유무

행성	표면 상태	고리
수성	땅	없음.
금성	땅	없음.
지구	땅	없음.
화성	땅	없음.
목성	기체	있음.
토성	기체	있음.
천왕성	기체	있음.
해왕성	기체	있음.

(4) 태양계 행성의 크기

① 태양계 행성 중에서 가장 작은 것은 수성이고, 가장 큰 것은 목성이다.

② 지구와 크기가 가장 비슷한 행성은 금성이다.

③ 수성, 금성, 지구, 화성은 •상대적으로 크기가 작은 행성에 속하며, 목성, 토성, 천왕성, 해왕성은 상대적으로 크기가 큰 행성에 속한다.

④ **태양계 행성의 크기 비교:** 지구의 반지름을 1로 보았을 때 태양계 행성의 상대적인 반지름으로 태양계 행성의 크기를 비교한다. 교과서 속 탐구 40쪽

행성	반지름	행성	반지름
수성	0.4	목성	11.2
금성	0.9	토성	9.4
지구	1.0	천왕성	4.0
화성	0.5	해왕성	3.9

▲ 지구의 반지름을 1로 보았을 때 태양계 행성의 상대적인 크기 비교

지구의 크기가 반지름이 1cm인 구슬과 같다면 목성은 반지름이 약 11cm인 축구공, 배구공과 같다.

태양과 지구의 크기 비교

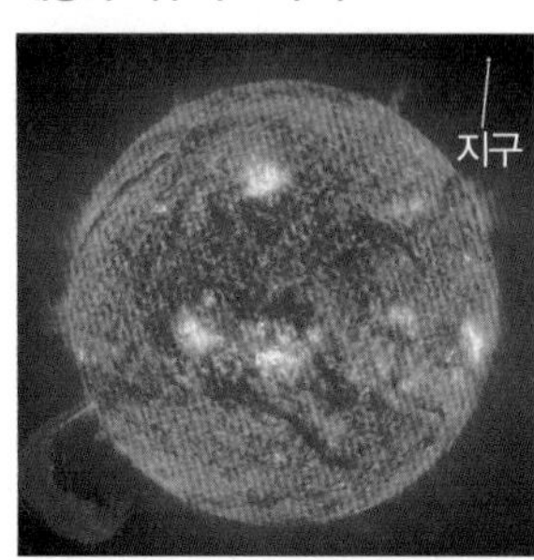

태양의 반지름은 지구의 반지름보다 약 109배가 커서 태양과 지구를 비교하면 지구는 작은 점처럼 보인다.

용어

•**상대적** 서로 맞서거나 비교되는 관계에 있는 것.

태양계 행성의 크기 비교하기

과정

1. 행성 크기 비교 모형을 모두 뜯어낸 다음 홈을 가위로 자른다. 행성 크기 비교 모형의 홈을 같은 행성끼리 끼워 맞추고 연결 부분에 셀로판테이프를 붙여 행성 크기 비교 모형을 완성한다.
2. 완성한 행성 크기 비교 모형으로 행성의 상대적인 크기를 비교해 본다.
3. 행성을 지구보다 큰 행성과 작은 행성으로 분류해 본다.

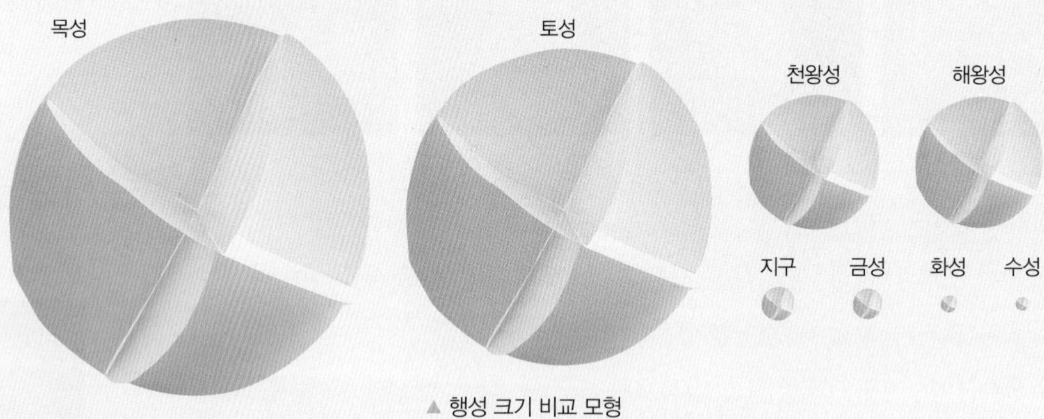

▲ 행성 크기 비교 모형

결과

▶ 목성, 토성, 천왕성, 해왕성, 지구, 금성, 화성, 수성 순서로 행성의 크기가 크다.
▶ 수성 – 화성, 금성 – 지구, 해왕성 – 천왕성은 상대적으로 크기가 비슷하다.
▶ 지구보다 크기가 큰 행성은 목성, 토성, 천왕성, 해왕성이고 지구보다 크기가 작은 행성은 수성, 금성, 화성이다.

알 수 있는 사실

▶ 태양계 행성의 크기는 다양하다. 수성, 금성, 지구, 화성은 상대적으로 크기가 작은 행성에 속하며 목성, 토성, 천왕성, 해왕성은 상대적으로 크기가 큰 행성에 속한다.

정답과 해설 10쪽

[1~3] 다음은 태양계 행성의 크기 비교 모형입니다. 물음에 답하시오.

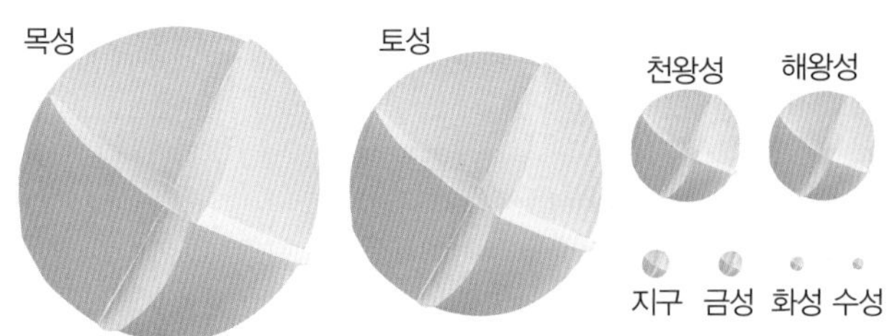

1 태양계 행성 중 지구보다 크기가 큰 행성을 모두 쓰시오.

( )

2 태양계 행성 중 지구와 상대적인 크기가 비슷한 행성을 쓰시오.

( )

3 태양계 행성 중 상대적으로 크기가 작은 행성을 모두 쓰시오.

( )

확인 문제

⟳정답과 해설 10쪽

1 다음 ( ) 안에 공통으로 들어갈 알맞은 말을 쓰시오.

- ( )은/는 지구에 있는 물이 순환하는 데 필요한 에너지를 끊임없이 공급해 준다.
- ( )은/는 지구를 따뜻하게 하여 생물이 살아가기에 알맞은 환경을 만들어 준다.
- 우리가 살아가는 데 필요한 대부분의 에너지는 ( )에서 얻는다.

( )

2 태양이 생물에게 소중한 까닭으로 ( ) 안에 들어갈 알맞은 말을 보기에서 골라 쓰시오.

보기

식물, 동물, 사람, 세균, 곰팡이

( )은/는 태양 빛이 있어야 양분을 만들어 살아갈 수 있기 때문이다.

( )

3 태양계에 대한 설명으로 옳은 것에 ○표 하시오.

(1) 태양과 우주를 말한다. ( )

(2) 태양과 태양의 영향을 받는 사람을 말한다. ( )

(3) 태양과 태양의 영향을 받는 천체들 그리고 그 공간을 말한다. ( )

4 수성에 대한 설명에는 '수', 목성에 대한 설명에는 '목'이라고 쓰시오.

(1) 고리가 있다. ( )

(2) 표면이 기체로 되어 있다. ( )

(3) 태양계 행성 중 가장 작다. ( )

(4) 달처럼 충돌 구덩이가 있다. ( )

5 다음에서 설명하는 태양계 행성은 무엇인지 쓰시오.

- 커다란 고리가 있다.
- 연노란색이고, 표면이 기체로 되어 있다.
- 태양계에서 두 번째로 큰 행성이다.

( )

6 다음은 지구의 반지름을 1로 보았을 때 태양계 행성의 상대적인 반지름입니다. 지구의 크기가 반지름이 1cm인 구슬과 같다면 목성과 크기가 비슷한 물체를 보기에서 골라 기호를 쓰시오.

행성	반지름	행성	반지름
수성	0.4	목성	11.2
금성	0.9	토성	9.4
지구	1.0	천왕성	4.0
화성	0.5	해왕성	3.9

보기

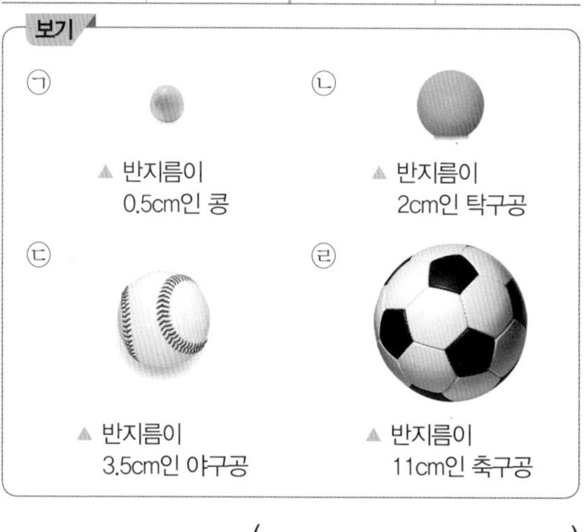

㉠ ▲ 반지름이 0.5cm인 콩

㉡ ▲ 반지름이 2cm인 탁구공

㉢ ▲ 반지름이 3.5cm인 야구공

㉣ ▲ 반지름이 11cm인 축구공

( )

행성까지의 거리와 별자리

만화로 보는
'행성까지의 거리'

태양에서 행성까지의 거리를 상대적인 거리로 비교하는 까닭
거리가 너무 멀어 km로 표현하기 복잡하고, 실제 거리로 나타내면 거리를 쉽게 비교하기 어렵기 때문이다.

1. 태양에서 행성까지의 거리

(1) **태양에서 지구까지의 거리** 지구는 태양에서 매우 멀리 떨어져 있다. 지구에서 태양까지 한 시간에 4km씩 걸어서 이동하면 약 4300년이 걸리고, 비행기를 타고 한 시간에 900km를 이동하면 약 19년이 걸린다.

(2) **태양에서 행성까지의 거리 비교** 태양에서 지구까지의 거리를 1로 보았을 때 태양에서 다른 행성까지의 상대적인 거리로 태양에서 다른 행성까지의 거리를 비교한다. 교과서 속 탐구 44쪽

태양에서 가장 가까운 행성은 수성이고, 태양에서 가장 먼 행성은 해왕성이다.

행성	거리	행성	거리
수성	0.4	목성	5.2
금성	0.7	토성	9.6
지구	1.0	천왕성	19.1
화성	1.5	해왕성	30.0

▲ 태양에서 지구까지의 거리를 1로 보았을 때 태양에서 행성까지의 상대적인 거리

(3) **태양에서 행성까지의 거리**

① 태양에서 지구보다 가까이 있는 행성은 수성, 금성이고, 태양에서 지구보다 멀리 있는 행성은 화성, 목성, 토성, 천왕성, 해왕성이다.

② 태양에서 거리가 멀어질수록 행성 사이의 거리도 멀어진다.

보충 플러스⁺ 태양에서 지구까지 거리가 지금보다 멀어진다면 달라질 지구의 환경

태양에서 지구가 지금보다 두 배 멀어지면 지구의 표면 온도가 낮아질 것이다. 그러면 지금처럼 생명체가 살기에 적합한 환경이 아니기 때문에 생명체가 살아가기 어려울 것이다.

2. 별과 별자리

(1) **별** 별은 태양처럼 스스로 빛을 내는 천체이다. 밤하늘의 별은 매우 먼 거리에 있어서 반짝이는 밝은 점으로 보이며, 움직이지 않는 것처럼 보인다.

(2) **별자리**

① 별자리는 별의 무리를 구분해 이름을 붙인 것이다.

② 옛날 사람들은 밤하늘에 무리 지어 있는 별을 연결해 사람이나 동물 또는 물건의 모습을 떠올리고 이름을 붙였다.

③ 별자리의 모습과 이름은 지역과 시대에 따라 다르다.

④ 북쪽 밤하늘에서는 북두칠성, 작은곰자리, 카시오페이아자리를 볼 수 있다.

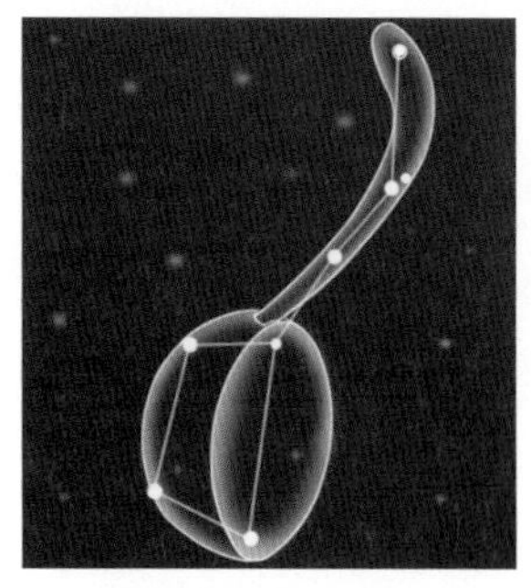

▲ 북두칠성: 동양 고유의 별자리로, 큰곰자리의 일부분에 속한다.

▲ 작은곰자리: 북극성을 포함하는 별자리로, 북두칠성과 모양이 닮아서 작은 국자자리라고도 한다.

▲ 카시오페이아자리: 위치에 따라 엠(M)자나 더블유(W)자 모양이다.

별자리를 이루는 별들의 거리

지구에서 별까지의 거리는 매우 멀기 때문에 원근감이 느껴지지 않는다. 실제로 별자리를 이루는 별들끼리 가까운 거리에 있는 것은 아니다. 별자리를 이룬 별들은 지구에서 볼 때 우연히 비슷한 위치로 보일 뿐 실제 거리와는 다르다.

Mini 탐구 별자리 관측하기

과정

1. 별자리를 관측할 시각에 정해진 장소에서 나침반을 이용해 북쪽을 확인한다.
2. 북쪽 밤하늘에서 어떤 별자리가 보이는지 관측한다.
3. 주변 건물이나 나무 등의 위치를 표현하고 별자리의 위치와 모양을 기록해 본다.

결과

방위에 유의하며, 산, 건물과 같은 주변의 지형물을 이용해 별의 위치를 표시한다.
관측한 별을 그린 뒤 별자리는 천체 관측 프로그램이나 별자리를 나타낸 그림을 참고해 연결한다.

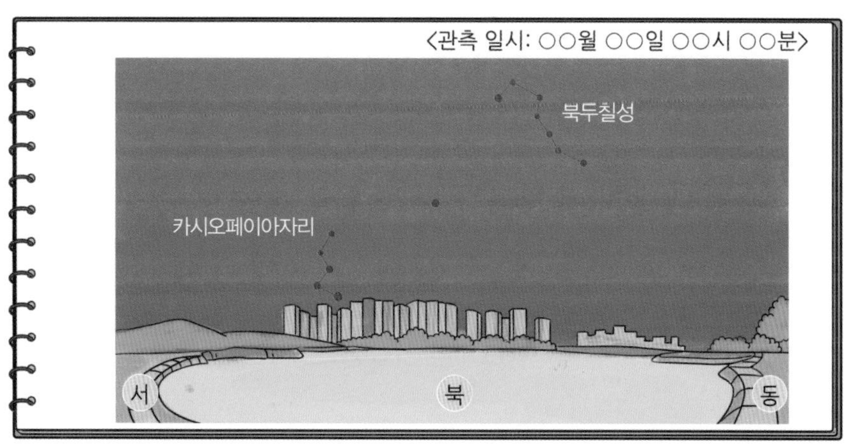

용어

• **원근감** 멀고 가까운 거리에 대한 느낌.

태양에서 행성까지의 상대적인 거리 비교하기

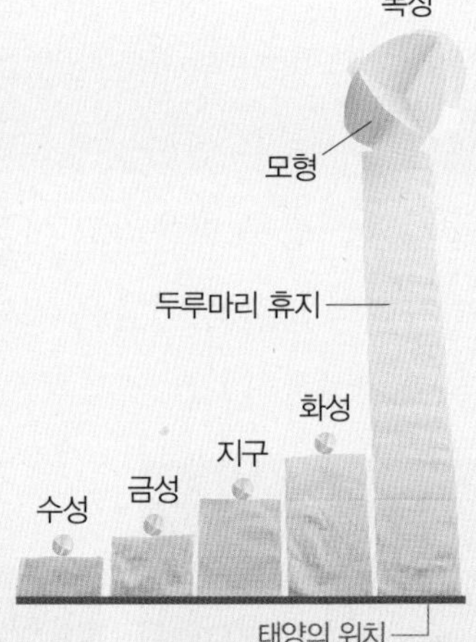

과정

1. 태양의 위치를 표시한다.
2. 태양에서 지구까지의 거리를 두루마리 휴지 한 칸으로 정했을 때 태양에서 각 행성까지의 상대적인 거리에 맞게 두루마리 휴지를 자른다.
3. 자른 두루마리 휴지의 한쪽 끝을 태양의 위치에 맞추고 다른 쪽 끝에 행성 크기 비교 모형을 놓은 뒤, 휴지를 셀로판테이프로 고정한다.
4. 태양에서 행성까지의 상대적인 거리를 비교하고, 태양에서 지구보다 가까이 있는 행성과 멀리 있는 행성으로 분류해 본다.

결과

▶ **태양에서 지구까지의 거리를 두루마리 휴지 한 칸으로 정했을 때 태양에서 각 행성까지 거리를 나타내는 데 필요한 휴지 칸 수**

행성	필요한 휴지 칸 수	행성	필요한 휴지 칸 수
수성	0.4	목성	5.2
금성	0.7	토성	9.6
지구	1.0	천왕성	19.1
화성	1.5	해왕성	30.0

▶ **태양에서 지구보다 가까이 있는 행성과 멀리 있는 행성으로 분류하기**

태양에서 지구보다 가까이 있는 행성	태양에서 지구보다 멀리 있는 행성
수성, 금성	화성, 목성, 토성, 천왕성, 해왕성

알 수 있는 사실

▶ 수성, 금성, 지구, 화성과 같은 행성은 목성, 토성, 천왕성, 해왕성과 같은 행성에 비해 상대적으로 태양 가까이에 있다. 태양에서 거리가 멀어질수록 행성 사이의 거리도 멀어진다.

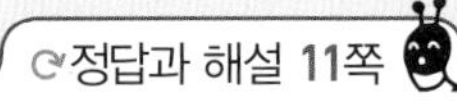

[1~3] 다음 표는 태양에서 지구까지의 거리를 두루마리 휴지 한 칸으로 정했을 때 태양에서 각 행성까지의 거리를 나타낼 때 필요한 휴지 칸 수입니다. 물음에 답하시오.

행성	필요한 휴지 칸 수	행성	필요한 휴지 칸 수
수성	0.4	목성	5.2
금성	0.7	토성	9.6
지구	1.0	천왕성	19.1
화성	1.5	해왕성	30.0

1 태양에서 가장 먼 곳에 있는 행성을 쓰시오.

( )

2 지구에서 가장 가까운 곳에 있는 행성을 쓰시오.

( )

3 다음 중 태양에서 지구보다 가까이 있는 행성을 모두 골라 ○표 하시오.

수성, 금성, 화성, 목성, 토성

정답과 해설 11쪽

[1~2] 다음 표는 태양에서 지구까지의 거리를 1로 보았을 때 태양에서 행성까지의 상대적인 거리를 나타낸 것입니다. 물음에 답하시오.

행성	거리	행성	거리
수성	0.4	목성	5.2
금성	0.7	토성	9.6
지구	1.0	천왕성	19.1
화성	1.5	해왕성	30.0

1 태양에서 가장 가까운 곳에 있는 행성을 골라 ○표 하시오.

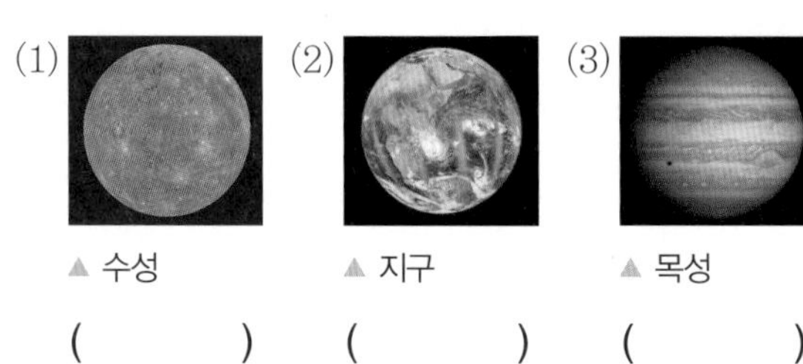

(1) ▲ 수성 (　　)　(2) ▲ 지구 (　　)　(3) ▲ 목성 (　　)

2 다음 (　　) 안에 들어갈 알맞은 말을 쓰시오.

태양에서 행성까지의 거리가 멀어질수록 행성 사이의 거리가 점점 (　　　　).

(　　　　　　)

3 태양에서 행성까지의 거리를 비교할 때 상대적인 거리로 비교하는 까닭으로 옳은 것에 ○표 하시오.

(1) 태양에서 행성까지의 거리가 너무 멀기 때문이다. (　　)

(2) 태양에서 행성까지의 거리는 km로 나타낼 수 없기 때문이다. (　　)

(3) 실제 거리로 나타내면 거리를 너무 쉽게 비교할 수 있기 때문이다. (　　)

4 태양처럼 스스로 빛을 내는 천체를 무엇이라고 하는지 보기에서 골라 쓰시오.

보기

별, 행성, 혜성, 별자리

(　　　　　　)

5 별자리에 대해 잘못 말한 사람의 이름을 쓰시오.

- 수진: 별의 무리를 구분해 이름을 붙인 거야.
- 호인: 별자리의 모습과 이름은 지역, 시대와 상관없이 똑같아.
- 민웅: 사람들이 밤하늘에 무리 지어 있는 별을 연결해 사람이나 동물, 물건의 모습을 떠올리고 이름을 붙인 거야.

(　　　　　　)

6 다음은 북쪽 하늘에서 볼 수 있는 별자리입니다. 카시오페이아자리의 기호를 쓰시오.

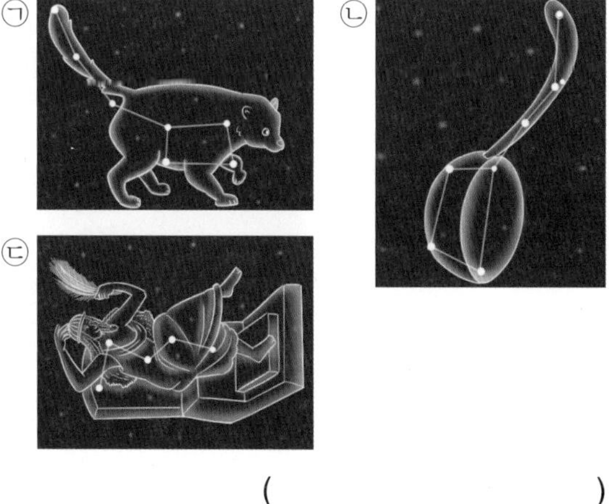

(　　　　　　)

북극성, 행성과 별

만화로 보는
'행성과 별'

별은 움직이지 않아. 넌 가짜야.
난 빛나는 별이야.

1. 북극성 찾아보기

(1) 북극성

① 북극성은 항상 정확한 북쪽 밤하늘에서 볼 수 있다.

② 북극성을 찾으면 방위를 알 수 있어서 북극성은 나침반의 역할을 하기 때문에 중요하다.

③ 북쪽 밤하늘에서 볼 수 있는 북두칠성과 카시오페이아자리를 이용해 북극성을 찾을 수 있다.

(2) 북극성을 찾는 방법 교과서 속 탐구 48쪽

① 카시오페이아자리를 이용해 북극성을 찾는 방법: 카시오페이아자리에서 바깥쪽 두 선을 연장해 만나는 점 ㉠을 찾는다. 점 ㉠과 별 ㉡을 연결하고, 그 거리의 다섯 배만큼 떨어진 곳에 있는 별이 북극성이다.

② 북두칠성을 이용해 북극성을 찾는 방법: 북두칠성의 국자 모양 끝부분의 별 [1]과 [2]를 찾는다. 별 [1]과 [2]를 연결하고, 그 거리의 다섯 배만큼 떨어진 곳에 있는 별이 북극성이다.

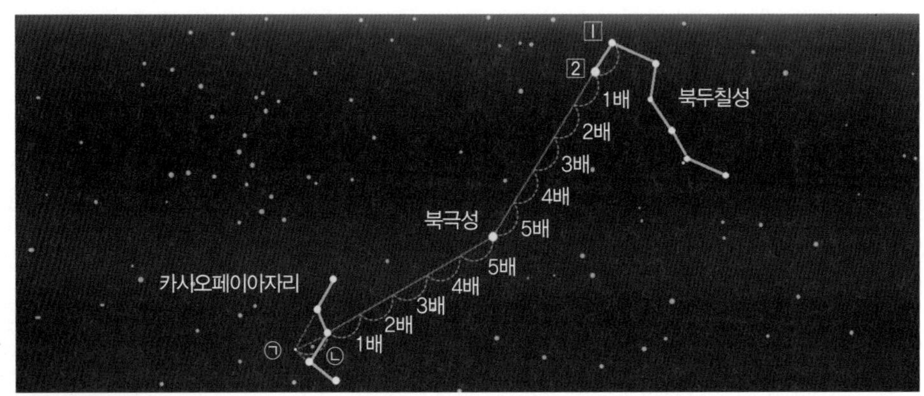

북두칠성이나 카시오페이아자리를 이용해 북극성을 찾는 까닭
북극성이 가장 밝은 별이 아니어서 바로 찾기 쉽지 않기 때문이다. 비교적 찾기 쉬운 북두칠성이나 카시오페이아자리를 찾고, 이를 이용해 북극성을 정확히 찾는다.

- **방위** 공간의 어떤 점이나 방향이 한 기준의 방향에 대하여 나타내는 어떠한 쪽의 위치.
- **반사** 일정한 방향으로 나아가던 빛이 다른 물체의 표면에 부딪혀서 나아가던 방향을 반대로 바꾸는 현상.

2. 행성과 별의 특징

(1) 행성

① 밝게 빛나 보인다.
행성과 별의 공통점이다.

② 스스로 빛을 내지 않고, 태양 빛을 반사하여 빛을 낸다.

③ 태양 주위를 돌기 때문에 여러 날 동안 지구에서 보면 위치가 변한다.

④ 금성, 화성, 목성, 토성과 같은 행성은 별보다 더 밝고 또렷하게 보인다.

(2) 별

① 스스로 빛을 내어 밝게 빛나 보인다.

② 행성에 비해 지구에서 매우 먼 거리에 있기 때문에 여러 날 동안 같은 밤하늘을 관측하면 움직이지 않는 것처럼 보인다.

심화 항성과 행성

태양처럼 스스로 빛을 내는 천체를 항성(별)이라고 한다. 밤하늘의 반짝이는 천체는 대부분 항성(별)이다. 원래 항성은 붙박이별을 말하고, 행성은 떠돌이별을 말했다. 즉, 자리를 이동하지 않는 천체를 항성, 자리를 이동하는 천체를 행성이라고 한 것이다. 그러나 과학이 발달하면서 항성은 스스로 빛을 내는 천체임을 알게 되었다. 또 행성은 항성 둘레를 공전하기 때문에 위치가 변함을 알게 되었다.

별이 움직이지 않는 것처럼 보이는 까닭

별은 지구와 거리가 너무 멀기 때문에 움직이지 않는 것처럼 보인다. 그러나 사실은 각각 운동을 하고 있기 때문에 오랜 세월이 지나면 그 위치가 변한다. 우리 은하계는 약 1000억 개의 별로 구성되어 있다.

별이 반짝이는 점으로 보이는 까닭

별은 지구에서부터 거리가 태양보다 훨씬 멀기 때문에 태양과 다르게 반짝이는 점으로 보인다.

Mini 탐구 행성과 별의 차이점 알아보기

과정

1. 여러 날 동안 밤하늘을 관측해 나타낸 다음, 그림을 관찰한다.

▲ 투명 필름에 표시하기

2. 첫째 그림 위에 투명 필름을 덮고 모든 천체의 위치를 유성 펜으로 표시한다. 둘째 그림과 셋째 그림도 각각 투명 필름을 덮고 모든 천체의 위치를 각각 다른 색깔의 유성 펜으로 표시한다.
3. 천체의 위치를 표시한 투명 필름 세 장을 순서에 맞게 겹쳐 보고 위치가 변한 것이 있는지 확인한다.
4. 투명 필름의 천체 중에서 행성을 찾아 표시해 본다.

결과

• 투명 필름 세 장을 겹쳐 보고 위치가 변한 천체를 찾는다.

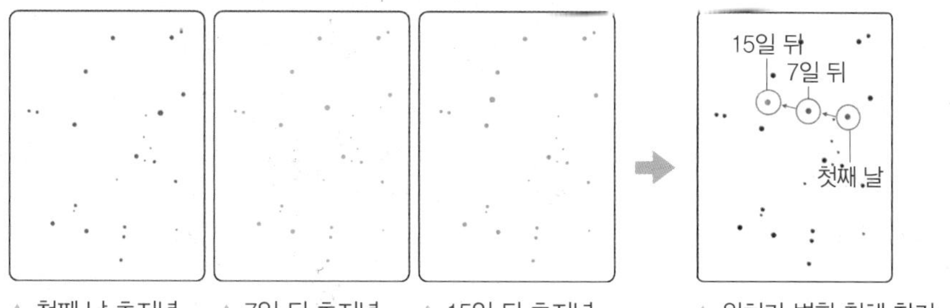

▲ 첫째 날 초저녁 ▲ 7일 뒤 초저녁 ▲ 15일 뒤 초저녁 ▲ 위치가 변한 천체 찾기

• 투명 필름의 천체 중에서 위치가 변한 천체가 행성이다.

북쪽 밤하늘 별자리를 이용해 북극성 찾아보기

과정

1. 북두칠성을 이용해 북극성을 찾는다.
   ❶ 북두칠성의 국자 모양 끝부분에서 ①과 ②를 찾는다.
   ❷ ①과 ②를 연결하고, 그 거리의 다섯 배만큼 떨어진 곳에 있는 별을 찾는다.
2. 카시오페이아자리를 이용해 북극성을 찾는다.
   ❶ 카시오페이아자리에서 바깥쪽 두 선을 연장해 만나는 점 ㉠을 찾는다.
   ❷ ㉠과 ㉡을 연결하고, 그 거리의 다섯 배만큼 떨어진 곳에 있는 별을 찾는다.

결과

▶ **북두칠성과 카시오페이아자리를 이용해 북극성을 찾는 방법**

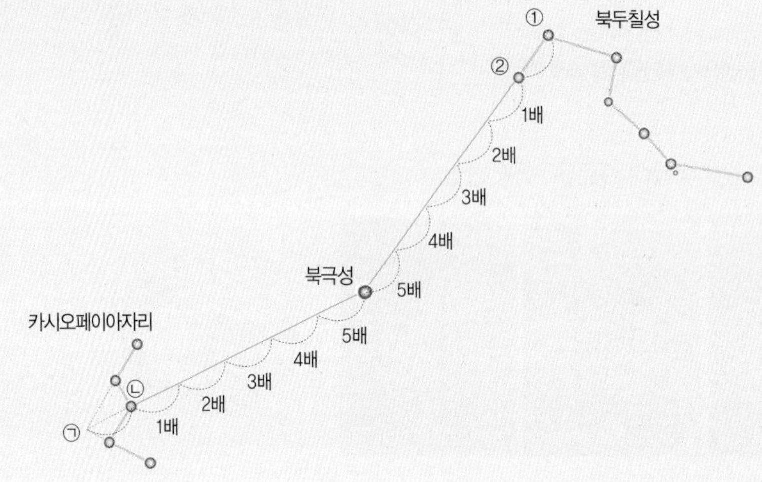

알 수 있는 사실 ▶ 북쪽 밤하늘에서 북두칠성이나 카시오페이아자리를 이용하면 북극성을 찾을 수 있다.

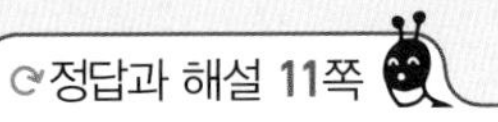
정답과 해설 11쪽

1 북극성을 찾을 때 이용할 수 있는 별자리를 두 가지 골라 기호를 쓰시오.

㉠
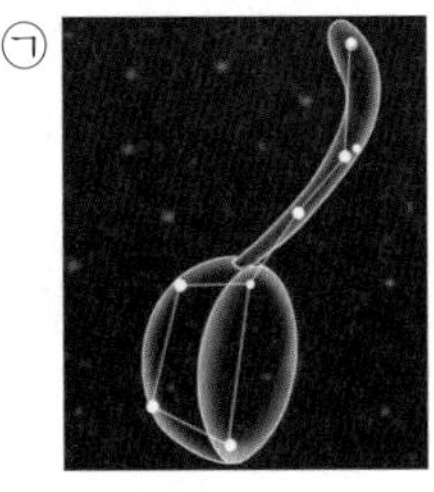
▲ 북두칠성

㉡
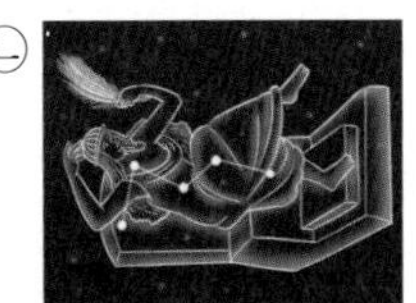
▲ 카시오페이아자리

㉢

▲ 작은곰자리

( )

2 다음은 북쪽 밤하늘의 모습입니다. 북극성을 찾아 기호를 쓰시오.

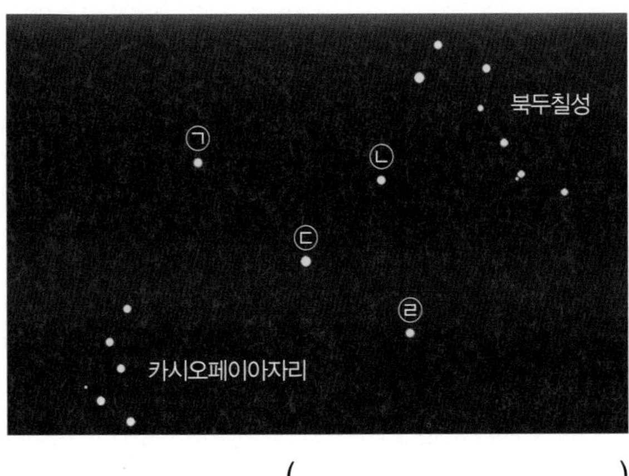

( )

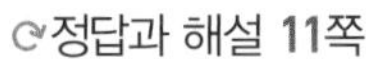
정답과 해설 11쪽

1 북극성에 대해 잘못 말한 사람의 이름을 쓰시오.

- 민호: 가장 밝은 별이야.
- 지희: 항상 정확한 북쪽에 있어.
- 수용: 낮에도 같은 위치에 있지만 밝아서 보이지 않는 거야.

(　　　　　　　　)

2 다음은 북쪽 하늘에서 볼 수 있는 북두칠성과 북극성입니다. ㉠~㉦ 중 북극성을 찾을 때 이용하는 별을 두 가지 골라 기호를 쓰시오.

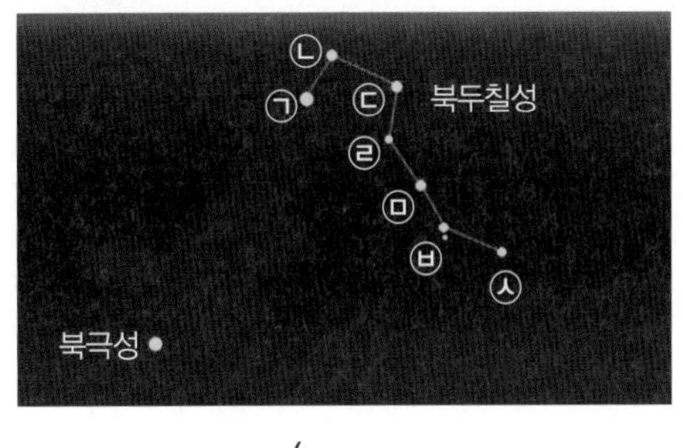

(　　　　　　　　)

3 북극성이 중요한 까닭으로 (　　) 안의 알맞은 말을 골라 쓰시오.

북극성은 날짜에 관계없이 항상 정확한 북쪽 밤하늘에 있어서 (자석, 나침반) 역할을 하기 때문이다.

(　　　　　　　　)

4 행성에 대한 설명에는 '행', 별에 대한 설명에는 '별'이라고 쓰시오.

(1) 스스로 빛을 낸다. (　　)

(2) 지구에서 보면 위치가 변한다. (　　)

(3) 금성, 화성, 목성, 토성 등이다. (　　)

5 다음은 여러 날 동안 북쪽 밤하늘을 관찰하여 그린 그림입니다. ㉠~㉢ 중 행성의 기호를 쓰시오.

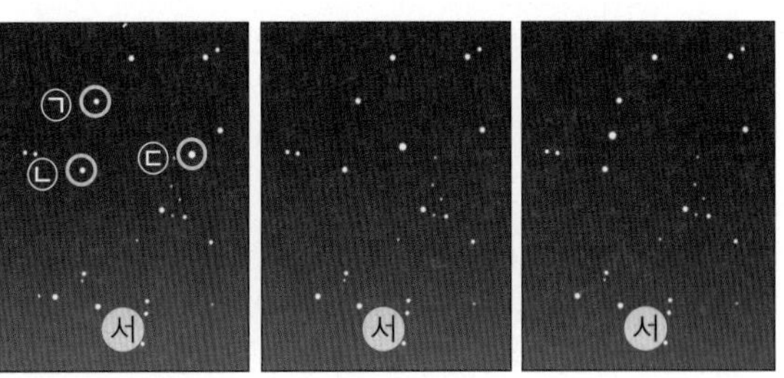

▲ 첫째 날 초저녁　▲ 7일 뒤 초저녁　▲ 15일 뒤 초저녁

(　　　　　　　　)

6 태양과 다르게 별이 밤하늘에서 반짝이는 점으로 보이는 까닭을 골라 ○표 하시오.

(1) 크기가 매우 작기 때문이다. (　　)

(2) 빛을 내지 못하기 때문이다. (　　)

(3) 지구에서부터 거리가 태양보다 너무 멀리 있기 때문이다. (　　)

1 다음 보기에서 태양에 대한 설명이 아닌 것을 골라 기호를 쓰시오.

보기
㉠ 스스로 빛을 내는 천체이다.
㉡ 지구에 생물이 살아가기에 알맞은 환경을 만든다.
㉢ 지구에 사람이 살아가는 데 필요한 에너지와는 관계없다.
㉣ 지구에 있는 물이 순환하는 데 필요한 에너지를 공급한다.

( )

2 식물이 태양 빛을 이용해 만드는 것은 무엇입니까? ( )

① 흙 ② 물
③ 양분 ④ 바람
⑤ 이산화 탄소

3 다음은 태양계를 나타낸 그림입니다. 태양계에 대한 설명으로 ( ) 안에 들어갈 알맞은 말을 쓰시오.

태양계는 태양과 태양의 영향을 받는 천체들 그리고 그 ( )을/를 말한다.

( )

4 다음 보기에서 태양계 구성원을 모두 골라 기호를 쓰시오.

( )

5 다음은 행성의 특징을 조사한 표입니다. ㉠, ㉡에 들어갈 알맞은 말을 각각 쓰시오.

구분	화성	천왕성
모습		
색깔	㉠	청록색
표면의 상태	지구의 사막처럼 암석과 흙으로 이루어져 있다.	목성이나 토성처럼 가스로 이루어져 있다.
고리	없다.	㉡

㉠ ( )
㉡ ( )

6 다음에서 설명하는 행성을 골라 ○표 하시오.

- 푸른색을 띤다.
- 사람이 살고 있다.
- 땅이 있고, 고리가 없다.

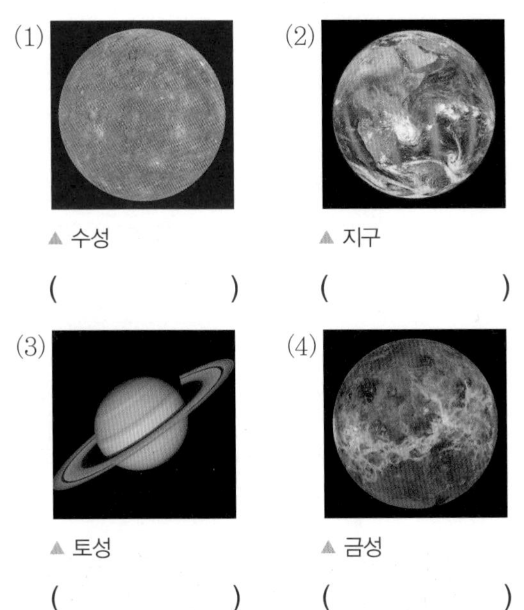

(1) ▲ 수성 (　　　　)

(2) ▲ 지구 (　　　　)

(3) ▲ 토성 (　　　　)

(4) ▲ 금성 (　　　　)

[7~8] 다음 표는 지구의 반지름을 1로 보았을 때 태양계 행성의 반지름을 상대적인 크기로 나타낸 것입니다. 물음에 답하시오.

행성	반지름	행성	반지름
수성	0.4	목성	11.2
금성	0.9	토성	9.4
지구	1.0	천왕성	4.0
화성	0.5	해왕성	3.9

7 오른쪽과 같이 행성 크기 비교 모형을 만들어 태양계 행성의 크기를 비교하려고 합니다. 지구의 반지름을 0.5cm로 만들었을 때 천왕성의 반지름은 몇 cm로 만들어야 할지 쓰시오.

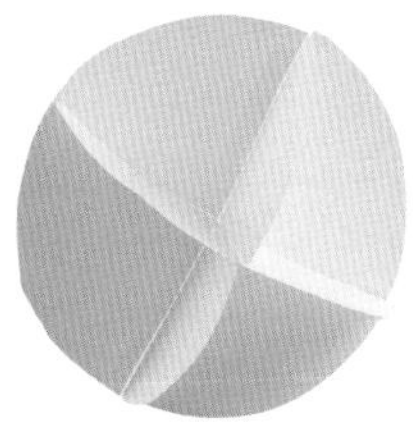

(　　　　　　　　)cm

8 앞 표를 보고, 다음 기준에 따라 행성을 분류했습니다. 잘못 분류한 행성을 쓰시오.

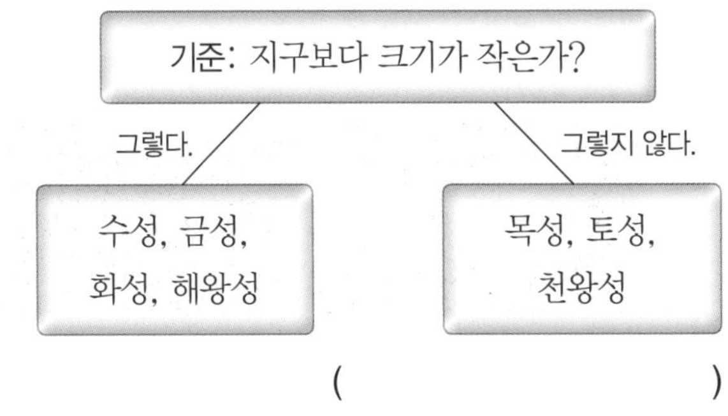

(　　　　　　　　)

9 다음 표는 태양에서 지구까지의 거리를 1로 보았을 때, 태양에서 행성까지의 상대적인 거리를 나타낸 것입니다. 태양에서 행성까지의 상대적인 거리를 비교하기 위해 태양에서 지구까지의 거리를 두루마리 휴지 두 칸으로 정했을 때 태양에서 수성과 화성까지는 각각 두루마리 휴지가 얼마나 필요한지 쓰시오.

행성	거리	행성	거리
수성	0.4	목성	5.2
금성	0.7	토성	9.6
지구	1.0	천왕성	19.1
화성	1.5	해왕성	30.0

(1) 수성: (　　　　　　　　)칸

(2) 화성: (　　　　　　　　)칸

10 다음은 태양에서 지구까지의 거리를 1로 보았을 때 태양에서 행성까지의 상대적인 거리를 그림으로 나타낸 것입니다. 그림을 보고 알 수 있는 사실을 한 가지 쓰시오.

11 다음은 태양에서 행성까지의 상대적인 거리를 비교하는 실험 과정입니다. (　　) 안에 공통으로 들어갈 알맞은 말을 쓰시오.

① (　　　　)의 위치를 표시한다.
② (　　　　)에서 지구까지의 거리를 두루마리 휴지 한 칸으로 정했을 때 (　　　　)에서 각 행성까지의 상대적인 거리에 맞게 두루마리 휴지를 자른다.
③ 자른 두루마리 휴지의 한쪽 끝을 (　　　　)의 위치에 맞추고 다른 쪽 끝에 행성 크기 비교 모형을 놓은 뒤, 휴지를 셀로판테이프로 고정한다.

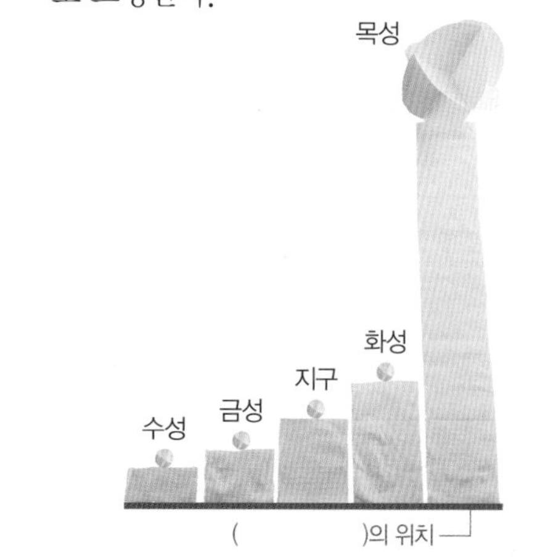

(　　　　　　)

12 별에 대한 설명에는 '별', 별자리에 대한 설명에는 '별자리'라고 쓰시오.

(1) 북극성이 속한다. (　　　　)
(2) 태양처럼 스스로 빛을 내는 천체이다. (　　　　)
(3) 북두칠성, 카시오페이아자리 등이 있다. (　　　　)

13 다음에서 설명하는 별자리를 보기에서 골라 기호를 쓰고, 별자리 이름을 쓰시오.

- 엠(M)자나 더블유(W)자 모양이다.
- 북극성을 찾을 때 이용할 수 있다.
- 북쪽 밤하늘에서 볼 수 있다.

보기

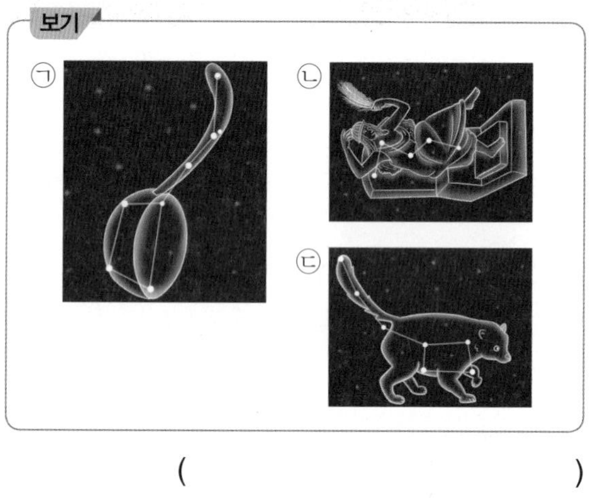

(　　　　　　)

14 별자리를 관측할 때 적당한 시각과 장소에 대해 옳게 말한 사람의 이름을 모두 쓰시오.

- 영욱: 밝은 곳에서 관측해야 잘 보여.
- 선민: 주변이 탁 트인 곳에서 관측해야 해.
- 진수: 태양이 머리 위쪽에 왔을 때 관측해야 해.
- 은주: 별이 보일 만큼 하늘이 충분히 어두워지는 시각에 관측해야 해.

(　　　　　　)

[15~17] 다음은 북쪽 밤하늘의 모습입니다. 물음에 답하시오.

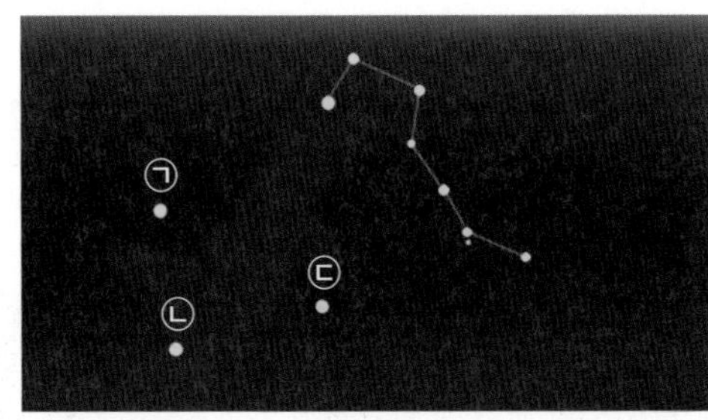

15 위 그림에서 보이는 별자리의 이름을 쓰시오.

(　　　　　　　　　　)

16 위 ㉠~㉢ 중 북극성의 위치를 골라 기호를 쓰시오.

(　　　　　　　　　　)

17 위 16번 답과 같이 생각한 까닭을 쓰시오.

___

___

___

[18~19] 다음 표는 행성과 별의 공통점과 차이점을 정리한 것입니다. 물음에 답하시오.

구분	㉠	㉡
공통점	밤하늘에서 (　　　　)을/를 내는 것처럼 보인다.	
차이점	• 태양 (　　　　) 을/를 반사하여 밝게 보인다. • 금성, 화성, 목성 등이 속한다.	• 스스로 (　　　　) 을/를 낸다. • 북극성이 속한다.

18 행성과 별 중 위 ㉠, ㉡에 들어갈 알맞은 말을 각각 쓰시오.

㉠ (　　　　　　　　　　)
㉡ (　　　　　　　　　　)

19 위 표에서 (　　) 안에 공통으로 들어갈 알맞은 말을 쓰시오.

(　　　　　　　　　　)

20 오른쪽은 여러 날 동안 북쪽 밤하늘을 관측해 위치가 변하는 천체를 표시한 것입니다. 위치가 변한 천체와 변하지 않은 천체는 행성과 별 중 각각 무엇인지 빈칸에 알맞게 쓰시오.

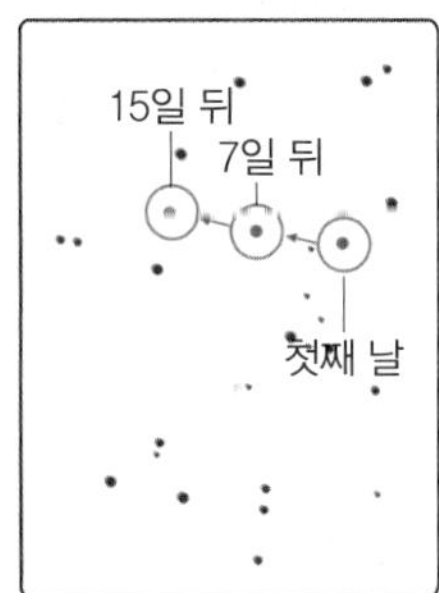

위치가 변한 천체	위치가 변하지 않은 천체
(1)	(2)

1 다음 그림에서 ○표 한 곳과 관련하여 태양이 생물과 우리 생활에 미치는 영향을 쓰시오.

2 태양계를 구성하는 행성은 수성, 금성, 지구, 화성, 목성, 토성, 천왕성, 해왕성입니다. 태양계 행성 중 한 가지를 골라 다음 표를 완성하시오.

행성 이름	
색깔	
표면의 상태	
고리	
그 밖의 특징	

3 다음은 지구의 반지름을 1로 보았을 때 태양계 행성의 반지름을 비교하여 상대적인 크기를 나타낸 그림입니다. 상대적인 크기가 작은 행성을 분류하여 쓰고, 상대적인 크기가 작은 행성들의 공통점을 한 가지 쓰시오.

토성 9.4
목성 11.2
해왕성 3.9
천왕성 4.0
수성 0.4
화성 0.5
금성 0.9
지구 1.0

4 다음은 태양에서 지구까지의 거리를 1로 보았을 때 태양에서 행성까지의 상대적인 거리를 나타낸 표입니다. 태양에서의 거리에 따른 행성 사이의 거리를 비교하여 알 수 있는 사실을 한 가지 쓰시오.

행성	거리	행성	거리
수성	0.4	목성	5.2
금성	0.7	토성	9.6
지구	1.0	천왕성	19.1
화성	1.5	해왕성	30.0

5 다음은 북쪽 밤하늘에서 볼 수 있는 별자리입니다. 별자리가 무엇인지 쓰고, 별자리의 특징을 한 가지 쓰시오.

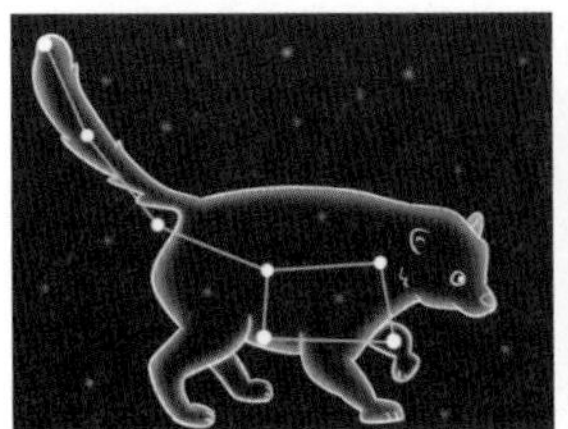

▲ 작은곰자리

▲ 카시오페이아자리

6 다음은 북쪽 밤하늘의 별자리를 관측하여 별자리의 위치와 모양을 기록한 그림입니다. 별자리를 관측할 때 관측 시각과 관측 장소를 정하는 방법을 쓰시오.

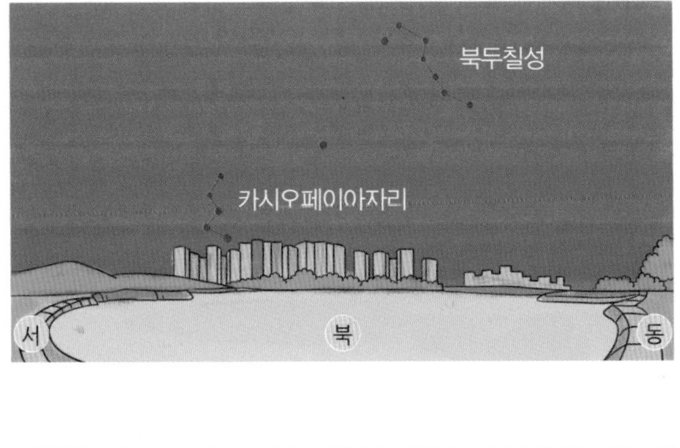

7 다음은 북쪽 밤하늘에서 볼 수 있는 별자리입니다. 두 개의 별자리 중 한 가지를 이용해 북극성을 찾는 방법을 쓰시오.

8 다음은 여러 날 동안 같은 시각에 같은 밤하늘을 관측하여 모든 천체를 기록한 뒤 위치가 변한 것을 표시한 것입니다. 표시한 천체가 행성과 별 중 무엇인지 쓰고, 그렇게 생각한 까닭을 쓰시오.

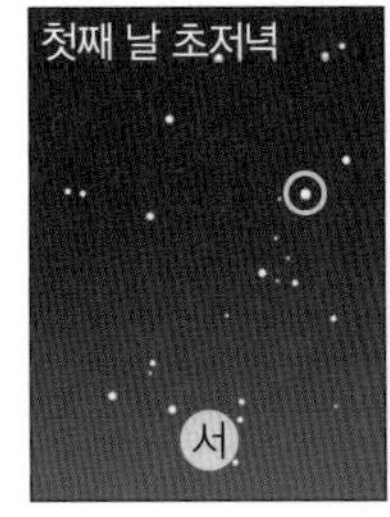

단원 핵심 정리

태양의 영향

물	지구에 있는 물이 순환하는 데 필요한 에너지를 끊임없이 공급해 준다.
온도	지구를 따뜻하게 하여 생물이 살아가기에 알맞은 환경을 만들어 준다.
양분	식물은 태양 빛이 있어야 양분을 만들어 살아갈 수 있다. 일부 동물은 식물이 만든 양분을 먹고 살아가기도 한다.
에너지	• 태양 빛을 이용해 전기를 만든다. • 우리가 살아가는 데 필요한 대부분의 에너지는 태양에서 얻는다.

태양계를 구성하는 행성

구분	수성	금성	지구	화성	목성	토성	천왕성	해왕성
표면의 상태	땅	땅	땅	땅	기체	기체	기체	기체
고리	없다.	없다.	없다.	없다.	있다.	있다.	있다.	있다.

태양계 행성의 상대적인 크기 비교

구분	수성	금성	지구	화성	목성	토성	천왕성	해왕성
반지름	0.4	0.9	1.0	0.5	11.2	9.4	4.0	3.9

▶ 지구의 반지름을 1로 보았을 때 태양계 행성의 상대적인 반지름으로 태양계 행성의 크기를 비교한다.

태양에서 행성까지의 상대적인 거리 비교

구분	수성	금성	지구	화성	목성	토성	천왕성	해왕성
거리	0.4	0.7	1.0	1.5	5.2	9.6	19.1	30.0

▶ 태양에서 지구까지의 거리를 1로 보았을 때 태양에서 다른 행성까지의 거리를 비교한다.

별과 별자리

구분	별	별자리
의미	스스로 빛을 내는 천체	별의 무리를 구분해 이름을 붙인 것
특징	밤하늘의 별은 매우 먼 거리에 있어서 반짝이는 밝은 점으로 보인다.	• 옛날 사람들이 밤하늘에 무리 지어 있는 별을 연결해 사람이나 동물 또는 물건의 모습을 떠올리고 이름을 붙인 것이다. • 별자리의 모습과 이름은 지역과 시대에 따라 다르다.

행성과 별

구분	행성	별
공통점	밝게 빛나 보인다.	
차이점	• 태양 빛을 반사하여 빛을 낸다. • 여러 날 동안 지구에서 보면 위치가 변한다.	• 스스로 빛을 낸다. • 여러 날 동안 같은 밤하늘을 보면 위치가 변하지 않는다.

“행성”

1 행성의 구분

태양계 행성은 내행성과 외행성으로 구분한다. 내행성은 지구보다 안쪽에서 공전하는 행성이고, 외행성은 지구보다 바깥쪽에서 공전하는 행성이다. 공전이란 행성이 태양을 중심으로 일정한 길을 따라 회전하는 것이다. **수성**, **금성**은 내행성이고, **화성**, **목성**, **토성**, **천왕성**, **해왕성**은 외행성이다. 개념 38쪽

또 태양계 행성을 지구형 행성과 목성형 행성으로 구분하기도 한다. 지구형 행성은 행성의 크기나 질량, 구성 성분 등이 지구와 비슷한 행성이고, 목성형 행성은 행성의 크기나 질량, 구성 성분 등이 목성과 비슷한 행성이다. 지구형 행성은 크기와 질량이 작고, 암석으로 이루어진 고체 표면이 있는 수성, 금성, 지구, 화성이다. 목성형 행성은 크기와 질량이 크고, 가벼운 기체로 이루어진 목성, 토성, 천왕성, 해왕성이다.

2 금성과 목성의 특징

금성은 크기와 질량이 지구와 가장 비슷하다. 짙은 황산 구름으로 둘러싸여 있기 때문에 표면은 보이지 않지만, 황산 구름이 태양 빛을 잘 반사하기 때문에 지구에서 관측할 때 행성 중 가장 밝게 보인다.

▲ 레이더로 관측한 금성 표면

목성은 대기의 대부분이 수소와 헬륨으로 이루어져 있다. 자전 속도가 빨라서 가로줄 무늬가 나타나고, 대기의 소용돌이로 인해 거대한 붉은 점(대적점)이 나타난다.

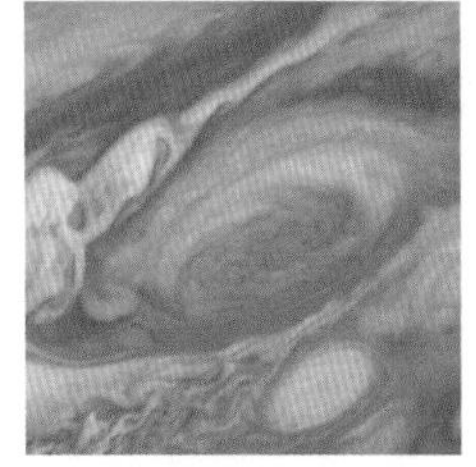
▲ 목성 표면의 대적점

VISUAL SCIENCE

비주얼 사이언스

38쪽 참고 태양의 생김새

태양의 표면에서는 쌀알 무늬, 흑점을 관찰할 수 있다. 마치 쌀알을 뿌려 놓은 것처럼 보이는 쌀알 무늬는 끊임없이 움직인다. 흑점은 태양의 표면에서 나타나는 어두운 반점으로 위치가 변한다.

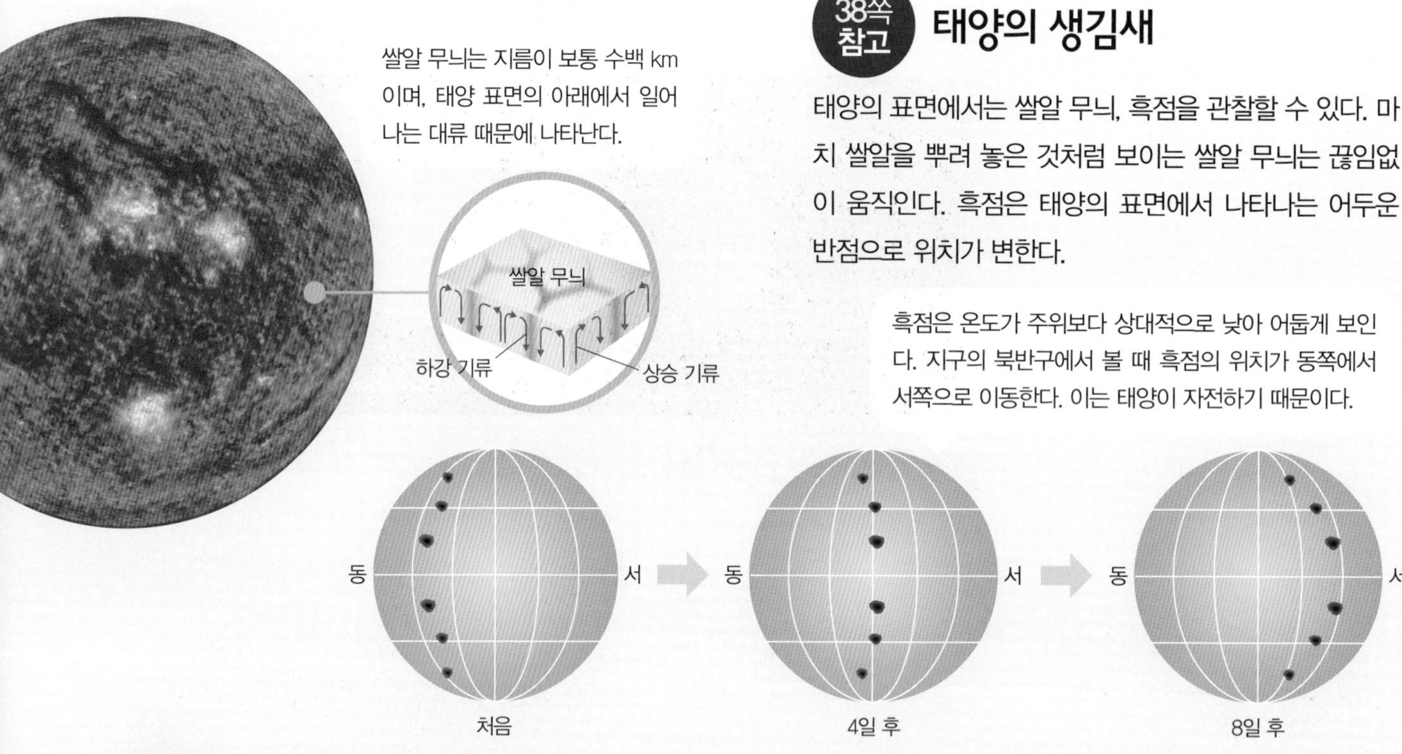

39쪽 참고 지구의 크기 측정 역사

약 2200년 전, 그리스의 수학자이며 천문학자, 지리학자인 에라토스테네스는 하짓날 정오에 시에네의 우물에는 그림자가 생기지 않는다는 글을 읽고 지구의 크기를 최초로 측정했다. 에라토스테네스는 지구가 완전한 구형이고, 지표면으로 들어오는 햇빛이 평행하다고 가정하였다. 그리고 두 지점에서 햇빛이 지표면에 들어오는 각도를 측정하여 지구의 반지름을 약 7365km라고 계산했다. 이는 오늘날 인공위성으로 측정한 약 6378km보다 15% 정도 큰 값이지만, 당시로서는 비교적 정확한 값이라고 볼 수 있다.

별의 일주 운동

지구가 자전하여 태양이 뜨고 지는 것처럼, 지구가 자전하기 때문에 별도 하루 동안 뜨고 진다. 별이 북극성을 중심으로 회전하는 것을 일주 운동이라고 한다. 우리나라에서 별의 일주 운동을 관측하면 관측 방향에 따라 그 모습이 다르게 나타난다.

북쪽 하늘에서 보이는 별자리는 북극성이 있는 북쪽을 중심으로 1시간에 15도씩 시계 반대 방향으로 회전한다.

▲ 북두칠성의 일주 운동

동쪽 하늘에 있는 별들은 지평선에서 오른쪽으로 비스듬히 떠오른다.

북쪽 하늘에 있는 별들은 북극성을 중심으로 시계 반대 방향으로 회전한다.

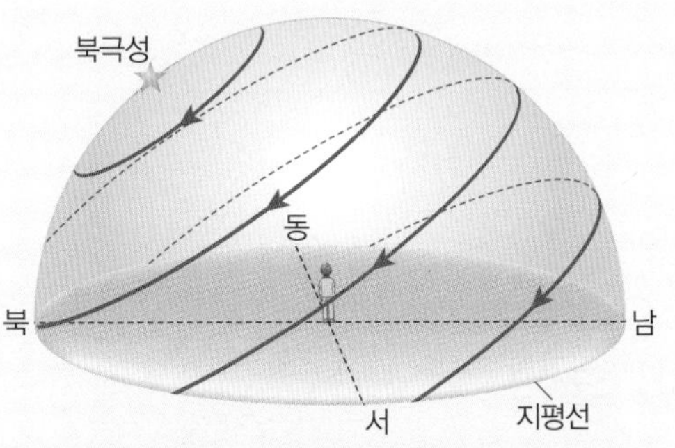

▲ 관측자의 방향에 따른 별의 일주 운동(북반구 중위도 지방)

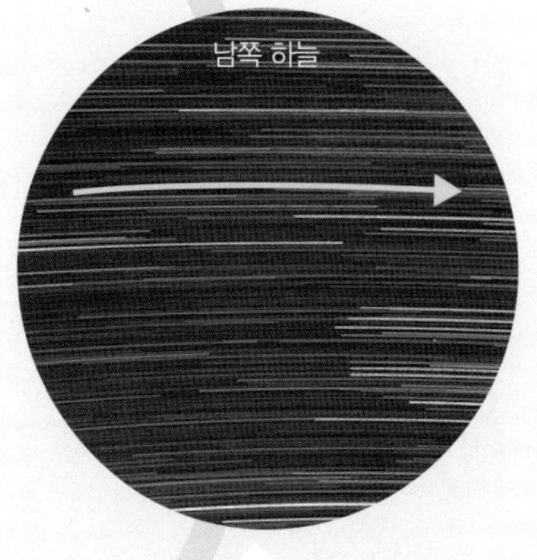

남쪽 하늘에 있는 별들은 지평선과 거의 나란하게 동쪽에서 서쪽으로 이동한다.

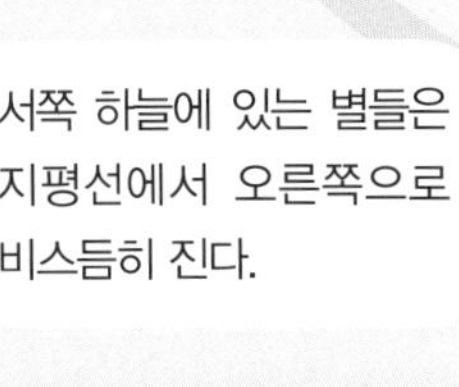

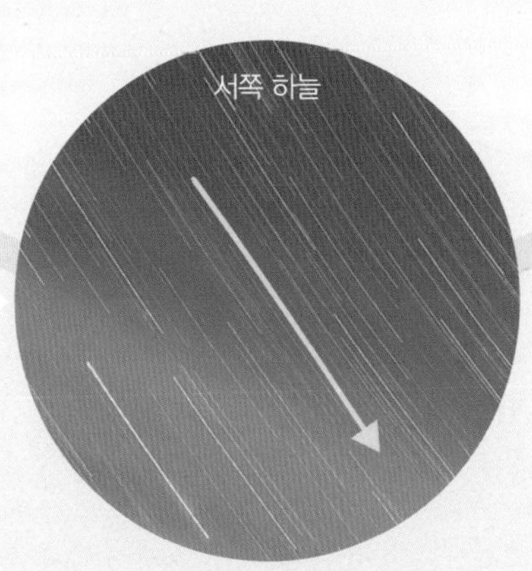

4

용해와 용액

1 가루 물질의 용해와 용액

2 용질이 물에 용해되는 양

3 용액의 진하기

용질이 물에 녹으면
용액이 돼.
선수
학습
• 3~4학년군 물질의 상태
혼합물의 분리
이 단원의
학습
• 5~6학년군 용해와 용액
후속
학습
• 5~6학년군 산과 염기
• 중학교 1~3학년군 물질의 특성

가루 물질의 용해와 용액

만화로 보는
'가루 물질의 용해'

분말주스와 생과일 주스
분말주스는 분말주스 가루를 물에 녹여 만든 것으로 오래 두어도 뜨거나 가라앉는 것이 없으므로 용액이다. 하지만 과일을 갈거나 즙을 내어 만든 생과일 주스는 가만히 두었을 때 과일 층과 물 층으로 분리되어 뜨거나 가라앉는 것이 생기므로 용액이 아니다.

분말주스 용액

생과일 주스

1. 물에 여러 가지 가루 물질을 넣었을 때의 변화

(1) 물에 녹는 물질과 녹지 않는 물질 물에 여러 가지 가루 물질을 넣으면 어떤 물질은 녹고, 어떤 물질은 녹지 않는다.

(2) 물에 소금, 설탕, 멸치 가루를 넣었을 때 교과서 속 탐구 64쪽

① 같은 양의 물에 같은 양의 소금, 설탕, 멸치 가루를 넣고 저으면 소금, 설탕은 물에 녹고, 멸치 가루는 물과 섞여 뿌옇게 변하며 녹지 않는다.

② ①의 비커를 10분 동안 가만히 두면 소금과 설탕을 넣은 비커는 뜨거나 가라앉은 것이 없이 투명하다. 멸치 가루를 넣은 비커는 멸치 가루가 물 위에 뜨거나 바닥에 가라앉는다.

▲ 멸치 가루를 넣고 저었을 때 물이 뿌옇게 변한다.

▲ 멸치 가루가 물 위에 뜨거나 바닥에 가라앉는다.

2. 용해와 용액

(1) 용해, 용액, 용질, 용매

① **용해**: 소금이 물에 녹는 것처럼 어떤 물질이 다른 물질에 녹아 골고루 섞이는 현상이다.

② **용액**: 소금물처럼 녹는 물질이 녹이는 물질에 골고루 섞여 있는 물질이다.

③ **용질**: 소금이나 설탕처럼 녹는 물질이다.

④ **용매**: 물처럼 녹이는 물질이다.

시간이 지나도 뜨거나 가라앉는 것이 없으면 용액이고, 시간이 지나면 뜨거나 가라앉는 것이 생기는 것은 용액이 아니다.

(2) 용액의 특성

① 용액은 오래 두어도 뜨거나 가라앉는 물질이 없다. 분말주스 용액, 구강 청정제, 손 세정제, 식초 등은 일상생활에서 볼 수 있는 용액으로, 용액에 뜨거나 가라앉는 물질이 없이 투명하다. 하지만 미숫가루를 탄 물은 시간이 지나면 바닥에 가라앉는 물질이 생기기 때문에 용액이 아니다.

② 용액을 거름종이로 걸러 내면 거름종이에 남는 물질이 없지만 미숫가루를 탄 물은 거름종이로 걸러 내면 거름종이 위에 남는 물질이 생긴다.

③ 두 가지 이상의 물질이 균일하게 섞여 있는 혼합물이기 때문에 용액의 어느 부분을 보아도 물질이 섞인 정도가 같다.

(3) 각설탕을 물에 넣었을 때의 변화 각설탕을 물에 넣으면 부스러지면서 크기가 작아진다. 작아진 설탕은 더 작은 크기의 설탕으로 나뉘어 물에 골고루 섞이고, 완전히 용해되어 눈에 보이지 않게 된다.

(4) 각설탕이 물에 용해되기 전과 용해된 후의 무게 변화 각설탕이 물에 용해되기 전과 용해된 후의 무게는 같다. 그 까닭은 물에 완전히 용해된 각설탕이 눈에 보이지는 않지만, 없어진 것이 아니라 매우 작게 변하여 물속에 골고루 섞여 있기 때문이다.

Mini 탐구 각설탕이 물에 용해되기 전과 용해된 후의 무게 비교하기

과정

1. 물을 80mL 정도 넣은 비커와 시약포지, 각설탕을 전자저울에 함께 올려놓고 무게를 측정한다.
2. 각설탕을 물에 넣은 뒤 용해되는 모습을 관찰한다. 각설탕이 부스러져 바닥에 깔리면 완전히 용해될 때까지 유리 막대로 젓는다.
3. 각설탕이 다 용해되면 설탕 용액이 담긴 비커와 빈 시약포지를 전자저울에 올려놓고 무게를 측정한다.
4. 각설탕이 물에 용해되기 전과 용해된 후의 무게를 비교해 본다.

결과

각설탕이 물에 용해되기 전

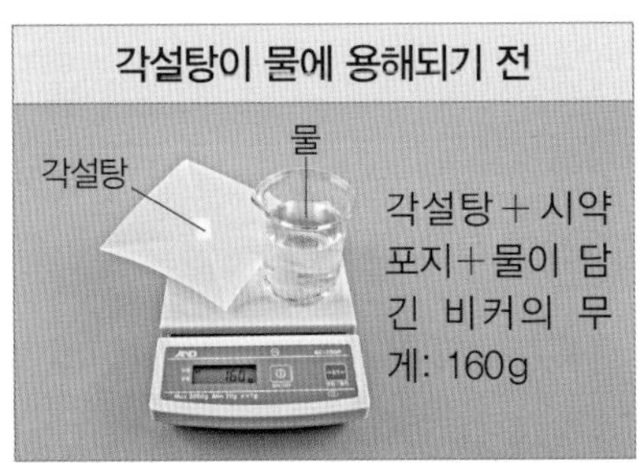

각설탕＋시약포지＋물이 담긴 비커의 무게: 160g

→

각설탕이 물에 용해된 후

빈 시약포지＋설탕 용액이 담긴 비커의 무게: 160g

• 각설탕이 물에 용해되기 전과 용해된 후의 무게는 같다. 물에 용해된 설탕이 없어진 것이 아니라 매우 작게 변해 물속에 남아 있기 때문이다.

미숫가루를 탄 물

미숫가루는 물에 녹지 않고 시간이 지나면 바닥에 가라앉는다.

각설탕이 용해되는 과정

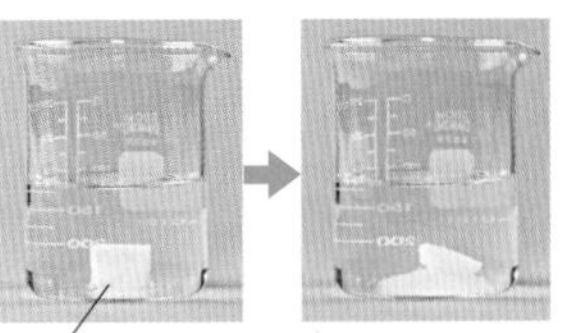

각설탕이 부스러져 크기가 작아지다 눈에 보이지 않게 된다.

설탕이 물에 용해되면 눈에 보이지 않는 까닭

설탕이 물에 용해되면 설탕 분자로 나뉘어 물 분자와 섞이기 때문이다. 물에 섞인 분자가 눈에 보이지 않는 것은 이들 알갱이의 크기가 매우 작기 때문이다.

- **혼합물** 두 종류 이상의 순물질이 섞여 있는 물질.
- **분자** 물질에서 화학적 형태와 성질을 잃지 않고 분리될 수 있는 최소의 입자.

"물에 여러 가지 가루 물질을 넣었을 때의 변화 관찰하기"

과정

1. 눈금실린더를 이용해 비커 세 개에 물을 각 각 50mL씩 넣는다.
2. 1의 각 비커에 소금, 설탕, 멸치 가루를 각각 두 숟가락씩 넣고 유리 막대로 저으면서 일어나는 변화를 관찰하여 비교해 본다.
3. 각 비커를 10분 동안 그대로 두고 일어나는 변화를 관찰하여 비교해 본다.

▲ 소금 ▲ 설탕 ▲ 멸치 가루

결과

▶ **소금, 설탕, 멸치 가루를 물에 넣었을 때의 변화**

구분	소금	설탕	멸치 가루
물에 넣고 저었을 때	소금이 물에 녹는다.	설탕이 물에 녹는다.	멸치 가루가 물과 섞여 뿌옇게 변한다.
10분 동안 가만히 두었을 때	• 투명하다. • 뜨거나 가라앉은 것이 없다.	• 투명하다. • 뜨거나 가라앉은 것이 없다.	멸치 가루가 물 위에 뜨거나 바닥에 가라앉는다.

알 수 있는 사실 ▶ 물에 가루 물질을 넣으면 물질의 종류에 따라 어떤 물질은 녹고, 어떤 물질은 녹지 않는다.

정답과 해설 16쪽

1 같은 양의 물에 소금, 설탕, 멸치 가루를 각각 두 숟가락씩 넣고 저었을 때의 변화로 옳은 것에 모두 ○표 하시오.

▲ 소금 ▲ 설탕 ▲ 멸치 가루

(1) 소금이 물에 녹는다. ( )

(2) 설탕이 물에 녹지 않고 둥둥 떠 있다. ( )

(3) 멸치 가루가 물과 섞여 뿌옇게 변한다. ( )

2 앞 1번에서 멸치 가루를 넣은 비커를 10분 동안 가만히 두었을 때 나타나는 변화를 쓰시오.

3 소금, 설탕, 멸치 가루를 물에 넣고 저어 보는 실험을 통해 알 수 있는 사실로 ( ) 안에 들어갈 알맞은 말을 쓰시오.

물질의 ( )에 따라 어떤 물질은 물에 녹고, 어떤 물질은 물에 녹지 않는다.

( )

확인 문제

정답과 해설 16쪽

1 오른쪽과 같이 물이 50mL 담긴 비커에 멸치 가루를 두 숟가락 넣고 유리막대로 저었을 때의 결과를 골라 ○표 하시오.

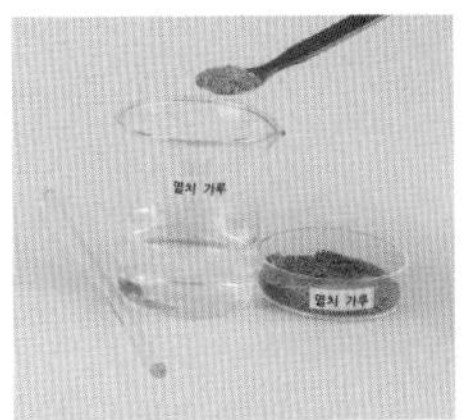

(1) 

▲ 물에 녹는다.

( )

(2)  

▲ 물에 녹지 않는다.

( )

2 소금을 물에 넣었더니 녹아서 뜨거나 가라앉는 물질이 없었습니다. 이때 일어나는 변화를 표현할 때 ( ) 안에 들어갈 알맞은 말을 **보기**에서 각각 골라 쓰시오.

보기

용해, 용질, 용매, 용액

용질인 소금이 물에 (㉠)되어 소금 (㉡)이/가 되었다.

㉠ ( )

㉡ ( )

3 다음 **보기**의 물질들을 용액과 용액이 아닌 것으로 구분하여 각각 알맞은 기호를 쓰시오.

보기

㉠ 식초 ㉡ 구강 청정제
㉢ 미숫가루를 탄 물 ㉣ 분말주스 용액

(1) 용액: ( )

(2) 용액이 아닌 것: ( )

4 용액과 용액이 아닌 것에 대해 옳게 말한 사람의 이름을 쓰시오.

- 홍민: 용액은 오래 두어도 뜨거나 가라앉는 것이 없어.
- 선영: 물과 딸기를 함께 갈아 만든 딸기주스는 용액이야.
- 재호: 물에 가루 물질을 넣고 저었을 때 가루 물질이 물에 녹아 투명하게 되면 용액이 아니야.

( )

5 다음은 오른쪽과 같이 각설탕을 물에 넣었을 때의 변화를 설명한 것입니다. 밑줄 친 부분에 들어갈 알맞은 말을 골라 ○표 하시오.

각설탕을 물에 넣으면 부스러지면서 크기가 작아진다. 작아진 설탕은 더 작은 크기의 설탕으로 나뉘어 물에 골고루 섞이고, ____________

(1) 완전히 용해되어 눈에 보이지 않게 된다. ( )

(2) 완전히 용해되지 않고 일부가 물에 떠 있게 된다. ( )

(3) 완전히 용해되었다가 시간이 흐르면 바닥에 하얀 가루가 가라앉는다. ( )

6 소금 5g이 물에 완전히 용해되었습니다. 소금물의 무게가 55g일 때 물의 무게를 쓰시오.

( )g

용질이 물에 용해되는 양

만화로 보는
'용질이 용해되는 양'

1. 여러 가지 용질이 물에 용해되는 양

(1) **여러 가지 용질을 물에 넣고 저었을 때** 같은 양의 여러 가지 용질을 온도와 양이 같은 물에 넣으면 어떤 용질은 모두 용해되고, 어떤 용질은 어느 정도 용해되다 더 이상 용해되지 않고 바닥에 남는다. 이처럼 물의 온도와 양이 같아도 용질마다 물에 용해되는 양은 서로 다르다.

(2) **소금, 설탕, 베이킹 소다를 물에 넣고 저었을 때** 온도와 양이 같은 물에서 설탕>소금>베이킹 소다 순으로 물에 많이 용해된다. 교과서 속 탐구 68쪽

심화 용해도

어떤 온도에서 물 100g에 최대로 용해될 수 있는 용질의 g 수를 용해도라고 한다. 온도 변화에 따른 물질의 용해도 변화를 그래프로 나타낸 것이 용해도 곡선이다. 용해도 곡선 상의 점은 포화 용액, 곡선 아래에 있는 점은 불포화 용액, 곡선 위에 있는 점은 과포화 용액을 나타낸다.

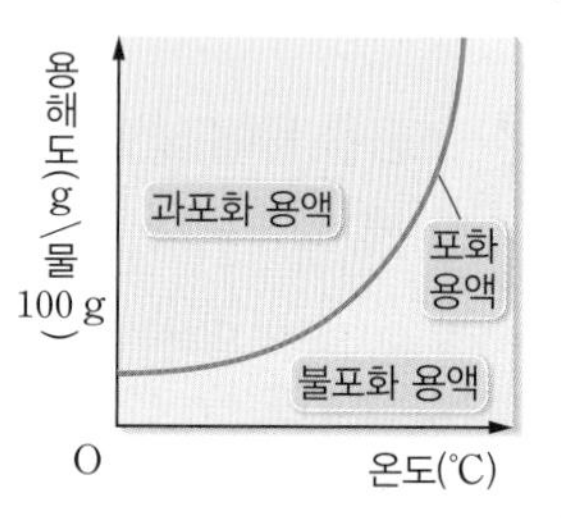

포화 용액, 불포화 용액, 과포화 용액
어떤 온도에서 일정한 양의 용매에 용질이 최대로 녹아 있는 용액을 포화 용액이라고 하고, 용매에 용질이 더 녹을 수 있는 용액을 불포화 용액이라고 한다. 또 용매가 녹일 수 있는 양보다 더 많은 용질이 녹아 있는 용액을 과포화 용액이라고 한다.

2. 물의 양과 온도에 따라 용질이 용해되는 양

(1) **물의 양에 따라 용질이 용해되는 양**

① 온도가 일정한 경우 일정한 양의 물에 녹는 용질의 양은 일정하다.

② 물의 양이 많아지면 더 많은 용질이 용해된다. 따라서 물의 양이 많아지면 소금, 설탕, 베이킹 소다가 더 많이 용해된다. 하지만 물의 양이 많아지더라도 설탕>소금>베이킹 소다의 순으로 많이 용해된다.

보충 플러스⁺ 일정한 양의 용매에 녹는 용질의 양이 일정한 까닭

용질을 용해시키는 용매 입자의 수가 일정하기 때문이다. 일정한 양의 용매에 용질이 들어오면 용매 입자들과 용질 입자들이 서로 끌어당겨 용질 입자가 용매 입자에 둘러싸이면서 용해된다. 용질 입자의 수가 계속 늘어나면, 용매 입자의 수가 부족해져 용질이 용해되지 않는다.

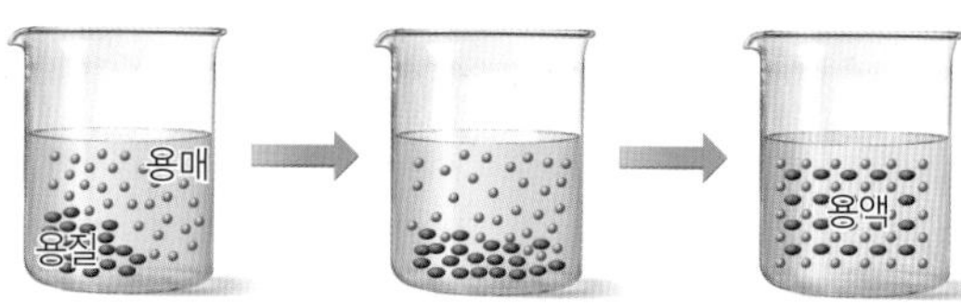

(2) 물의 온도에 따라 용질이 용해되는 양

① 물의 온도가 높을수록 용질이 많이 용해된다.

② 용질이 다 용해되지 않고 남아 있을 때 물의 온도를 높이면 용해되지 않고 남아 있던 용질을 더 많이 용해할 수 있다. 코코아 가루가 물에 모두 용해되지 않고 컵 바닥에 가라앉았을 때 컵을 전자레인지에 넣고 돌려 물의 온도를 높이면 컵 바닥에 가라앉았던 코코아 가루가 더 많이 용해된다.

▲ 코코아차를 전자레인지에 데워 온도를 높이면 코코아 가루가 더 많이 용해된다.

Mini 탐구 물의 온도에 따라 백반이 용해되는 양 비교하기

과정

1. 얼음과 전기 주전자를 이용해 10℃와 40℃의 물을 준비한다.
2. 눈금실린더로 10℃와 40℃의 물을 50mL씩 측정해 두 비커에 각각 담는다.
3. 각 비커에 백반을 두 숟가락씩 넣고 유리 막대로 젓는다.
4. 각 비커에 넣은 백반이 용해된 양을 비교한다.

결과

구분	차가운 물(10℃의 물)	따뜻한 물(40℃의 물)
같은 양의 백반을 넣고 저었을 때 용해된 양	어느 정도 용해되다가 용해되지 않은 백반이 바닥에 남는다.	다 용해된다.

• 물의 온도가 높으면 백반이 더 많이 용해된다.

젓는 빠르기와 용해되는 양
소금을 용해한 포화 용액에 소금을 더 넣어 바닥에 소금이 가라앉았을 때 유리 막대로 용액을 빨리 저어도 소금은 더 이상 용해되지 않는다. 물에 소금을 넣고 젓는 빠르기는 소금이 용해되는 양과는 관계가 없다.

(3) 따뜻한 백반 용액의 온도를 낮추었을 때

① 따뜻한 물에서 백반이 더 이상 용해되지 않을 때까지 넣고 모두 용해한 백반 용액이 든 비커를 얼음물에 넣으면 백반 알갱이가 다시 생겨 바닥에 가라앉는다.

② 백반이 따뜻한 물에 녹아 보이지 않다가 물의 온도가 낮아지면서 다 용해되지 못한 백반이 바닥에 가라앉는다. 이때 온도가 낮아진 물에 녹아 있는 백반의 양은 바닥에 가라앉은 백반의 양만큼 적어진다.

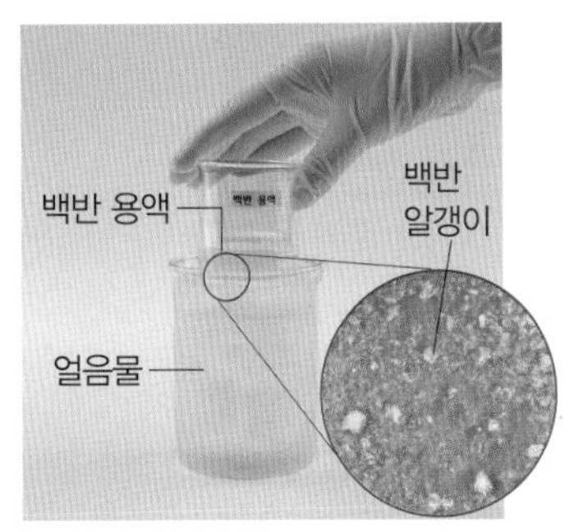

▲ 따뜻한 백반 용액을 얼음물에 넣었을 때

용어
• **백반** 명반이라고도 불리며 떫은 맛이 나는 무색투명한 물질로, 물에 녹음.

여러 가지 용질이 물에 용해되는 양 비교하기

과정

1. 눈금실린더를 이용해 비커 세 개에 같은 온도의 물을 각각 50mL씩 넣는다.
2. 각 비커에 소금, 설탕, 베이킹 소다를 각각 한 숟가락씩 넣고 유리 막대로 저은 뒤에, 변화를 관찰해 본다.
3. 2의 비커에 소금, 설탕, 베이킹 소다를 각각 한 숟가락씩 더 넣으면서 유리 막대로 저어 용해되는 양을 비교해 본다.

결과

▶ **소금, 설탕, 베이킹 소다가 물에 용해되는 양**(용질이 다 용해되면 ○표, 용질이 다 용해되지 않고 바닥에 남으면 △표 함.)

용질	약숟가락으로 넣은 횟수(회)							
	1	2	3	4	5	6	7	8
소금	○	○	○	○	○	○	○	△
설탕	○	○	○	○	○	○	○	○
베이킹 소다	○	△						

└ 용질이 녹지 않으면 더 이상 넣지 않는다.

▶ 온도와 양이 같은 물에서 설탕>소금>베이킹 소다 순으로 물에 많이 용해된다.

알 수 있는 사실 ▶ 온도와 양이 같은 물에 여러 가지 용질을 넣었을 때 용질마다 물에 용해되는 양이 다르다.

정답과 해설 17쪽

1 다음 표는 같은 온도와 양의 물에 약숟가락으로 설탕과 베이킹 소다를 넣었을 때의 결과입니다. 설탕과 베이킹 소다 중 같은 온도와 양의 물에 더 많이 용해되는 것을 쓰시오.

구분	설탕	베이킹 소다
한 숟가락 넣었을 때	다 용해된다.	다 용해된다.
두 숟가락 넣었을 때	다 용해된다.	다 용해되지 않고 바닥에 남는다.

( )

2 다음 표는 온도와 양이 같은 물에 약숟가락으로 소금과 분말주스 가루를 넣었을 때의 결과입니다. 이 결과에 대한 설명으로 옳은 것에 ○표 하시오.

구분	소금	분말주스 가루
일곱 숟가락 넣었을 때	다 용해된다.	다 용해된다.
여덟 숟가락 넣었을 때	다 용해되지 않고 바닥에 남는다.	다 용해된다.

(1) 분말주스 가루 알갱이가 소금 알갱이보다 더 크다. ( )

(2) 온도와 양이 같은 물에서 분말주스 가루가 소금보다 더 많이 용해된다. ( )

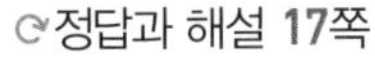
정답과 해설 17쪽

1 온도와 양이 같은 물에 각각 소금과 베이킹 소다를 같은 양만큼 넣고 저었더니 소금은 다 용해되고, 베이킹 소다는 어느 정도 용해되다가 바닥에 가라앉았습니다. 이것으로 알 수 있는 사실을 **보기**에서 골라 기호를 쓰시오.

보기
㉠ 용질마다 물에 용해되는 양이 다르다.
㉡ 온도가 높은 물에서 베이킹 소다가 더 많이 용해된다.
㉢ 물에 용질이 용해되는 양은 용질의 종류와 관계없다.

( )

[2~3] 다음은 온도가 같은 물을 각각 50mL씩 넣은 비커 세 개에 각 용질을 넣고 저었을 때 용해되는 양을 표로 나타낸 것입니다. 물음에 답하시오. (용질이 다 용해되면 ○표, 용질이 다 용해되지 않고 바닥에 남으면 △표 함.)

용질	약숟가락으로 넣은 횟수(회)							
	1	2	3	4	5	6	7	8
소금	○	○	○	○	○	○	○	△
설탕	○	○	○	○	○	○	○	○
베이킹 소다	○	△						

2 위 실험에서 소금, 설탕, 베이킹 소다 중 물에 가장 많이 용해되는 용질부터 순서대로 쓰시오.

( )

3 물 50mL에 베이킹 소다를 약숟가락으로 세 숟가락 넣었을 때 결과로 옳은 것에 ○표 하시오.

(1) 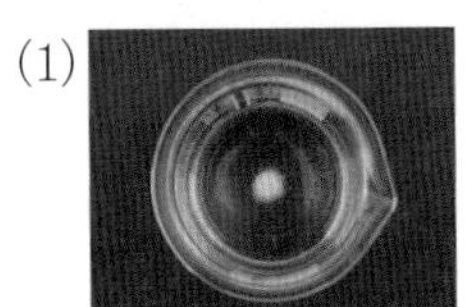
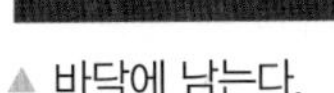
▲ 바닥에 남는다.
( )

(2) 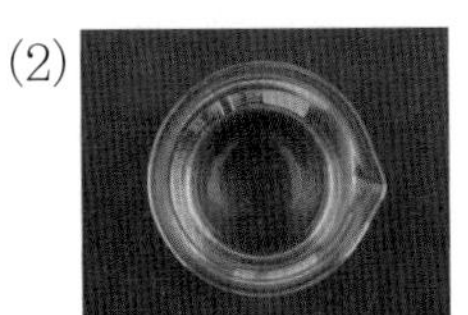
▲ 다 용해된다.
( )

심화

4 어떤 온도에서 물 100g에 최대로 용해될 수 있는 용질의 g 수를 무엇이라고 하는지 **보기**에서 골라 쓰시오.

보기
용해, 용액, 용매, 용해도

( )

5 컵에 물을 넣고 코코아 가루를 넣은 뒤 저었더니 코코아 가루가 모두 용해되지 않고 컵 바닥에 가라앉았습니다. 코코아 가루를 모두 용해하는 방법을 옳게 말한 사람의 이름을 쓰시오.

- 희진: 숟가락으로 오래 저으면 돼.
- 수호: 얼음을 넣어서 물의 온도를 낮추면 돼.
- 진웅: 코코아 가루를 한 숟가락 더 넣으면 돼.
- 미연: 전자레인지에 넣고 돌려 물의 온도를 높이면 돼.

( )

6 따뜻한 물에 백반이 더 이상 용해되지 않을 때까지 넣고 녹인 백반 용액이 든 비커를 오른쪽과 같이 얼음물에 넣었을 때 결과를 **보기**에서 두 가지 골라 기호를 쓰시오.

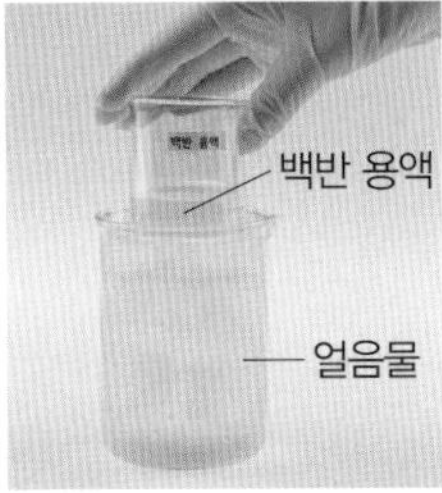

보기
㉠ 백반 용액에 얼음이 만들어진다.
㉡ 백반 알갱이가 다시 생겨 바닥에 가라앉는다.
㉢ 온도가 낮아진 물에 녹아 있는 백반의 양은 바닥에 가라앉은 백반 양만큼 적어진다.
㉣ 온도가 낮아진 물에 녹아 있는 백반의 양은 바닥에 가라앉은 백반 양만큼 늘어난다.

( )

용액의 진하기

만화로 보는
'용액의 진하기'

• **겉보기 성질** 눈, 코, 입 등의 감각 기관이나 간단한 도구를 이용하여 구별할 수 있는 물질의 성질. 용액의 겉보기 성질로는 색깔, 맛, 높이, 무게 등이 있음.

1. 용액의 진하기 비교

(1) 용액의 진하기 같은 양의 용매에 용해된 용질의 많고 적은 정도를 용액의 진하기라고 한다. 용매의 양이 같을 때 용해된 용질의 양이 많을수록 진한 용액이다.

(2) 겉보기 성질을 이용한 용액의 진하기 비교

① 색깔, 맛, 무게, 높이와 같은 겉보기 성질을 이용해 용액의 진하기를 비교할 수 있다.

② 색깔 비교: 황설탕 용액과 같이 색깔이 있는 경우 용액이 진할수록 색깔이 더 진하다.

③ 맛 비교: 설탕 용액과 같이 맛을 볼 수 있는 경우 용액이 진할수록 단맛이 더 강하다.

④ 무게 비교: 용액이 진할수록 용액의 무게가 더 무겁다. 물에 용질이 용해되기 전과 용해된 후의 무게가 같은 것처럼 용질을 물에 넣으면 용질의 무게만큼 무게가 늘어나기 때문이다.

⑤ 높이 비교: 용액이 진할수록 용액의 높이가 높아진다. 용액의 높이는 용해된 용질의 양에 비례해서 높아지기 때문이다.

Mini 탐구 황설탕 용액의 진하기 비교하기

과정

1. 황설탕 용액의 진하기를 비교할 수 있는 방법을 생각해 본다.
2. 눈금실린더를 이용해 비커 두 개에 각각 물을 80mL씩 넣고, 한 비커에는 황색 각설탕 한 개, 다른 비커에는 황색 각설탕 열 개를 용해하여 진하기가 다른 용액을 만든다.
3. 생각한 방법으로 두 용액의 진하기를 비교해 본다.

결과

• 황설탕 용액의 진하기를 비교하는 방법: 맛, 색깔, 무게, 높이 비교하기
• 용액의 맛이 진할수록 더 진한 용액이다.
• 용액의 색깔이 진할수록 더 진한 용액이다.
• 용액의 무게가 무거울수록 더 진한 용액이다.
• 용액의 높이가 높을수록 더 진한 용액이다.

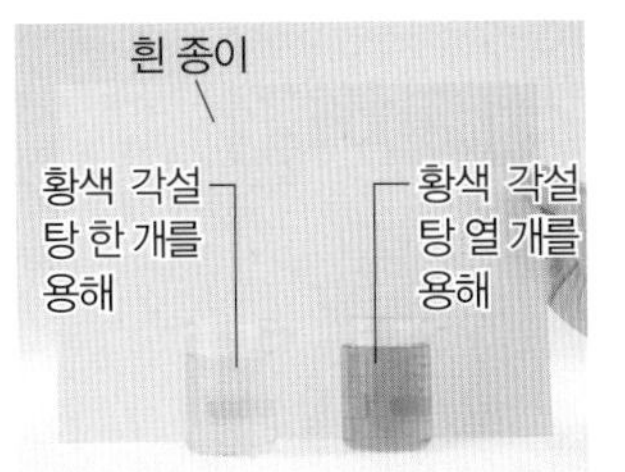

▲ 색깔 비교하기

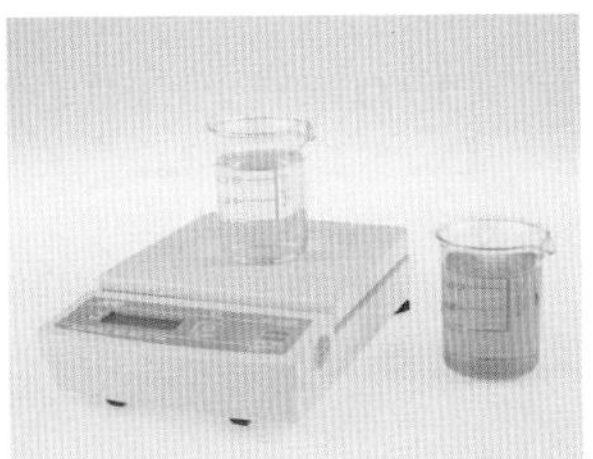
▲ 무게 비교하기

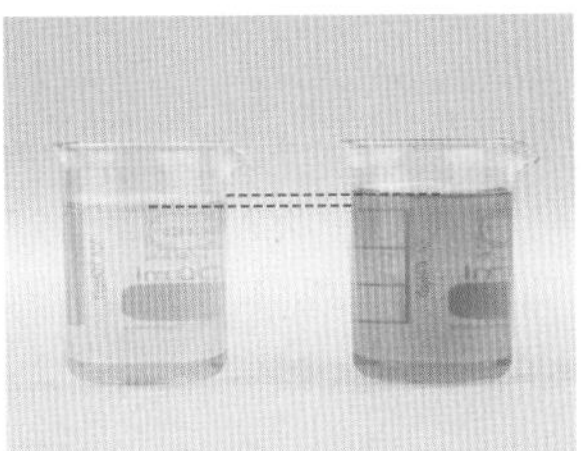
▲ 높이 비교하기

(3) 물체가 뜨는 정도를 이용한 용액의 진하기 비교 교과서 속 탐구 72쪽

① 용액에 어떤 물체를 넣었을 때 그 물체가 뜨고 가라앉는 정도를 이용해 용액의 진하기를 비교할 수 있다. 용액이 진할수록 물체가 높이 떠오른다.

② 용액에 띄워 보는 물체는 용액의 진하기에 따라 뜨는 정도가 다른 적당한 크기와 무게를 가진 것(예 방울토마토, 메추리알)으로 한다.
돌멩이는 너무 무겁고, 스타이로폼은 너무 가볍다.

③ 물체가 뜨는 정도로 용액의 진하기를 비교하는 방법은 맛을 볼 수 없거나 겉보기 성질로 진하기 비교가 어려운 용액의 진하기를 비교할 때 이용할 수 있다.

④ 우리는 예로부터 장을 담글 때에 소금물의 진하기를 맞추는 것이 중요해서 소금물에 달걀을 띄워 달걀이 떠오르는 정도로 적당한 진하기를 확인했다.

2. 용액에 떠 있는 물체의 높이 변화

(1) 설탕물 위쪽에 떠 있는 메추리알을 가라앉히는 방법 물을 더 많이 넣어서 같은 부피의 용액 속에 들어 있는 용질의 양을 적게 만든다.
용액이 묽어진다.

(2) 설탕물 아래쪽에 가라앉은 메추리알을 높이 띄우는 방법 설탕을 더 많이 넣어서 같은 부피의 용액 속에 들어 있는 용질의 양을 많게 만든다.

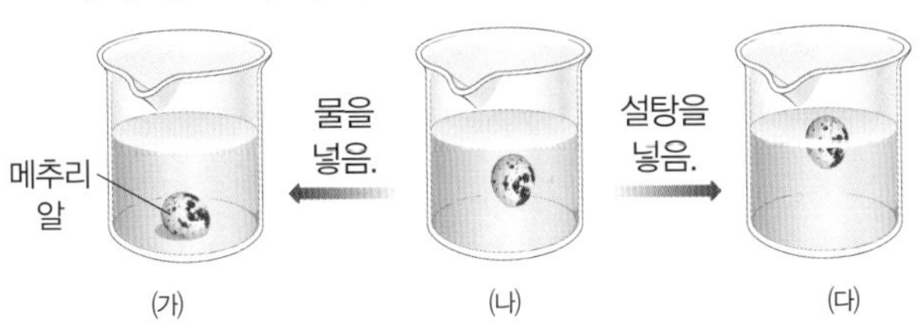

◀ 용액의 진하기는 (다), (나), (가) 순으로 진하다. (나)에 물을 넣어 용액이 묽어지면 (가)처럼 메추리알이 가라앉고, (나)에 설탕을 넣어 용액이 진해지면 (다)처럼 메추리알이 더 높이 떠오른다.

보충 플러스⁺ 용액이 진할수록 물체가 더 많이 뜨는 까닭

기체나 액체 속에 있는 물체가 위로 뜨려는 힘을 부력이라고 한다. 진한 용액이 묽은 용액보다 더 무겁고, 무거울수록 용액에 넣은 물체가 받는 부력이 커져서 물체가 많이 떠오른다. 따라서 용액이 진할수록 물체가 더 많이 뜨는 것이다.

용액의 색깔 비교
황설탕과 같이 색이 있는 용질은 물에 용해했을 때 용액의 진하기를 색깔로 비교할 수 있다. 이때 용액의 뒤에 흰 종이를 대고 관찰하면 진하기를 더 잘 비교할 수 있다.

염도가 높은 사해

사해의 물은 지중해에서 흘러들어 간 바닷물인데 이후 기후와 지형의 변화로 호수가 되었다. 이 지역은 기후가 건조하기 때문에 사해의 물이 증발하여 염도가 매우 높아서 사람이 가만히 있어도 물에 뜬다.

용어
- **염도** 물에 용해되어 있는 염분(소금 등)의 양.

"물체가 뜨는 정도로 용액의 진하기 비교하기"

과정

1. 눈금실린더를 이용해 비커 두 개에 각각 물을 200mL씩 넣는다.
2. 한 비커에는 각설탕 한 개를 넣고 다른 비커에는 각설탕 열 개를 넣어 용해한 뒤, 용액 뒤에 흰 종이를 대어 진하기를 비교한다.
   흰색 각설탕을 사용한다.
3. 각설탕 한 개를 용해한 비커에 방울토마토를 넣고 용액에서 뜨는 정도를 관찰해 본다.
4. 나무젓가락으로 방울토마토를 꺼내 화장지로 잘 닦아 낸다. (방울토마토의 무게가 다를 경우 두 비커에서 뜨는 정도가 다를 수 있으므로 방울토마토는 같은 것을 이용한다.)
5. 각설탕 열 개를 용해한 비커에 방울토마토를 넣고 용액에서 뜨는 정도를 관찰해 본다.
6. 용액의 진하기와 물체가 뜨는 정도의 관계를 설명해 본다.

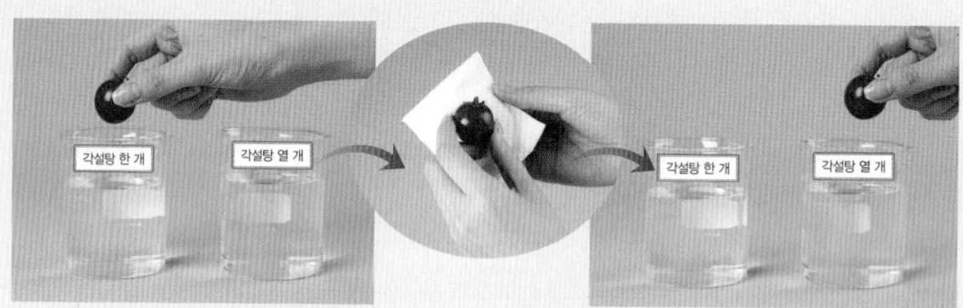

결과

▶ 두 설탕 용액 뒤에 흰 종이를 대어 진하기를 비교해 보면, 용액이 무색투명하여 진하기를 비교하기 어렵다.

▶ 두 설탕 용액에 방울토마토를 넣었을 때, 각설탕 한 개를 용해한 비커에서는 방울토마토가 바닥에 가라앉고, 각설탕 열 개를 용해한 비커에서는 방울토마토가 물 위로 뜬다.

▲ 각설탕 한 개 ▲ 각설탕 열 개

알 수 있는 사실

▶ 용액의 진하기가 다르면 물체가 뜨는 정도가 다르다. 용액이 진할수록 물체가 높이 뜬다.

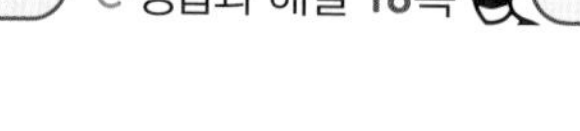

탐구 문제

정답과 해설 18쪽

1 다음은 물을 200mL씩 넣은 비커 두 개에 각설탕 한 개와 각설탕 열 개를 각각 넣어 용해한 뒤 똑같은 방울토마토를 넣은 결과입니다. 각설탕 한 개를 넣은 비커에는 '한', 각설탕 열 개를 넣은 비커에는 '열'이라고 쓰시오.

(1)

( )

(2)

( )

2 용액의 진하기 비교에 대한 설명에서 ( ) 안에 들어갈 알맞은 말을 **보기**에서 모두 골라 쓰시오.

보기

용액의 맛, 용액의 색깔, 용액의 높이,
용액의 무게, 스타이로폼이 뜨는 정도

같은 양의 물이 담긴 비커 두 개에 흰색 각설탕 한 개와 흰색 각설탕 열 개를 각각 용해한 두 용액의 진하기는 ( )(으)로 비교할 수 있다.

( )

정답과 해설 18쪽

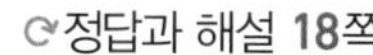

1 다음은 용액의 진하기에 대한 설명입니다. (　　) 안에 공통으로 들어갈 알맞은 말을 쓰시오.

> 같은 양의 용매에 용해된 (　　　　)의 많고 적은 정도를 용액의 진하기라고 한다. 용매의 양이 같을 때 용해된 (　　　　)의 양이 많을수록 진한 용액이다.

(　　　　　　　　)

2 황설탕 용액의 진하기를 비교할 수 있는 방법을 잘못 말한 사람의 이름을 쓰시오.

> • 윤미: 맛을 보면 알 수 있어.
> • 서웅: 높이를 재 보면 알 수 있어.
> • 병수: 색깔을 비교하면 알 수 있어.
> • 미진: 물이 증발하는 빠르기를 보면 알 수 있어.

(　　　　　　　　)

3 다음 ㉠, ㉡은 진하기가 다른 황설탕 용액입니다. ㉠, ㉡의 무게를 잰을 때 결과가 표와 같을 때 빈칸에 ㉠과 ㉡ 중 알맞은 기호를 각각 쓰시오.

㉠ 

㉡ 

구분	(1)	(2)
용액의 무게	142g	145g

4 진하기가 다른 두 가지 용액에서 물체가 뜨는 정도로 용액의 진하기를 비교하려고 합니다. 이때 사용할 물체로 적당한 것을 보기에서 모두 골라 기호를 쓰시오.

> **보기**
> ㉠ 돌멩이　　　㉡ 메추리알
> ㉢ 방울토마토　　㉣ 스타이로폼

(　　　　　　　　)

5 우리나라에서는 옛날부터 장을 담글 때 소금물에 달걀을 넣어 보고 소금물의 진하기를 맞췄습니다. 다음 중 더 진한 용액을 골라 ○표 하시오.

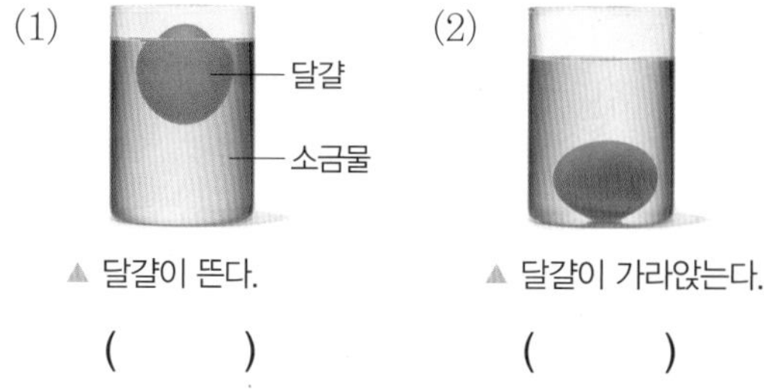

(1) ▲ 달걀이 뜬다. (　　)

(2) ▲ 달걀이 가라앉는다. (　　)

6 설탕 용액에 방울토마토를 넣었더니 오른쪽과 같이 가라앉았습니다. 방울토마토를 물 위로 띄우는 방법으로 (　　) 안의 알맞은 말에 ○표 하시오.

> 비커에 (물 , 설탕)을 더 넣는다.

1 용해와 관련 있는 현상에는 ○표, 용해와 관련 없는 현상에는 ×표 하시오.

(1) 냉장고에서 꺼낸 얼음이 녹았다. ( )

(2) 물에 소금을 넣었더니 짠맛이 났다. ( )

(3) 각설탕을 물에 넣었더니 크기가 작아졌다. ( )

(4) 접시에 식초를 담아 두었더니 몇 시간 후 식초의 양이 줄었다. ( )

2 다음은 비커 세 개에 물을 각각 50mL씩 넣고 소금, 설탕, 멸치 가루를 두 숟가락씩 넣고 저었을 때와 각 비커를 10분 동안 가만히 두었을 때의 결과입니다. 소금, 설탕, 멸치 가루를 물에 녹는 물질과 녹지 않는 물질로 구분하여 알맞게 쓰시오.

• 물에 넣고 저었을 때

소금	설탕	멸치 가루
소금	설탕	멸치 가루

• 10분 동안 가만히 두었을 때

소금	설탕	멸치 가루
소금	설탕	멸치 가루

(1) 물에 녹는 물질:
( )

(2) 물에 녹지 않는 물질:
( )

3 다음은 물에 소금을 넣어 소금물 용액을 만드는 과정을 나타낸 것입니다. 용질, 용매, 용액 중 ㉠~㉢에 들어갈 알맞은 말을 각각 쓰시오.

㉠ ( )
㉡ ( )
㉢ ( )

4 거름종이로 걸러 냈을 때 거름종이에 남는 물질이 있는 것을 **보기**에서 두 가지 골라 기호를 쓰시오.

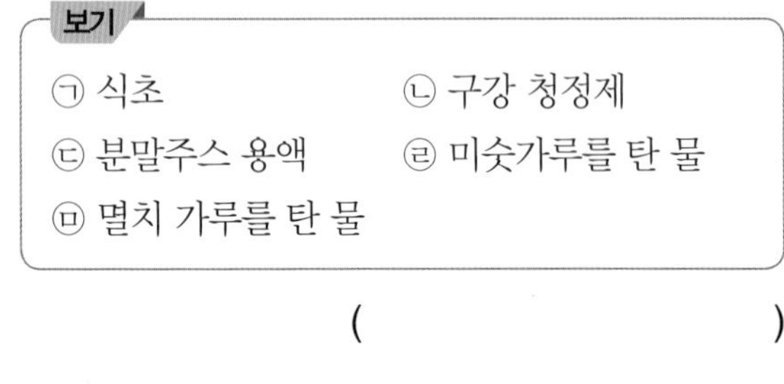
보기
㉠ 식초 ㉡ 구강 청정제
㉢ 분말주스 용액 ㉣ 미숫가루를 탄 물
㉤ 멸치 가루를 탄 물

( )

5 용액에 대해 잘못 말한 사람의 이름을 쓰시오.

• 소민: 소금물, 설탕물 등이 있어.
• 명호: 윗부분이 아랫부분보다 더 진해.
• 치영: 오래 두어도 뜨거나 가라앉는 물질이 없어.
• 슬기: 두 가지 이상의 물질이 균일하게 섞여 있는 혼합물이야.

( )

정답과 해설 19쪽

6 오른쪽과 같이 각설탕을 물에 넣고 관찰했을 때 나타나는 변화로 옳은 것에 ○표 하시오.

(1) 각설탕이 점점 커진다. ( )
(2) 각설탕의 색이 파랗게 변한다. ( )
(3) 각설탕이 눈에 보이지 않게 된다. ( )

7 다음은 각 모둠에서 각설탕이 물에 용해되기 전과 용해된 후의 무게를 측정하여 나타낸 표입니다. ㉠, ㉡에 들어갈 알맞은 숫자를 각각 쓰시오.

모둠	용해되기 전의 무게(g)		용해된 후의 무게(g)
	각설탕이 담긴 시약포지	물이 담긴 비커	빈 시약포지+설탕 용액이 담긴 비커
1	3	100	103
2	8	㉠	108
3	㉡	99	111

㉠ ( ), ㉡ ( )

8 여러 가지 용질이 물에 용해되는 양을 비교하기 위한 실험 과정을 설계하려고 합니다. **보기**에서 다르게 해야 할 조건을 찾아 쓰시오.

보기

물의 온도, 용질의 종류, 물의 양

( )

9 다음은 온도와 양이 같은 물에 소금과 베이킹 소다를 넣은 후 관찰한 결과를 정리한 표입니다. 물의 양을 반으로 줄였을 때 소금과 베이킹 소다 중 더 많이 용해되는 것을 쓰시오.

구분	소금	베이킹 소다
한 숟가락 넣었을 때	다 용해된다.	다 용해된다.
두 숟가락 넣었을 때	다 용해된다.	바닥에 가라앉는다.

( )

10 다음은 온도와 양이 같은 물에 베이킹 소다와 분말주스 가루를 같은 양만큼 넣고 저었을 때의 결과입니다. 이 결과에 대한 설명으로 옳은 것을 **보기**에서 두 가지 골라 기호를 쓰시오.

구분	베이킹 소다	분말주스 가루
결과	바닥에 남는다.	다 용해된다.

보기

㉠ 온도와 양이 같은 물에서 용질마다 용해되는 양이 다르다.
㉡ 온도와 양이 같은 물에서 분말주스 가루가 베이킹 소다보다 더 많이 용해된다.
㉢ 온도와 양이 같은 물에서 베이킹 소다와 분말주스 가루가 용해되는 양은 같다.
㉣ 베이킹 소다와 분말주스 가루가 용해되는 양은 물의 온도와 양에 관계없이 일정하다.

( )

11 다음은 물의 온도에 따라 백반이 용해되는 양을 비교하기 위한 실험을 설계한 과정입니다. ㉠~㉢ 중 잘못된 부분의 기호를 쓰고, 바르게 고쳐 쓰시오.

① 얼음과 전기 주전자를 이용해 ㉠ 10℃와 40℃의 물을 준비한다.
② 눈금실린더로 10℃의 물 50mL와 ㉡ 40℃의 물 100mL를 측정해 두 비커에 각각 담는다.
③ 각 비커에 백반을 두 숟가락씩 넣고 ㉢ 유리 막대로 젓는다.
④ 각 비커에 넣은 백반이 용해된 양을 비교한다.

____

____

12 다음과 같이 온도가 다른 물 50mL를 각각 비커에 넣고 백반을 용해할 때 가장 많은 양의 백반을 용해할 수 있는 것을 골라 ○표 하시오.

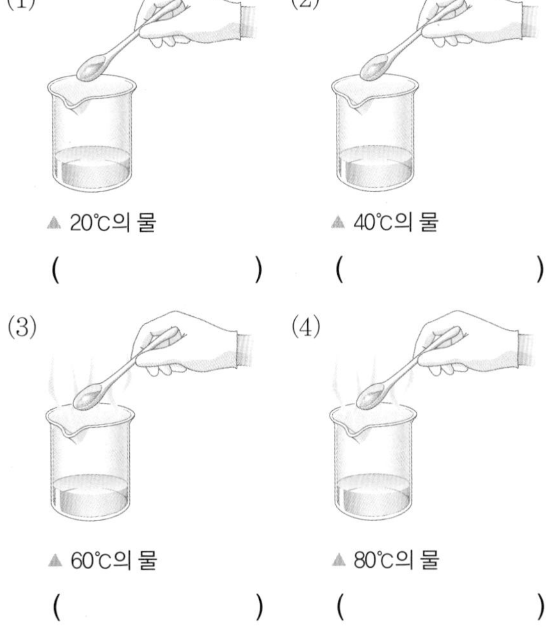

(1) ▲ 20℃의 물 (　　　　)
(2) ▲ 40℃의 물 (　　　　)
(3) ▲ 60℃의 물 (　　　　)
(4) ▲ 80℃의 물 (　　　　)

13 물이 담긴 비커에 백반을 넣고 저었더니 백반이 바닥에 가라앉았습니다. 남은 백반을 모두 용해할 수 있는 방법을 옳게 말한 사람의 이름을 쓰시오.

- 영민: 백반 용액을 들고 흔들어 줘.
- 아진: 백반 용액에 백반을 더 넣어야 해.
- 새미: 백반 용액이 담긴 비커를 큰 것으로 바꿔 줘.
- 강호: 백반 용액이 담긴 비커를 알코올램프로 가열해서 따뜻하게 해.

(　　　　　　　　)

14 따뜻한 물에 백반을 넣고 녹여 진한 백반 용액을 만들었습니다. 이 백반 용액으로 ㉠ 실험을 하였더니 그림과 같이 비커 바닥에 백반 알갱이가 생겨 가라앉았습니다. ㉠ 실험으로 알맞은 것을 골라 ○표 하시오.

▲ 진한 백반 용액

㉠ 실험 →

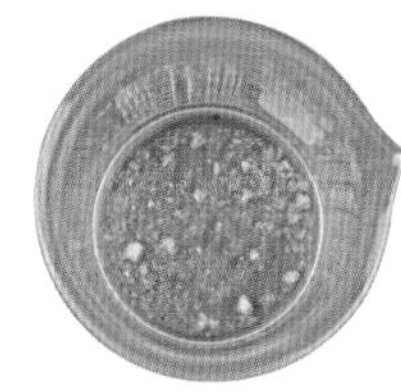
▲ 백반 알갱이가 생김.

(1) 진한 백반 용액이 든 비커에 물을 더 넣는다. (　　)
(2) 진한 백반 용액이 든 비커를 얼음물에 넣는다. (　　)
(3) 진한 백반 용액이 든 비커를 전자레인지에 넣고 가열한다. (　　)

15 다음 **보기**의 낱말을 모두 사용하여 용액의 진하기를 설명하시오.

> **보기**
> 용질, 용매, 용해

16 황설탕 용액의 진하기를 비교할 수 있는 겉보기 성질에 해당하는 것을 **보기**에서 모두 고른 것은 어느 것입니까? (　　)

> **보기**
> ㉠ 맛　　㉡ 냄새
> ㉢ 무게　　㉣ 높이
> ㉤ 색깔　　㉥ 젓는 소리

① ㉠, ㉡, ㉢　② ㉠, ㉢, ㉣
③ ㉡, ㉣, ㉤　④ ㉢, ㉣, ㉤
⑤ ㉠, ㉢, ㉣, ㉤

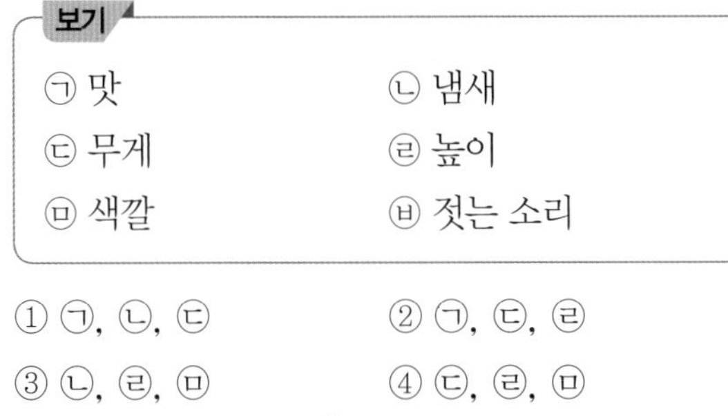

17 진하기가 다른 황설탕 용액 ㉠과 ㉡을 같은 모양의 비커에 담고 높이를 쟀을 때 높이가 다음과 같았습니다. ㉠과 ㉡ 중 무게가 더 무거운 용액의 기호를 쓰시오.

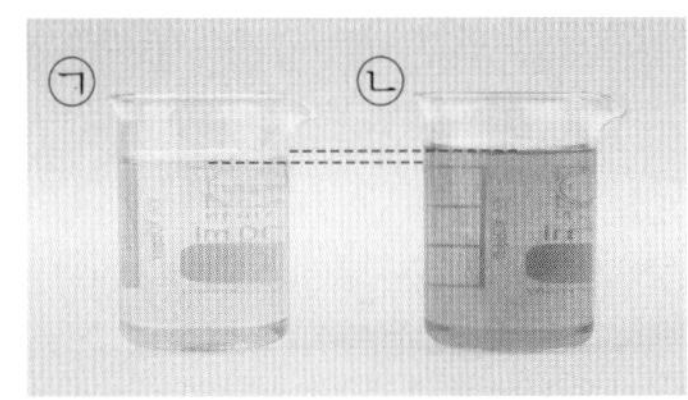

구분	㉠	㉡
높이(cm)	8	8.3

(　　　　　　　　)

[18~20] 진하기가 다른 소금물을 비커 세 개에 각각 같은 양씩 넣은 뒤, 각 비커에 같은 메추리알을 넣고 관찰했더니 다음과 같았습니다. 물음에 답하시오.

18 물에 용해된 소금의 양이 많은 용액부터 순서대로 기호를 쓰시오.

(　　　　　　　　)

19 위 실험에서 (가)~(다)에 같은 메추리알을 넣는 까닭으로 옳은 것은 어느 것입니까? (　　)

① 메추리알을 여러 개 준비하기 번거로워서
② 무게가 같은 메추리알을 사용하기 위해서
③ 무늬가 같은 메추리알을 사용하기 위해서
④ 깨끗하게 닦은 메추리알을 사용하기 위해서
⑤ 만들어진 날짜가 같은 메추리알을 사용하기 위해서

20 위 (나)의 메추리알을 가라앉게 하는 방법을 한 가지 쓰시오.

1 다음과 같이 같은 양의 소금, 설탕, 멸치 가루를 같은 양의 물에 넣고 저어 보는 실험을 했습니다. 이 실험의 결과를 각각 쓰시오.

▲ 소금 ▲ 설탕 ▲ 멸치 가루

2 다음은 일상생활에서 쉽게 볼 수 있는 용액들입니다. 용액의 공통적인 특징을 두 가지 쓰시오.

▲ 손 세정제 ▲ 분말주스 용액
▲ 식초 ▲ 이온음료 ▲ 구강 청정제

3 오른쪽과 같이 각설탕을 물에 넣었습니다. 각설탕이 물에 용해되는 과정을 설명하여 쓰시오.

4 다음과 같이 각설탕이 물에 용해되기 전과 용해된 후의 무게를 쟀더니 둘 다 160 g이었습니다. 각설탕이 물에 용해되기 전과 용해된 후의 무게가 실험 결과와 같이 나타난 까닭을 쓰시오.

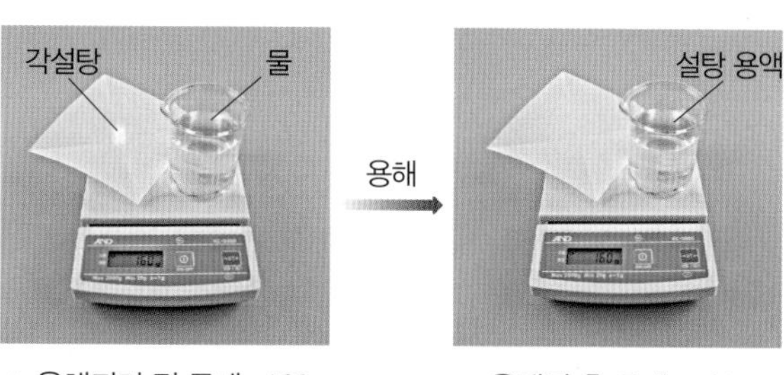

▲ 용해되기 전 무게: 160g ▲ 용해된 후 무게: 160g

정답과 해설 21쪽

5 온도와 양이 같은 물을 비커 세 개에 넣고, 각 비커에 소금, 설탕, 베이킹 소다를 한 숟가락씩 넣고 저은 뒤 변화를 관찰했습니다. 결과가 다음 표와 같을 때 이 실험을 통해 알 수 있는 사실을 쓰시오. (용질이 다 용해되면 ○표, 용질이 다 용해되지 않고 바닥에 남으면 △표 함.)

용질	약숟가락으로 넣은 횟수(회)							
	1	2	3	4	5	6	7	8
소금	○	○	○	○	○	○	○	△
설탕	○	○	○	○	○	○	○	○
베이킹 소다	○	△						

6 따뜻한 물에서 모두 용해된 백반 용액이 든 비커를 다음과 같이 얼음물에 넣었습니다. 이때 나타나는 변화를 쓰고, 그 까닭을 쓰시오.

7 다음은 진하기가 다른 황설탕 용액입니다. 황설탕 용액의 진하기를 비교할 수 있는 방법을 한 가지 쓰고, 그 방법으로 진하기를 비교했을 때 진한 용액의 특징을 쓰시오.

8 다음은 계곡 물에서 튜브를 타고 노는 사람들과 사해의 물 위에 떠서 책을 읽는 사람의 모습입니다. 계곡 물에서는 사람이 가만히 있으면 가라앉지만, 사해에서는 물에 뜨는 까닭을 염도와 관련하여 쓰시오. (단, 염도는 물에 용해되어 있는 소금 등 염분의 양임.)

▲ 계곡 물

▲ 사해

단원 핵심 정리

용해, 용질, 용매, 용액

용해	어떤 물질이 다른 물질에 녹아 골고루 섞이는 현상
용질	녹는 물질
용매	녹이는 물질
용액	녹는 물질이 녹이는 물질에 골고루 섞여 있는 물질

용액의 특성

구분	용액	용액이 아닌 것
예	소금 용액, 설탕 용액, 분말주스 용액, 식초, 구강 청정제, 손 세정제 등	미숫가루를 탄 물, 흙탕물, 멸치 가루를 탄 물 등
특성	• 오래 두어도 뜨거나 가라앉는 물질이 없다. • 거름종이로 걸러 냈을 때 거름종이 위에 남는 물질이 없다.	• 뜨거나 가라앉는 물질이 있다. • 거름종이로 걸러 냈을 때 거름종이 위에 남는 물질이 있다.

▶ 용액은 두 가지 이상의 물질이 균일하게 섞여 있는 혼합물이다.

각설탕이 물에 용해되기 전과 용해된 후의 무게

구분	용해되기 전	용해된 후
	각설탕+시약포지+물이 담긴 비커	빈 시약포지+설탕 용액이 담긴 비커
무게(g)	예 142	예 142

▶ 각설탕이 물에 용해되기 전과 용해된 후의 무게는 같다.

물질의 종류에 따라 물에 용해되는 양

구분	물 50mL에 용해되는 양		
	설탕	소금	베이킹 소다
두 숟가락 넣었을 때	다 용해된다.	다 용해된다.	가라앉는다.
여덟 숟가락 넣었을 때	다 용해된다.	가라앉는다.	–

▶ 온도와 양이 같은 물에서 용질마다 용해되는 양이 다르다.

물의 온도에 따라 백반이 용해되는 양

구분	따뜻한 물	차가운 물
50mL의 물에 백반 두 숟가락을 넣었을 때	다 용해된다.	어느 정도 용해되다가 용해되지 않은 백반이 바닥에 남는다.

▶ 물의 온도가 높을수록 백반이 더 많이 용해된다.

용액의 진하기를 비교하는 방법

비교 방법	진한 용액의 특성
색깔	색깔이 있는 용액은 색깔이 진할수록 진한 용액이다.
맛	맛을 볼 수 있는 용액은 맛이 진할수록 진한 용액이다.
무게	무게가 무거울수록 진한 용액이다.
높이	같은 용기에 담았을 때 높이가 높을수록 진한 용액이다.
물체가 뜨는 정도	방울토마토나 메추리알과 같은 물체가 높이 뜰수록 진한 용액이다.

물질의 특성

1 혼합물

두 종류 이상의 순물질이 섞여 있는 물질을 혼합물이라고 한다. 순물질이란 산소, 이산화 탄소, 물과 같이 한 종류의 물질로만 이루어진 물질이다. 두 가지 이상의 순물질이 고르게 섞여 있는 혼합물을 균일 혼합물, 두 가지 이상의 순물질이 고르지 않게 섞여 있는 혼합물을 불균일 혼합물이라고 한다.

식초, 소금물 등은 균일 혼합물이고, 흙탕물, 생과일 주스 등은 불균일 혼합물이다. 즉, **용액**은 균일 혼합물이고, 미숫가루를 탄 물은 불균일 혼합물이다.

구분	균일 혼합물	불균일 혼합물
뜻	성분 물질이 고르게 섞여 있는 혼합물	성분 물질이 고르지 않게 섞여 있는 혼합물
확대한 모습		

2 혼합물의 밀도 변화

물질의 질량을 부피로 나눈 값을 밀도라고 한다. 한 물질의 밀도는 물질의 양에 관계없이 일정하다.

서로 섞이지 않고 밀도가 다른 두 물질을 섞으면 밀도가 큰 물질은 밀도가 작은 물질 아래로 가라앉고, 밀도가 작은 물질은 밀도가 큰 물질 위로 뜬다. **용액의 진하기** (개념 71쪽) 를 비교할 때 물체가 뜨는 정도를 이용하는 것은 물질의 밀도를 이용하는 것이다. 물에 달걀을 넣으면 달걀이 가라앉지만, 물에 소금을 계속 녹이면 소금물의 농도가 짙어지면서 밀도가 커지므로 달걀이 점차 위로 떠오른다. 혼합물의 밀도는 성분 물질이 섞여 있는 정도에 따라 달라지기 때문이다.

VISUAL SCIENCE

비주얼 **사이언스**

 71쪽 참고 액체 층 만들기

밀도가 다르고, 서로 섞이지 않는 액체를 유리컵에 넣으면 그림과 같이 여러 층을 이루는데, 아래층으로 갈수록 밀도가 크다.

밀도 비교: 바둑알>물엿>젤리>글리세린>포도알>물>플라스틱 조각>식용유>코르크 마개

71쪽 참고 밀도 차이

밀도가 큰 물질은 밀도가 작은 물질 아래로 가라앉고, 밀도가 작은 물질은 밀도가 큰 물질 위로 뜨기 때문이다.

질량이 같은 스타이로폼 공과 쇠공을 물에 넣으면 스타이로폼 공은 물에 뜨고, 쇠공은 물에 가라앉는다.

질량이 같을 때

부피가 같은 스타이로폼 공과 쇠공을 물에 넣으면 스타이로폼 공은 물에 뜨고, 쇠공은 물에 가라앉는다.

부피가 같을 때

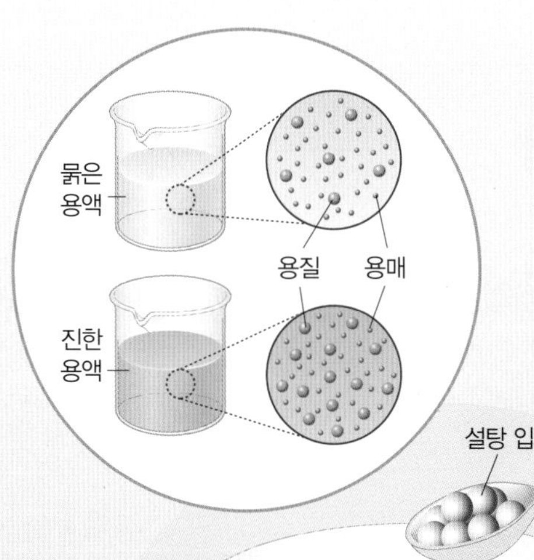

용액의 진하기

진한 용액은 묽은 용액보다 같은 양의 용매 속에 들어 있는 용질 입자 수가 더 많다. 용액의 농도에 따라 색깔, 맛, 밀도, 끓는점 등이 달라진다.

▲ 설탕물 용액

소금물에서 물을 얻는 방법

소금물을 가열하면 물이 증발한다. 이때 증발한 물을 모으면 소금물에서 물을 얻을 수 있다.

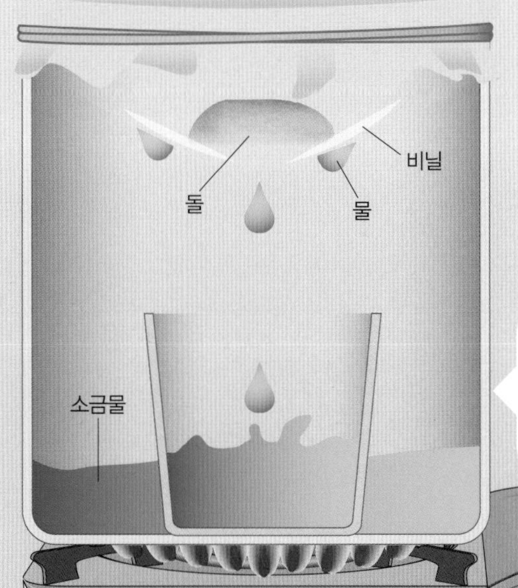

원뿔 모양의 용기를 바닷물 위에 놓으면 햇빛을 받은 바닷물이 증발되어 수증기가 된다. 수증기가 지붕에 닿아 물이 되어 용기의 홈으로 흘러내려 모이면 식수로 사용할 수 있다.

소금물이 들어 있는 그릇 안에 작은 컵을 넣고 그릇의 윗부분을 비닐로 씌우고 비닐의 가운데에 무거운 돌을 올려 놓은 뒤 가열하면 증발한 물이 그릇의 윗부분에 씌운 비닐을 따라 이동하여 작은 컵 안에 모인다.

다양한 생물과 우리 생활

1. 우리 주변의 다양한 생물
2. 세균, 다양한 생물의 영향

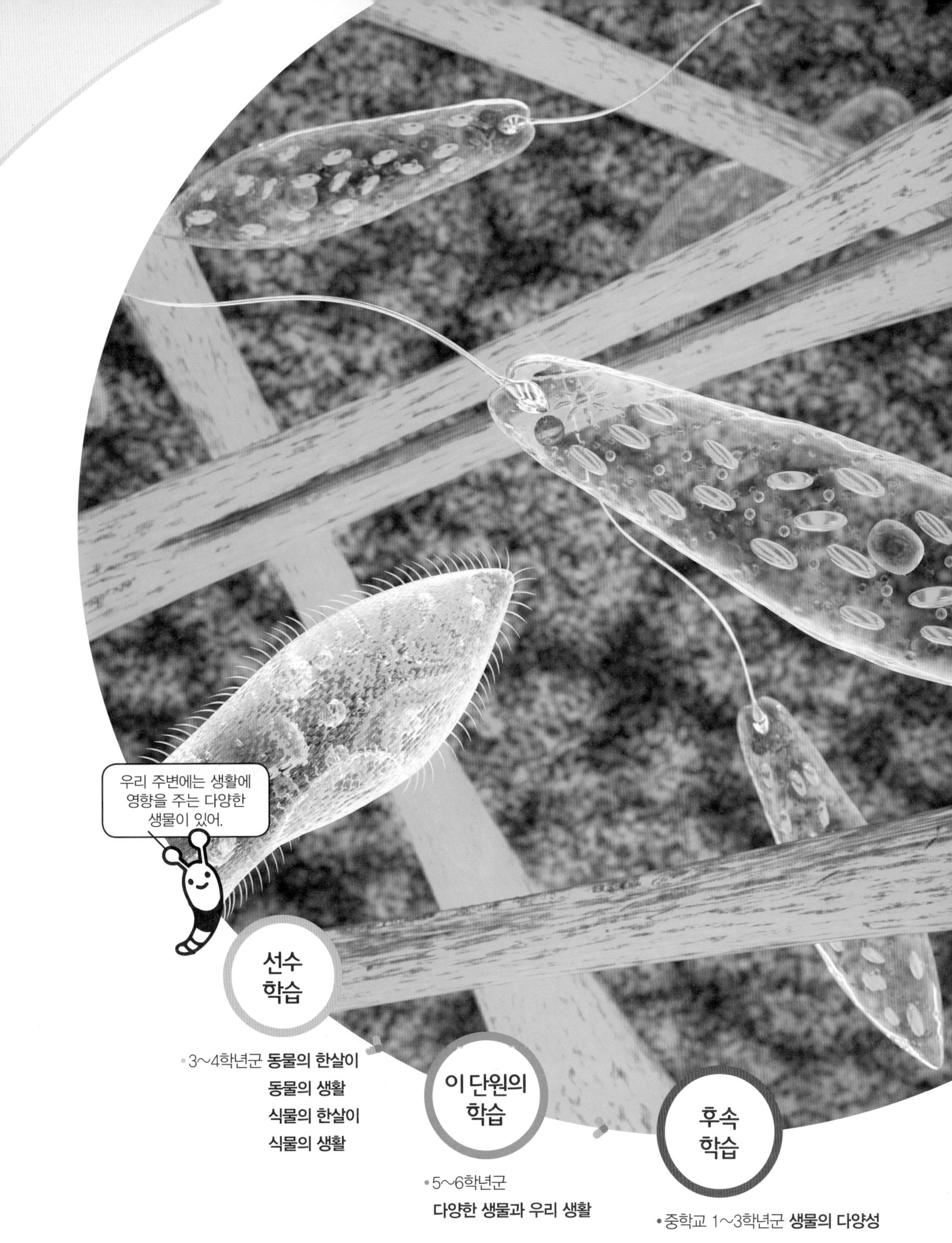

선수 학습

- 3~4학년군 **동물의 한살이**
  동물의 생활
  식물의 한살이
  식물의 생활

이 단원의 학습

- 5~6학년군
  다양한 생물과 우리 생활

후속 학습

- 중학교 1~3학년군 **생물의 다양성**

우리 주변의 다양한 생물

만화로 보는 '곰팡이'

실체 현미경 각 부분의 이름과 역할

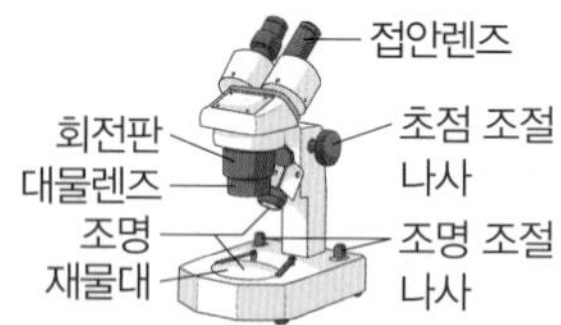

- 접안렌즈: 눈으로 보는 렌즈
- 대물렌즈: 물체의 상을 확대해 주는 렌즈
- 회전판: 대물렌즈의 배율을 조절하는 나사
- 재물대: 관찰 대상을 올려놓는 곳
- 조명: 관찰 대상에 빛을 제공
- 초점 조절 나사: 대상에 초점을 정확히 맞추는 나사
- 조명 조절 나사: 조명을 켜고 끄며 밝기를 조절하는 나사

현미경의 배율

배율은 현미경으로 물체의 모습을 확대하는 정도를 말한다. 현미경의 배율은 접안렌즈 배율×대물렌즈 배율이다.

1. 곰팡이와 버섯의 특징

(1) 균류

① 곰팡이와 버섯 같은 생물을 균류라고 한다.

② 균류는 보통 전체가 거미줄처럼 가늘고 긴 실 모양의 균사로 이루어져 있다. 균사는 세포들이 사슬처럼 연결된 하나의 가닥을 말한다.

③ 균류는 포자로 번식한다. 포자는 작고 가벼워서 눈에 잘 보이지 않고 공기 중에 퍼져 멀리 이동할 수 있다.

④ 균류는 식물과 달리 줄기, 잎과 같은 모양이 없고, 보통의 식물보다 작은 편이다.

(2) 양분을 만드는 방법 직접 영양분을 만들지 못하고 주로 죽은 생물이나 다른 생물에서 양분을 얻는다.

(3) 사는 환경 따뜻하고 축축한 환경에서 잘 자라고 여름철에 많이 볼 수 있다. 다른 생물이나 죽은 생물처럼 양분을 얻을 수 있는 곳에 붙어서 산다.

▲ 균사

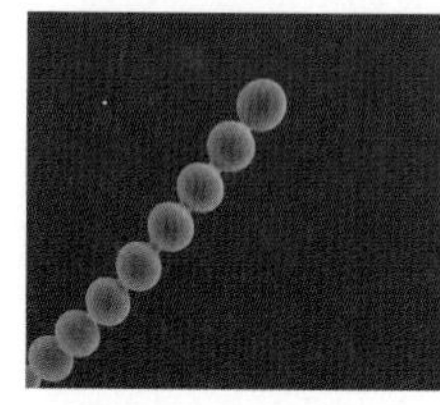
▲ 버섯의 포자

▲ 귤에 자란 곰팡이

▲ 나무에 자란 버섯

(4) 실체 현미경으로 관찰한 곰팡이와 버섯의 모습 교과서 속 탐구 88쪽

물체의 모습을 돋보기보다 더 확대해 볼 수 있는 도구이다.

① 곰팡이는 가는 실 같은 것이 많고 작고 둥근 알갱이가 많이 보인다.

② 버섯은 윗부분의 안쪽에 주름이 많고 깊게 파여 있다.

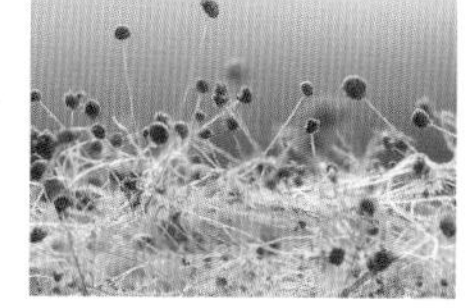

▲ 곰팡이 확대 모습

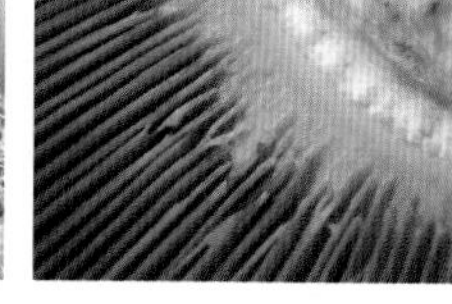
▲ 버섯 확대 모습

2. 짚신벌레와 해캄의 특징

(1) 원생생물

① 짚신벌레와 해캄 같은 생물을 원생생물이라고 한다.

② 원생생물은 동물, 식물, 균류로 분류되지 않으며 생김새가 단순하다.

(2) **생김새와 증식**

① 짚신벌레: 동물이 가지고 있는 눈, 코, 귀 같은 감각 기관이 없고, 짧은 털을 이용하여 몸을 회전하면서 이동한다.

② 해캄: 보통 식물이 가지고 있는 뿌리, 줄기, 잎 등이 없다.

③ 짧은 시간 안에 많은 수로 늘어난다.

(3) **사는 환경** 주로 논, 연못과 같이 물이 고인 곳이나 도랑, 하천과 같이 물살이 느린 곳에서 산다.

짚신벌레와 해캄

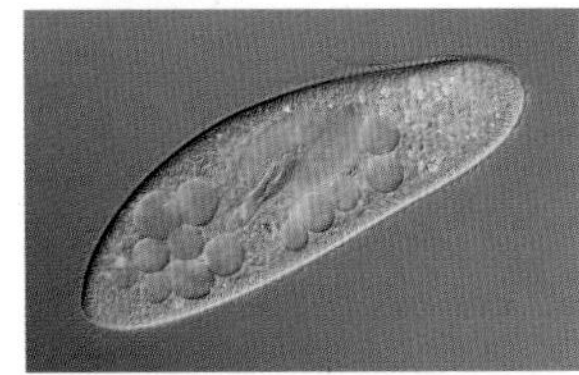

▲ 짚신벌레

▲ 해캄

Mini 탐구 짚신벌레와 해캄 관찰하기

과정

1. 짚신벌레 영구• 표본과 해캄을 맨눈과 돋보기로 관찰해 본다. (┌짚신벌레를 관찰하기 위해 미리 만든 표본이다.)
2. 짚신벌레 영구 표본과 해캄 표본을 광학 현미경으로 관찰해 본다.
   1. 회전판을 돌려 배율이 가장 낮은 대물렌즈가 중앙에 오도록 한 뒤, 전원을 켜고 조리개로 빛의 양을 조절하고 표본을 재물대의 가운데에 고정한다.
   2. 현미경을 옆에서 보면서 조동 나사로 재물대를 올려 표본과 대물렌즈의 거리를 최대한 가깝게 한다.
   3. 조동 나사로 재물대를 천천히 내리면서 접안렌즈로 관찰 대상을 찾고, 미동 나사로 관찰 대상이 뚜렷하게 보이도록 조절한다. 대물렌즈의 배율을 높이고, 미동 나사로 초점을 맞추어 관찰한다.

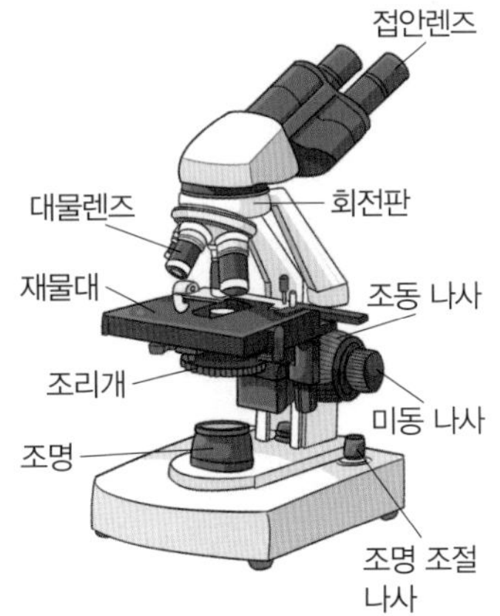

▲ 광학 현미경: 조동 나사는 표본의 상에 대강의 초점을 맞출 때 사용하고, 미동 나사는 표본의 상에 정확한 초점을 맞출 때 사용한다.

결과

구분	짚신벌레 영구 표본	해캄
맨눈	색깔이 있는 점이 보인다.	초록색으로 가늘고 길게 보인다.
돋보기	점이 여러 개 보인다.	여러 가닥의 해캄이 뭉쳐 있고 머리카락 같은 모양이 보인다.
광학 현미경	짚신과 모양이 비슷하며 길쭉한 모양이고 바깥쪽에 가는 털이 있다. 짚신벌레 안쪽에는 여러 가지 다른 모양이 보인다. 짚신벌레의 형태가 잘 보이게 하기 위해 표본을 염색했기 때문에 색깔을 띤다.	대나무와 같이 마디로 나누어져 있고, 여러 개의 가는 선이 보인다. 크기가 작고 둥근 초록색 알갱이가 있다.

해캄 표본 만들기

해캄을 겹치지 않게 잘 펴서 받침 유리 위에 올려놓은 뒤, 덮개 유리를 비스듬히 기울여 공기 방울이 생기지 않도록 천천히 덮는다.

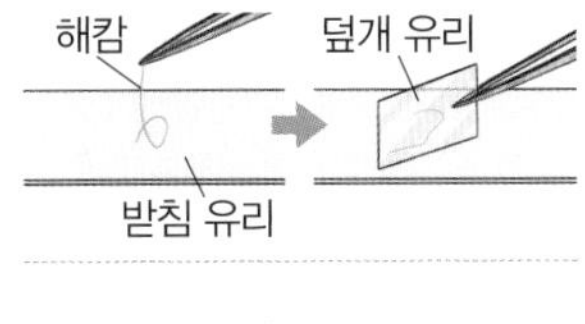

원생생물

아메바, 종벌레, 유글레나, 반달말뿐만 아니라 김, 미역, 다시마, 클로렐라 등을 통틀어 이르는 말이다.

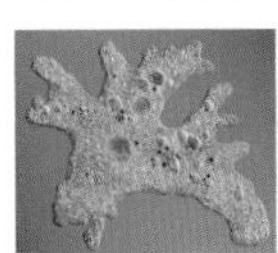

▲ 아메바

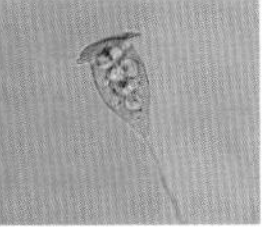

▲ 종벌레

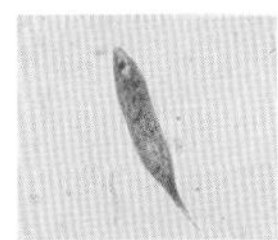

▲ 유글레나

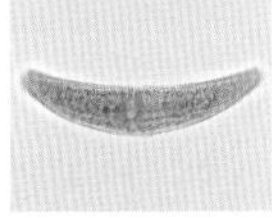

▲ 반달말

• **표본** 생물의 몸 전체나 그 일부에 적당한 처리를 가하여 보존할 수 있게 한 것.

"곰팡이와 버섯 관찰하기"

과정

1. 곰팡이와 버섯을 맨눈과 돋보기로 관찰해 본다.
2. 곰팡이와 칼로 자른 버섯을 실체 현미경으로 관찰해 본다.
   - 1 회전판을 돌려 대물렌즈의 배율을 가장 낮게 하고, 관찰 대상을 재물대 위에 올린다.
   - 2 전원을 켜고 조명 조절 나사로 빛의 양을 조절한다.
   - 3 현미경을 옆에서 보면서 초점 조절 나사로 대물렌즈를 관찰 대상에 최대한 가깝게 내린다.
   - 4 접안렌즈로 관찰 대상을 보면서 대물렌즈를 천천히 올려 초점을 맞추어 관찰한다.
   - 5 대물렌즈의 배율을 높이고, 초점 조절 나사로 초점을 맞추어 관찰한다.

결과

▶ **곰팡이와 버섯 관찰 결과**

구분	맨눈	돋보기	실체 현미경
곰팡이	푸른색, 검은색, 하얀색 등의 곰팡이가 보이지만 정확한 모습을 알 수 없다.	가는 선이 보이고 작은 알갱이들이 있다.	가는 실 같은 것이 많고 크기가 작고 둥근 알갱이가 많이 보인다. 가는 실 같은 것이 거미줄처럼 서로 엉켜 있다.
버섯	버섯의 윗부분은 갈색이고, 아랫부분은 하얗다.	버섯 윗부분의 안쪽에는 주름이 많다.	버섯 윗부분의 안쪽에 주름이 많고 깊게 파여 있다. 보통 식물에 있는 줄기와 잎 같은 모양이 없다.

알 수 있는 사실 ▶ 곰팡이는 가는 실이 엉켜 있는 모양이고, 버섯은 윗부분의 안쪽에 주름이 많다.

정답과 해설 22쪽

1 곰팡이를 맨눈과 실체 현미경으로 관찰한 결과입니다. 맨눈으로 관찰한 결과에는 '눈', 실체 현미경으로 관찰한 결과에는 '현'이라고 쓰시오.

(1) 가는 실 같은 것이 거미줄처럼 서로 엉켜 있다. (　　)

(2) 가는 실 같은 것이 많고 크기가 작고 둥근 알갱이가 많이 보인다. (　　)

(3) 푸른색, 검은색, 하얀색 등의 곰팡이가 보이지만 정확한 모습을 알 수 없다. (　　)

2 다음 (　　) 안에 들어갈 알맞은 말에 ○표 하시오.

> 버섯 윗부분의 안쪽에 (주름, 둥근 알갱이)이/가 많고 깊게 파여 있다.

3 다음은 곰팡이와 버섯을 실체 현미경으로 관찰한 모습입니다. 곰팡이와 버섯을 각각 알맞게 쓰시오.

(1)
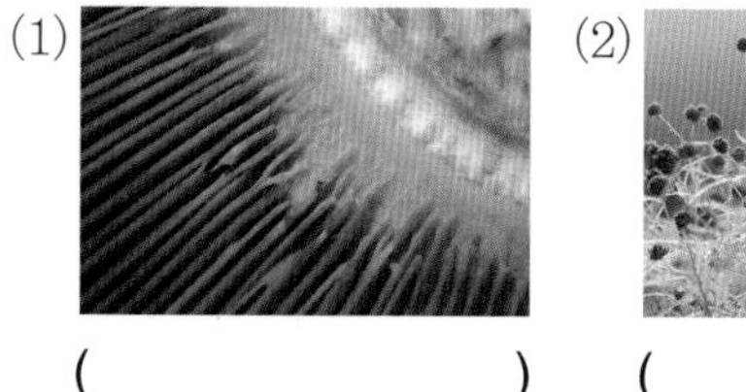
(　　　　　　)

(2)

(　　　　　　)

확인 문제

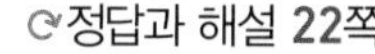

정답과 해설 22쪽

1 곰팡이에 대한 설명으로 (　　) 안의 알맞은 말에 각각 ○표 하시오.

(1) (씨, 포자)(으)로 번식한다.

(2) (여름철, 겨울철)에 잘 자란다.

(3) 스스로 양분을 만들 수 (있다, 없다).

(4) 보통 식물과 같은 뿌리, 줄기, 잎의 생김새가 (보인다, 보이지 않는다).

2 표고버섯에 대해 잘못 말한 사람의 이름을 쓰시오.

- 혜빈: 주로 건조한 곳에서 살아.
- 빈우: 여름철에 많이 볼 수 있어.
- 홍기: 뿌리, 줄기, 잎이 보이지 않아.
- 우주: 윗부분의 안쪽에는 주름이 많아.

(　　　　　　　)

3 곰팡이와 버섯 같이 균사로 이루어져 있고 포자로 번식하는 생물을 무엇이라고 하는지 보기 에서 알맞은 말을 찾아 기호를 쓰시오.

보기

㉠ 동물　　㉡ 식물

㉢ 균류　　㉣ 무생물

(　　　　　　　)

4 다음은 짚신벌레 영구 표본과 해캄을 관찰한 결과입니다. 짚신벌레 영구 표본을 관찰한 결과에는 '짚', 해캄을 관찰한 결과에는 '해'라고 쓰시오.

(1) 돋보기로 보면 머리카락 같은 모양이다. (　　)

(2) 맨눈으로 보면 색깔이 있는 점이 보인다. (　　)

(3) 광학 현미경으로 보면 짚신과 모양이 비슷하다. (　　)

(4) 광학 현미경으로 보면 대나무와 같이 마디로 나누어져 있다. (　　)

5 다음 보기 에서 원생생물을 모두 골라 쓰시오.

보기

미역, 버섯, 해캄, 아메바, 곰팡이, 짚신벌레

(　　　　　　　)

6 해캄 표본을 만드는 방법으로 (　　) 안에 들어갈 알맞은 말을 각각 쓰시오.

해캄을 겹치지 않게 잘 펴서 (　㉠　) 위에 올려놓은 뒤, (　㉡　)을/를 비스듬히 기울여 공기 방울이 생기지 않도록 천천히 덮는다.

해캄

㉠ (　　　　), ㉡ (　　　　)

세균, 다양한 생물의 영향

만화로 보는
'생물의 이로운 영향'

살아 있는 세균
세균은 식물이나 동물, 일부 맨눈으로 볼 수 있는 균류나 원생생물과 달리 직접 관찰할 수 없다. 세균은 동물이나 식물로 분류되지 않지만, 여러 가지 생명 활동을 하는 생물이다.

1. 세균  92쪽

(1) 세균의 특징

① 세균은 하나의 세포이고, 균류나 원생생물보다 크기가 더 작고 생김새가 단순한 생물이다.

② 크기가 매우 작아서 맨눈으로 볼 수 없고, 배율이 높은 현미경을 사용해야 관찰할 수 있다.

③ 살기에 알맞은 조건이 되면 짧은 시간 안에 많은 수로 늘어난다.

④ 종류가 매우 많으며 우리 주변에 있는 땅이나 물, 다른 생물의 몸, 컴퓨터 자판이나 연필 같은 물체 등 다양한 곳에서 산다.

(2) 세균의 생김새

① 생김새에 따라 공 모양, 막대 모양, 나선 모양 등으로 구분하며, 꼬리가 있는 세균도 있다.

② 하나씩 따로 떨어져 있거나 여러 개가 서로 연결되어 있기도 한다.

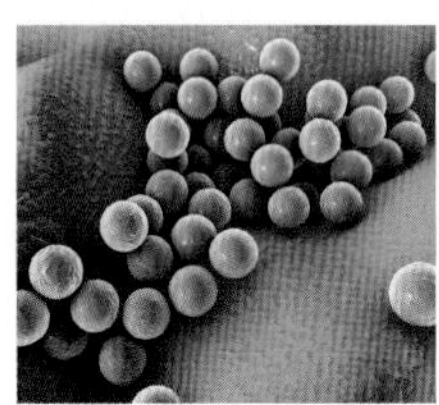
▲ 공 모양의 세균

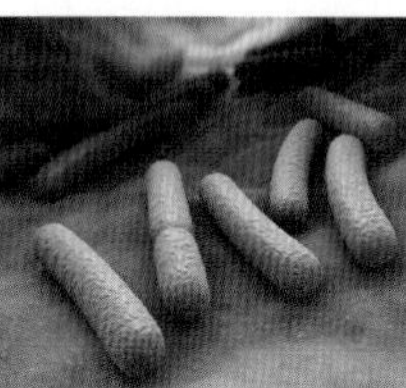
▲ 막대 모양의 세균

▲ 나선 모양의 세균

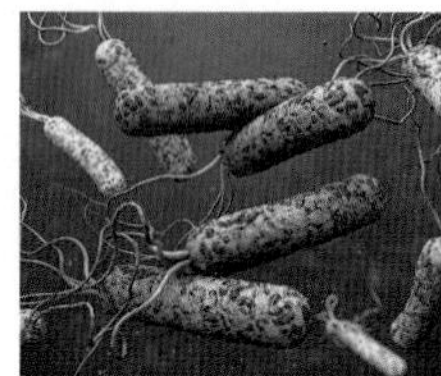
▲ 꼬리가 있는 세균

2. 다양한 생물의 영향

(1) 이로운 영향

① 균류와 세균은 된장, 치즈, 김치, 요구르트 등의 음식을 만드는 데 이용된다.

② 균류와 세균은 죽은 생물이나 배설물을 작게 분해하여 자연으로 되돌려 보내 지구의 환경을 유지하는 데 도움을 준다.

③ 원생생물은 주로 다른 생물의 먹이가 되거나 생물이 사는 데 필요한 산소를 만들기도 한다.

④ 유산균과 같은 우리 몸에 이로운 세균은 해로운 세균으로부터 건강을 지켜 준다.

- **세포** 생물체를 이루는 기본 단위.
- **나선** 물체의 겉모양이 소라 껍데기처럼 빙빙 비틀린 것.
- **분해** 여러 부분이 결합되어 이루어진 것을 그 낱낱으로 나눔.

(2) **해로운 영향**

① 일부 균류와 세균은 음식이나 주변의 물건을 상하게 한다.

② 일부 곰팡이와 세균은 공기, 물, 음식, 물건 등을 거쳐 다른 생물로 옮아가 질병을 일으키기도 한다. 충치가 생기는 까닭은 세균이 치아 표면을 썩게 하기 때문이다.

③ 일부 균류는 먹으면 생명이 위험할 수 있다.

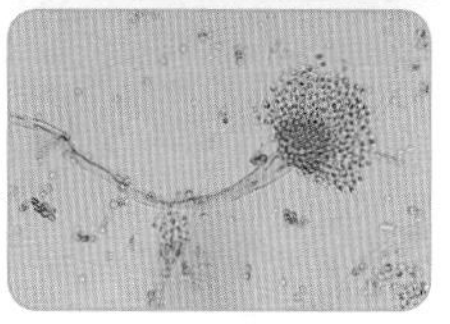

▲ 된장을 만드는 균류
└ 누룩곰팡이

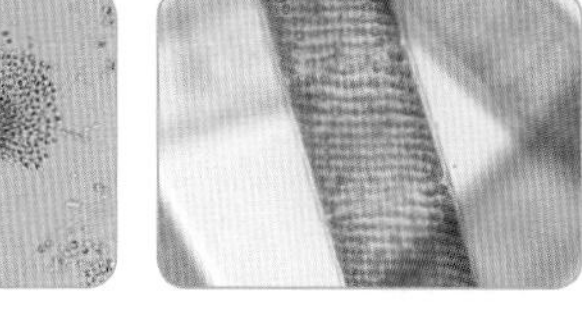

▲ 산소를 만드는 원생생물 – 해캄

▲ 식물에게 병을 일으키는 균류 – 녹병균

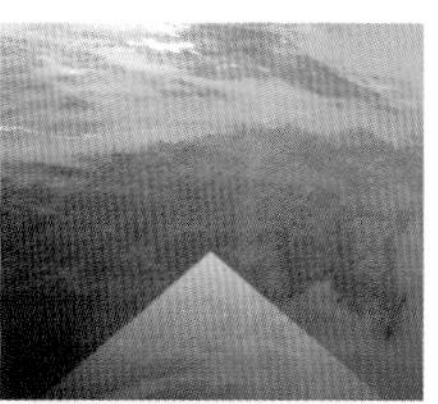
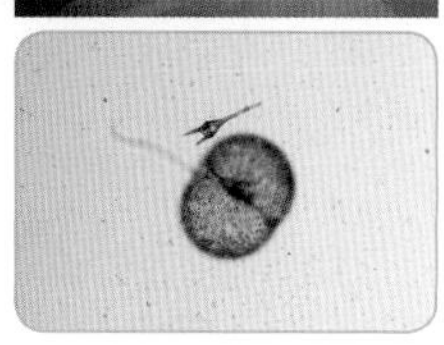

▲ 적조를 일으키는 원생생물

다양한 생물의 필요성

곰팡이나 세균이 사라진다면 음식이나 물건 등이 상하지 않지만, 우리 주변이 죽은 생물이나 배설물로 가득 차게 된다. 또 김치, 요구르트, 된장 등의 음식을 만들 수 없고, 사람이나 동물은 먹은 음식을 잘 소화하지 못하게 되거나 면역력이 약해진다.

3. 우리 생활에 활용되는 첨단 생명 과학

(1) **첨단 생명 과학** 최신의 생명 과학 기술이나 연구 결과를 활용하여 우리 생활의 여러 가지 문제를 해결하는 것을 말한다.

(2) **첨단 생명 과학을 활용하는 예**

① 바다에서 사는 일부 원생생물을 이용하여 환경이 오염되지 않는 방법으로 음식물 쓰레기를 분해한다.

② 질병을 일으키는 세균을 자라지 못하게 하는 푸른곰팡이와 같은 균류의 특성을 이용하여 질병을 치료하는 약을 만든다.

③ 원생생물 중 클로렐라와 같이 영양소가 풍부한 것을 이용하여 건강식품, 우주인의 식량 등을 만든다.

④ 물질을 분해하는 세균의 특성을 이용하여 하수 처리를 한다.

⑤ 플라스틱의 원료를 가진 세균을 이용하여 플라스틱 제품을 만든다.

⑥ 해충에게만 질병을 일으키는 특성을 활용하여 생물 농약을 만든다.

⑦ 해캄 등의 원생생물을 이용하여 기름 등 생물 연료를 만든다.

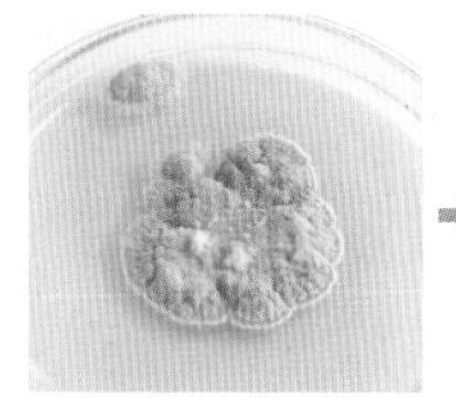

▲ 세균을 자라지 못하게 하는 균류

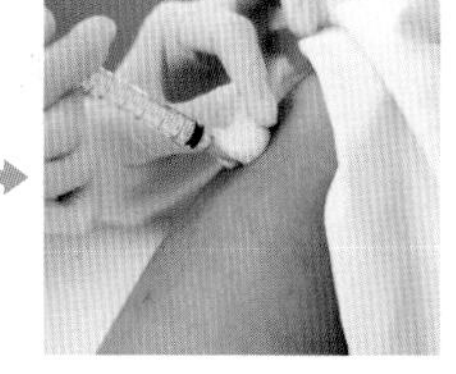

▲ 질병 치료

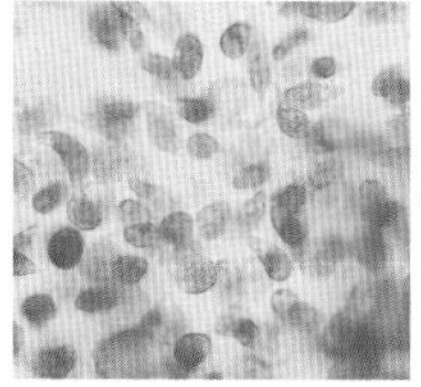

▲ 영양소가 풍부한 원생생물

▲ 건강식품 생산

용어

- **적조** 원생생물 등의 이상 번식으로 바닷물이 붉게 물들어 보이는 현상.
- **생명 과학** 생명에 관계되는 현상을 종합적으로 연구하는 과학.
- **하수** 빗물이나 집, 공장 등에서 쓰고 버리는 더러운 물.
- **생물 농약** 화학 농약 대신에 농작물의 병충해를 막는 해충의 천적 등을 이르는 말.

플라스틱의 원료를 가진 세균

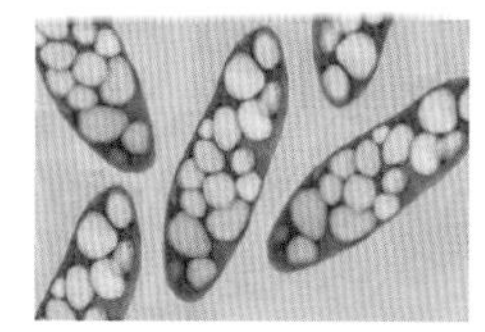

세균을 이용하여 플라스틱 제품을 만들기도 한다.

세균의 특징 조사하기

과정

1. 세균이 사는 곳과 특징을 조사해 본다.
2. 조사한 내용을 발표한다.

결과

▶ **세균이 사는 곳과 특징**

세균(이름)	사는 곳	특징(생김새 등)
콜레라균	공기, 물	• 막대 모양으로 구부러져 있다. • 꼬리가 달려 있고 꼬리를 이용하여 이동한다.
대장균	물, 큰창자	막대 모양이다.
포도상 구균	공기, 음식물, 피부	둥근 모양이고 여러 개가 연결되어 있다.
헬리코박터 파일로리	위	나선 모양이고 꼬리가 여러 개 있다.
스트렙토코쿠스 무탄스	치아	둥근 모양이고 여러 개가 연결되어 있다.
살모넬라균	음식물, 큰창자	막대 모양이다.

알 수 있는 사실

▶ 세균은 다른 생물에 비해 매우 작고 단순한 모양의 생물이다.

▶ 세균은 다른 생물의 몸뿐만 아니라 공기, 물, 흙 등 다양한 곳에서 산다.

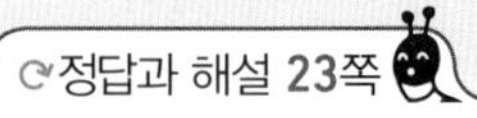

[1~3] 다음은 세균이 사는 곳과 특징을 조사한 것입니다. 물음에 답하시오.

세균(이름)	사는 곳	특징(생김새 등)
콜레라균	공기, 물	막대 모양으로 구부러져 있다. (㉠)이/가 달려 있고 (㉠)을/를 이용하여 이동한다.
대장균	물, 큰창자	막대 모양이다.
포도상 구균	공기, 음식물, 피부	둥근 모양이고 여러 개가 연결되어 있다.
헬리코박터 파일로리	위	나선 모양이고 (㉠)이/가 여러 개 있다.

1 위 ㉠에 공통으로 들어갈 알맞은 말을 쓰시오.

( )

2 세균이 사는 곳에 대한 설명으로 옳은 것에 ○표 하시오.

(1) 어디에서나 살 수 있다. ( )

(2) 사람 주변에서는 살고 있지 않다. ( )

3 다음 **보기**에서 포도상 구균을 골라 기호를 쓰시오.

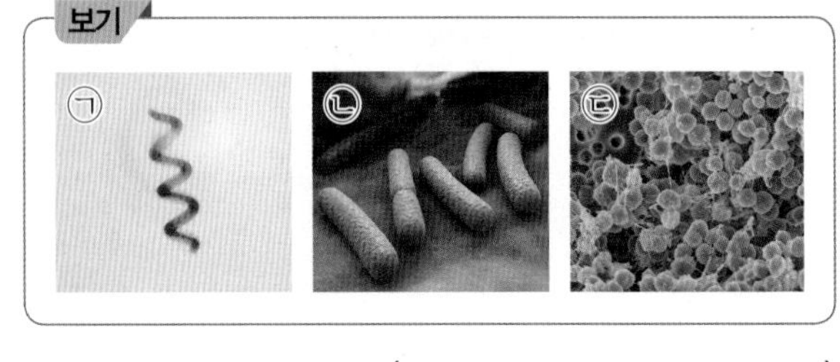

( )

정답과 해설 24쪽

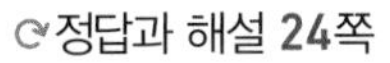

1 세균에 대한 설명으로 옳지 않은 것을 두 가지 고르시오. (　　　　)

① 생물이 아니다.
② 맨눈으로 보기 어렵다.
③ 종류와 수가 매우 많다.
④ 음식물을 신선하게 만든다.
⑤ 우리 주변의 어느 곳에서나 살 수 있다.

2 다음 보기 중 (　　) 안에 들어갈 수 없는 것을 두 가지 골라 쓰시오.

보기
별, 공, 막대, 나선, 나팔

세균은 생김새에 따라 (　　　　) 모양, (　　　　) 모양, (　　　　) 모양 등으로 구분하며, 꼬리가 있는 세균도 있다.

(　　　　　　　　　　)

3 세균이 사는 곳에 대한 설명으로 옳은 것에 ○표 하시오.

(1) 공기에서는 살 수 없다. (　　)
(2) 생물의 몸에서만 살 수 있다. (　　)
(3) 짠맛이 나는 바닷물에서는 살 수 없다. (　　)
(4) 컴퓨터 자판, 휴대 전화 같은 물체에서도 살 수 있다. (　　)

4 다양한 생물이 우리 생활에 미치는 이로운 영향과 해로운 영향을 보기에서 각각 골라 빈칸에 알맞은 기호를 쓰시오.

보기
㉠ 음식을 상하게 한다.
㉡ 물건을 못 쓰게 만든다.
㉢ 동물의 사체를 분해한다.
㉣ 오염된 물질을 분해한다.
㉤ 해로운 세균으로부터 건강을 지켜 준다.
㉥ 다른 생물에게 여러 가지 질병을 일으킨다.

이로운 영향	해로운 영향
(1)	(2)

5 첨단 생명 과학에 대해 잘못 말한 사람의 이름을 쓰시오.

- 아진: 생명 현상의 연구 결과를 우리 생활에 활용해.
- 용기: 최신 과학 기술을 이용해 생물의 특징을 연구해.
- 희민: 균류나 세균이 아닌 동물과 식물의 특징만 연구해.

(　　　　　　　　　　)

6 첨단 생명 과학이 우리 생활에 활용되는 예로 (　　) 안의 알맞은 말에 각각 ○표 하시오.

(1) 원생생물 중 영양소가 풍부한 것은 (소화제, 건강식품)을/를 만드는 데 이용한다.
(2) 해충에게만 질병을 일으키는 특성을 활용하여 (생물 연료, 생물 농약)을/를 만든다.
(3) 오염 물질을 분해하는 세균의 특징을 이용하여 (하수 처리, 쓰레기 재활용)을/를 한다.

1 따뜻하고 축축한 환경에서 잘 자라고 여름철에 많이 볼 수 있는 생물을 보기에서 모두 골라 기호를 쓰시오.

( )

[2~3] 다음은 곰팡이를 오른쪽과 같은 실체 현미경으로 관찰하는 과정입니다. 물음에 답하시오.

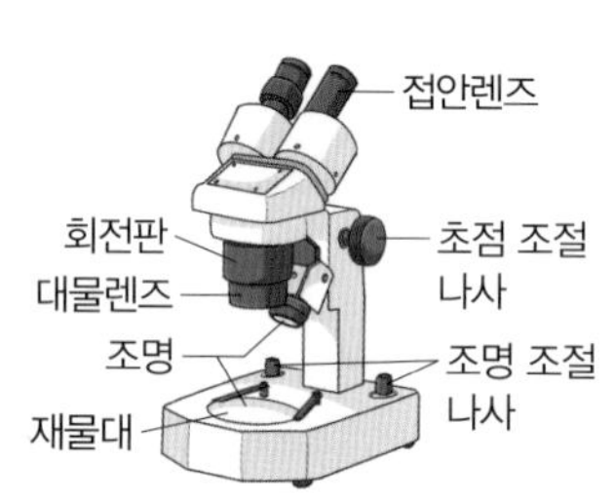

(가) 회전판을 돌려 대물렌즈의 (㉠)을/를 가장 낮게 하고, 곰팡이를 (㉡) 위에 올린다.
(나) 전원을 켜고 조명 조절 나사로 빛의 양을 조절한다.
(다) 현미경을 옆에서 보면서 초점 조절 나사로 대물렌즈를 곰팡이에서 최대한 멀게 올린다.
(라) 접안렌즈로 곰팡이를 보면서 대물렌즈를 천천히 올려 초점을 맞추어 관찰한다.
(마) 대물렌즈의 배율을 높이고, 초점 조절 나사로 초점을 맞추어 관찰한다.

2 위 ㉠, ㉡에 들어갈 알맞은 말을 각각 쓰시오.

㉠ ( )
㉡ ( )

3 앞 실험 과정 (다)에서 밑줄 친 부분을 바르게 고쳐 쓰시오.

4 균류와 식물에 대해 잘못 말한 사람의 이름을 쓰시오.

- 민지: 균류는 보통의 식물보다 작은 편이야.
- 병호: 식물과 균류는 모두 뿌리, 줄기, 잎 등이 있어.
- 철웅: 곰팡이는 푸른색, 하얀색, 검은색 등 색깔이 다양해.
- 유연: 식물은 주로 땅에 뿌리를 내리고 살지만, 균류는 죽은 생물, 다른 생물, 물체 등에 붙어서 살아.

( )

5 곰팡이와 버섯에 대한 설명으로 ( ) 안에 들어갈 알맞은 말을 쓰시오.

곰팡이와 버섯은 가늘고 긴 모양의 균사로 되어 있다. 이렇게 균사로 되어 있고, ( )(으)로 번식하는 생물을 균류라고 한다.

( )

정답과 해설 25쪽

6 다음 **보기**는 오른쪽과 같은 광학 현미경으로 해캄을 관찰하는 과정을 나타낸 것입니다. 순서에 맞게 기호를 쓰시오.

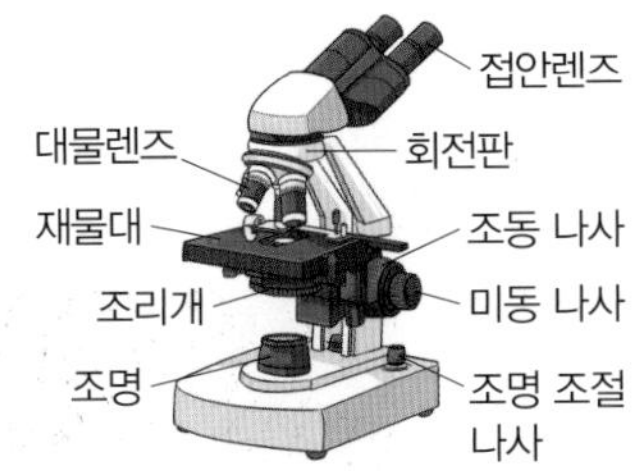

보기

㉠ 해캄 표본을 만든다.
㉡ 접안렌즈로 해캄 표본을 관찰하면서 관찰한 내용을 기록한다.
㉢ 접안렌즈로 해캄 표본을 보면서 조동 나사와 미동 나사로 초점을 맞춘다.
㉣ 해캄 표본을 재물대 위에 올려놓고 대물렌즈를 해캄 표본에 가까워지게 조정한다.

(　　) – (　　) – (　　) – (　　)

7 다음은 생물을 광학 현미경으로 관찰한 모습입니다. 관찰한 생물이 무엇인지 **보기**에서 찾아 각각 알맞은 기호를 쓰시오.

보기

㉠ 버섯　　㉡ 해캄
㉢ 곰팡이　　㉣ 짚신벌레

(1) 　(　　　　　)　　(2) 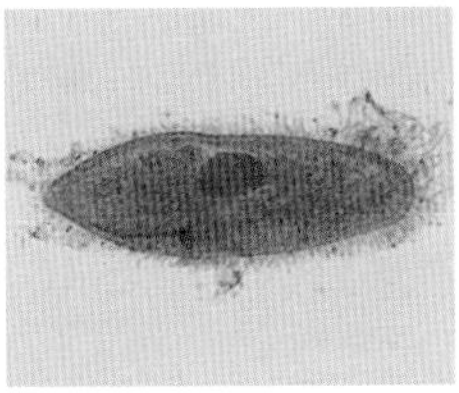　(　　　　　)

8 짚신벌레와 해캄의 특징을 각각 **보기**에서 모두 찾아 빈칸에 알맞은 기호를 쓰시오.

보기

㉠ 짧은 털이 많다.
㉡ 스스로 움직인다.
㉢ 가늘고 긴 모양이다.
㉣ 마디로 나누어져 있다.
㉤ 여러 가닥이 뭉쳐 있다.
㉥ 전체적으로 초록빛을 띤다.

짚신벌레	해캄
(1)	(2)

9 짚신벌레와 해캄이 사는 환경을 쓰시오.

10 짚신벌레와 해캄 같은 생물을 가리키는 말은 어느 것입니까? (　　)

① 동물　　② 식물
③ 균류　　④ 세균
⑤ 원생생물

11 세균에 대해 잘못 말한 사람의 이름을 쓰시오.

- 리진: 치아 표면을 썩게 해.
- 강민: 꼬리가 있는 것도 있어.
- 혜주: 짚신벌레보다 크기가 더 커.
- 동호: 생김새에 따라 구분할 수 있어.

(　　　　　　　　　　)

12 세균이 살기에 알맞은 조건이 되면 일어나는 현상으로 옳은 것을 보기에서 골라 기호를 쓰시오.

보기

㉠ 모든 활동을 멈추고 죽는다.
㉡ 짧은 시간 안에 많은 수로 늘어난다.
㉢ 반으로 나뉘어져 크기가 점점 작아진다.
㉣ 여러 기관이 생겨 생김새가 복잡해진다.

(　　　　　　　　　　)

13 세균이 살기에 좋은 곳을 쓰시오.

14 다음 보기의 세균을 생김새에 따라 구분하여 빈칸에 알맞은 기호를 쓰시오.

보기

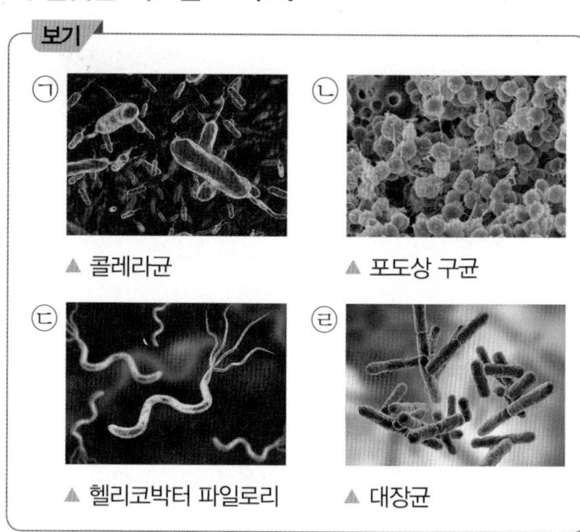
㉠ ▲ 콜레라균
㉡ ▲ 포도상 구균
㉢ ▲ 헬리코박터 파일로리
㉣ ▲ 대장균

공 모양	막대 모양	나선 모양
(1)	(2)	(3)

15 균류, 원생생물, 세균 등 다양한 생물은 우리 생활에 여러 가지 영향을 미칩니다. 다양한 생물이 우리 생활에 미치는 이로운 영향과 해로운 영향을 각각 두 가지씩 쓰시오.

(1) 이로운 영향:

(2) 해로운 영향:

16 곰팡이나 세균이 사라진다면 달라질 우리 생활에 대한 설명으로 옳은 것에 ○표, 옳지 않은 것에 ×표 하시오.

(1) 음식이 매우 빨리 상한다. ( )

(2) 우리 주변이 배설물로 가득 차게 된다. ( )

(3) 우리가 먹은 음식을 잘 소화하지 못한다. ( )

(4) 다양한 종류의 김치와 치즈를 만들 수 있다. ( )

(5) 우리의 면역력이 강해져서 더욱 건강해진다. ( )

17 다음 ( ) 안의 알맞은 말에 ○표 하시오.

> 첨단 생명 과학은 (생명 과학, 첨단 의료) 기술이나 연구 결과를 활용하여 일상생활의 다양한 문제를 해결하는 데 도움을 준다.

18 첨단 생명 과학이 활용되는 예가 아닌 것은 어느 것입니까? ( )

① 해캄을 이용해 기름을 만든다.

② 잘 늘어나는 치즈로 다양한 음식을 만든다.

③ 스키장에서 세균을 활용해 인공 눈을 만든다.

④ 플라스틱의 원료를 가진 세균으로 플라스틱 제품을 만든다.

⑤ 짧은 시간에 많은 수로 늘어나는 세균을 활용하여 약을 대량으로 만든다.

19 다음은 첨단 생명 과학이 우리 생활에 활용되는 예입니다. 각각의 활용 예에 알맞은 생물을 보기에서 골라 기호를 쓰시오.

> 보기
> ㉠ 영양소가 풍부한 클로렐라
> ㉡ 오염 물질을 분해하는 세균
> ㉢ 해충에게만 질병을 일으키는 세균
> ㉣ 세균을 자라지 못하게 하는 푸른곰팡이

(1) 질병을 치료한다. ( )

(2) 하수 처리를 한다. ( )

(3) 건강식품을 만든다. ( )

(4) 생물 농약을 만든다. ( )

20 다음 밑줄 친 부분에 들어갈 내용으로 첨단 생명 과학을 이용한 방법을 찾아 ○표 하시오.

> 사회가 발전하면서 환경 오염이 더욱 심각해지고 있다. 수많은 식당과 가정에서 나오는 음식물 쓰레기는 날이 갈수록 양이 많아져 심각한 토양 오염을 일으킨다.
> 환경 오염을 줄이기 위해 음식물 쓰레기를 줄이기 위해 노력해야 한다. 또한 ______

(1) 남은 음식을 동물 사료로 활용한다. ( )

(2) 된장, 치즈, 김치 등 발효 음식을 많이 먹는다. ( )

(3) 물질을 분해하는 원생생물을 이용해 음식물 쓰레기를 분해한다. ( )

서술형 문제

1 다음은 곰팡이와 버섯을 실체 현미경으로 관찰한 결과를 나타낸 것입니다. 그림을 보고, 곰팡이와 버섯의 생김새를 각각 쓰시오.

곰팡이	버섯

(1) 곰팡이: ______________________

____

(2) 버섯: ______________________

____

2 다음은 곰팡이가 자란 모습입니다. 곰팡이가 잘 자랄 수 있는 환경의 특징을 쓰시오.

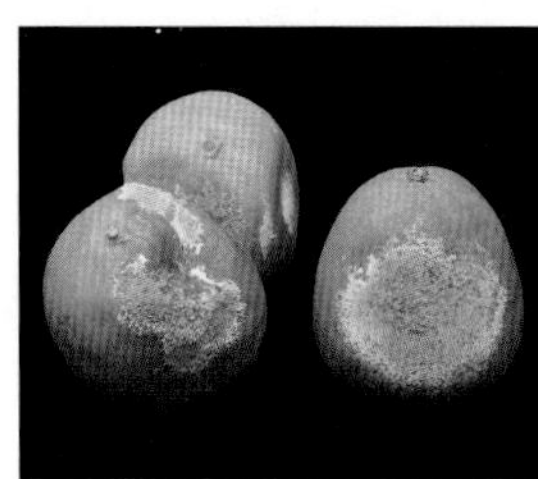

▲ 귤에 자란 곰팡이

▲ 사과에 자란 곰팡이

____

____

3 다음은 생물이나 물체를 자세히 보기 위해서 표본을 만들어 관찰하는 광학 현미경입니다.

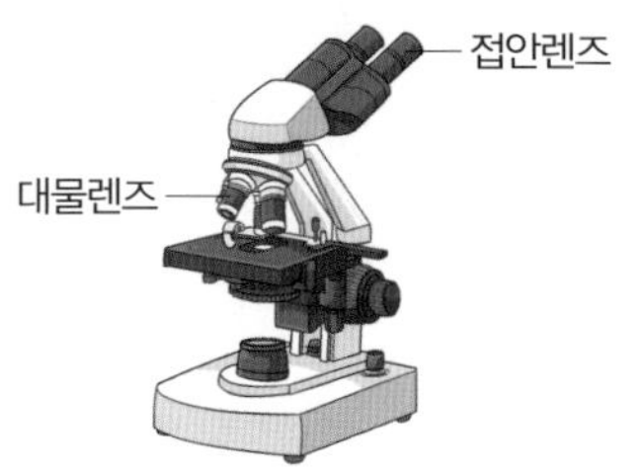

(1) 접안렌즈의 배율이 10배, 대물렌즈의 배율이 4배일 때 현미경의 배율을 쓰시오.

( )

(2) 접안렌즈와 대물렌즈의 역할을 각각 쓰시오.

____

____

4 다음은 짚신벌레와 해캄을 광학 현미경으로 관찰한 모습입니다. 짚신벌레와 해캄의 공통점을 두 가지 쓰시오.

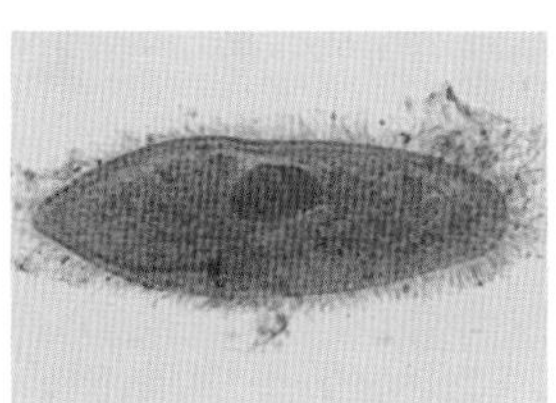

▲ 짚신벌레

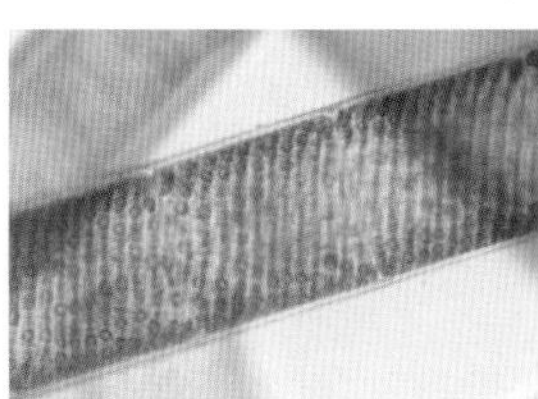

▲ 해캄

____

____

5 다음은 다양한 생김새의 세균입니다. 세균을 관찰할 수 있는 방법을 쓰시오.

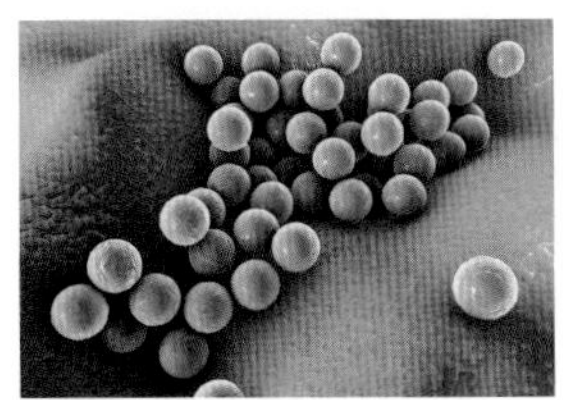
▲ 공 모양의 세균

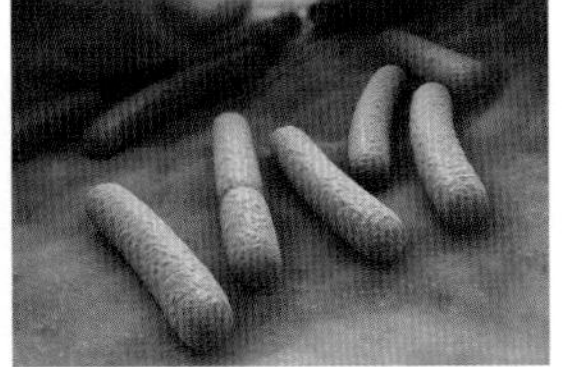
▲ 막대 모양의 세균

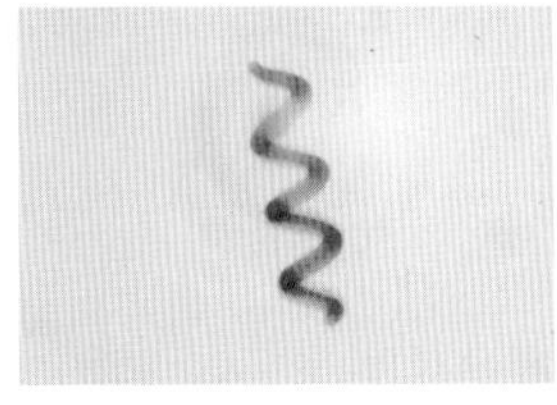
▲ 나선 모양의 세균

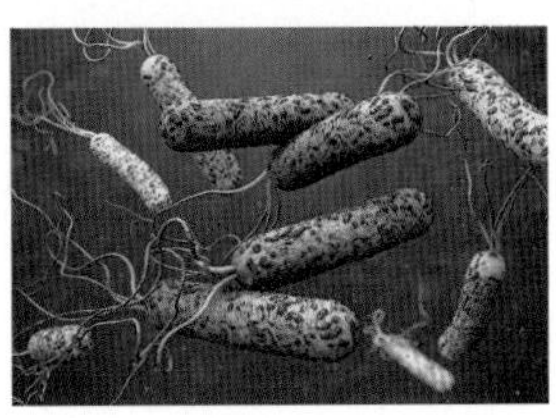
▲ 꼬리가 있는 세균

6 세균이 우리 생활에 미치는 영향에 대한 다음 대화에서 민지의 대답으로 (　　) 안의 알맞은 말에 ○표 하고, 그 까닭을 쓰시오.

> 훈호: 어제 상한 음식을 먹고 배가 아팠어. 세균은 우리에게 해로운 영향만 주는 걸까?
> 민지: (맞아, 아니야).

7 첨단 생명 과학이 무엇인지 **보기**의 낱말을 모두 포함하여 쓰시오.

> **보기**
> 생명 과학, 연구 결과, 문제

8 첨단 생명 과학이 우리 생활에 어떻게 활용되는지 ㉠, ㉡ 생물과 관련지어 각각 쓰시오.

㉠
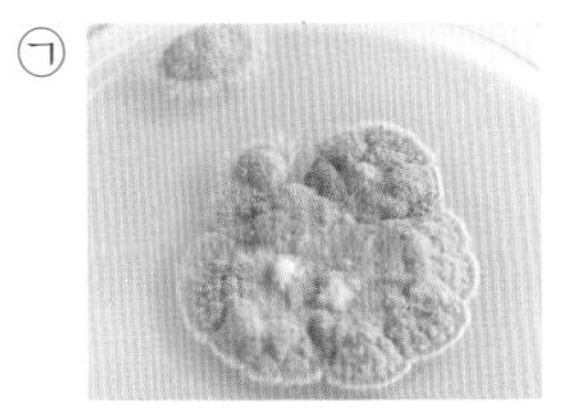
▲ 세균을 자라지 못하게 하는 푸른곰팡이

㉡

▲ 영양소가 풍부한 클로렐라

단원 핵심 정리

곰팡이와 버섯

구분	곰팡이	버섯
맨눈으로 관찰하기	푸른색, 검은색, 하얀색 등의 곰팡이가 보이지만 정확한 모습을 알 수 없다.	버섯의 윗부분은 갈색이고, 아랫부분은 하얀색이다.
돋보기로 관찰하기	가는 선이 보이고 작은 알갱이들이 있다.	버섯 윗부분의 안쪽에는 주름이 많다.
실체 현미경으로 관찰하기	• 가는 실 같은 것이 많고 크기가 작고 둥근 알갱이가 많이 보인다. • 가는 실 같은 것이 거미줄처럼 서로 엉켜 있다.	• 버섯 윗부분의 안쪽에 주름이 많고 깊게 파여 있다. • 버섯은 보통 식물에 있는 줄기와 잎 같은 모양이 없다.

▶ 곰팡이와 버섯은 균류이다. 균류는 보통 균사로 이루어져 있고 포자로 번식한다.

짚신벌레와 해캄

구분	짚신벌레 영구 표본	해캄
맨눈으로 관찰하기	색깔이 있는 점이 보이는데 정확히 무엇인지 알 수 없다.	색깔은 초록색이고 가늘고 길다.
돋보기로 관찰하기	점이 여러 개 보이는데 짚신벌레의 자세한 생김새는 보이지 않는다.	여러 가닥의 해캄이 뭉쳐 있고, 머리카락 같은 모양이다.
광학 현미경으로 관찰하기	• 짚신벌레는 짚신과 모양이 비슷하며, 길쭉한 모양이고 바깥쪽에 가는 털이 있다. • 짚신벌레 안쪽에는 여러 가지 다른 모양이 보인다.	• 대나무와 같이 마디로 나누어져 있다. • 여러 개의 가는 선이 보이며 크기가 작고 둥근 알갱이가 있다. • 둥근 알갱이의 색깔은 초록색이다.

▶ 짚신벌레와 해캄은 원생생물이다. 원생생물은 동물, 식물, 균류로 분류되지 않는다.

다양한 생물이 우리 생활에 미치는 영향

이로운 영향	해로운 영향
• 곰팡이와 세균은 죽은 생물이나 배설물을 작게 분해하여 자연으로 되돌려 보낸다. • 일부 곰팡이와 세균은 여러 가지 음식을 만드는 데 도움을 준다. • 우리 몸에 이로운 유산균과 같은 세균은 해로운 세균으로부터 건강을 지켜 준다.	• 일부 곰팡이와 세균은 다른 생물에게 여러 가지 질병을 일으킨다. • 일부 곰팡이와 세균은 음식을 상하게 한다. • 일부 곰팡이와 세균은 집과 가구 같은 물건을 못 쓰게 만든다. • 일부 균류를 먹으면 생명이 위험할 수 있다.

첨단 생명 과학이 우리 생활에 활용되는 예

질병을 치료하는 약	푸른곰팡이가 세균을 자라지 못하게 하는 특성을 활용한다.
건강식품 생산	균류, 원생생물 등이 가진 특징 중 사람에게 이로운 점을 이용하여 건강에 도움을 주는 식품을 만든다.
하수 처리	오염 물질을 분해하는 세균의 특성을 활용한다.
제품 생산	플라스틱의 원료를 가진 세균을 이용하여 플라스틱 제품을 만든다.

생물의 분류

1 균계

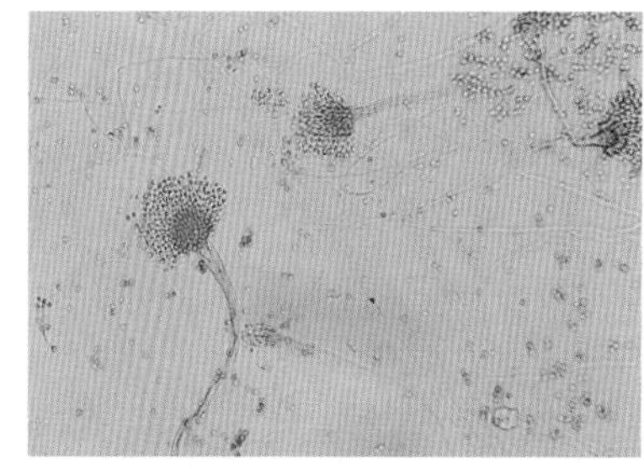
▲ 누룩곰팡이

푸른곰팡이, 누룩곰팡이, 붉은빵곰팡이, 송이버섯, 효모 등이 균계에 속한다. 대부분 몸이 **균사** 개념 86쪽로 이루어져 있으며, 움직일 수 없다. 균사는 가는 실 모양의 다세포 섬유이다. 또한 광합성을 하지 못하고, 대부분 죽은 생물을 분해하여 양분을 흡수하며 균사에서 생성된 포자로 번식한다. 단, 효모는 단세포 생물이고, 몸이 균사로 이루어져 있지 않으며, 출아법으로 번식한다. 출아법은 몸의 일부분에서 혹과 같은 돌기가 자라나 분리되어 새로운 개체가 되는 방법이다.

2 원생생물계

▲ 점균류

아메바, 유글레나, **짚신벌레** 개념 86쪽, 점균류, 김, 미역, 다시마 등이 원생생물계에 속한다. 아메바, 유글레나, 짚신벌레는 몸이 한 개의 세포로 되어 있는 단세포 생물이고, 김, 미역, 다시마는 몸이 여러 개의 세포로 되어 있는 다세포 생물이다. 짚신벌레는 움직일 수 있어서 다른 생물을 잡아먹는 생물이고, 김, 미역, 다시마는 광합성을 하여 스스로 양분을 만든다. 원생생물계에는 죽은 생물을 분해하여 양분을 얻는 생물도 있다.

3 원핵생물계

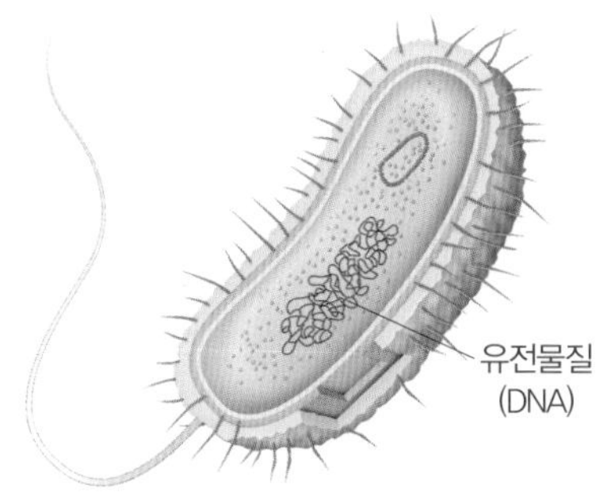

▲ 원핵세포

우리가 **세균** 개념 90쪽이라고 부르는 생물은 모두 원핵생물계에 속한다. 원핵생물계에 속하는 생물은 핵막이 없어 뚜렷한 핵이 없는 원핵세포로 이루어져 있다. 원핵생물계에 속하는 생물은 단세포 생물이며, 세포에는 세포벽이 있다. 원핵생물계에 속하는 생물로는 대장균, 폐렴균, 젖산균 등이 있다.

VISUAL SCIENCE

비주얼 사이언스

생물의 분류 체계 변화

생물의 분류 체계는 생명 과학이 발달함에 따라 2계 분류 체계, 3계 분류 체계, 5계 분류 체계로 변화해 왔다.

핵막이 뚜렷하지 않은 단세포 생물을 원생생물계에서 원핵생물계로 분리하였고, 광합성을 하지 못하는 버섯과 곰팡이를 식물계에서 균계로 분리하였다.

생물을 운동성의 유무에 따라 동물계와 식물계로 분류하였다.

현미경의 발달로 미생물이 발견되면서 동물계나 식물계에 속하지 않는 단세포 생물을 원생생물계로 분류하였다.

5계로 분류한 생물

생물을 핵막이나 세포벽의 유무, 몸을 구성하는 세포의 수, 광합성 여부, 기관의 발달 정도 등에 따라 5계로 분류한다. 생물의 5계는 원핵생물계, 원생생물계, 식물계, 균계, 동물계이다.

생물 다양성 및 생태계 평형 유지

깨끗한 공기와 물 제공

휴식과 여가 생활 공간 제공

자연의 아름다움이 주는 여유와 심리적 안정

생물의 분류 단계

생물의 겉모습이나 속 구조, 번식 방법, 발생 과정, 유전적 특징 등 생물이 가진 고유한 특징을 기준으로 생물을 분류한다. 종속과목강문계는 생물을 공통적인 특징으로 묶어 단계적으로 나타낸 것이다.

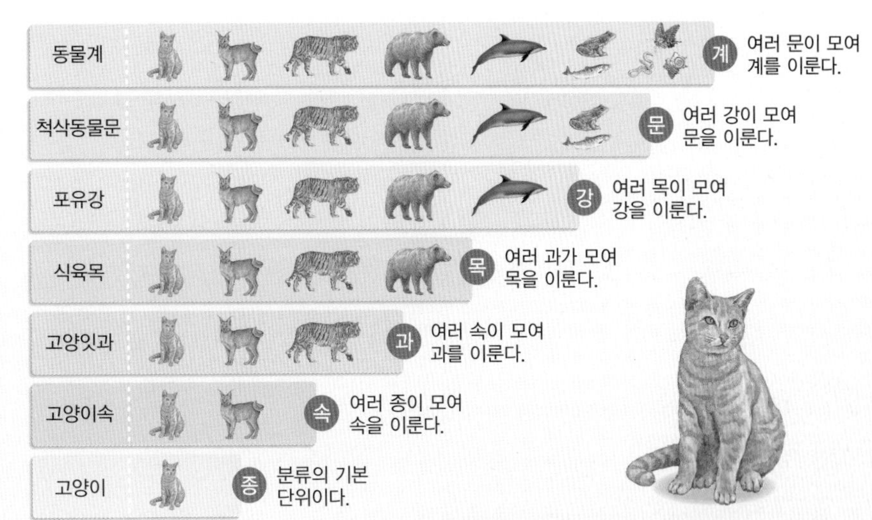

▲ 생물의 분류 단계(고양이의 분류 단계) 고양이는 고양이(종) → 고양이속 → 고양잇과 → 식육목 → 포유강 → 척삭동물문 → 동물계에 속한다.

생물 다양성이 우리에게 주는 혜택

다양한 생물은 의식주에 필요한 자원, 의약품의 원료, 휴식 공간과 관광 자원, 산업용 재료를 제공해 주는 등 우리 생활에 여러 가지 혜택을 준다.

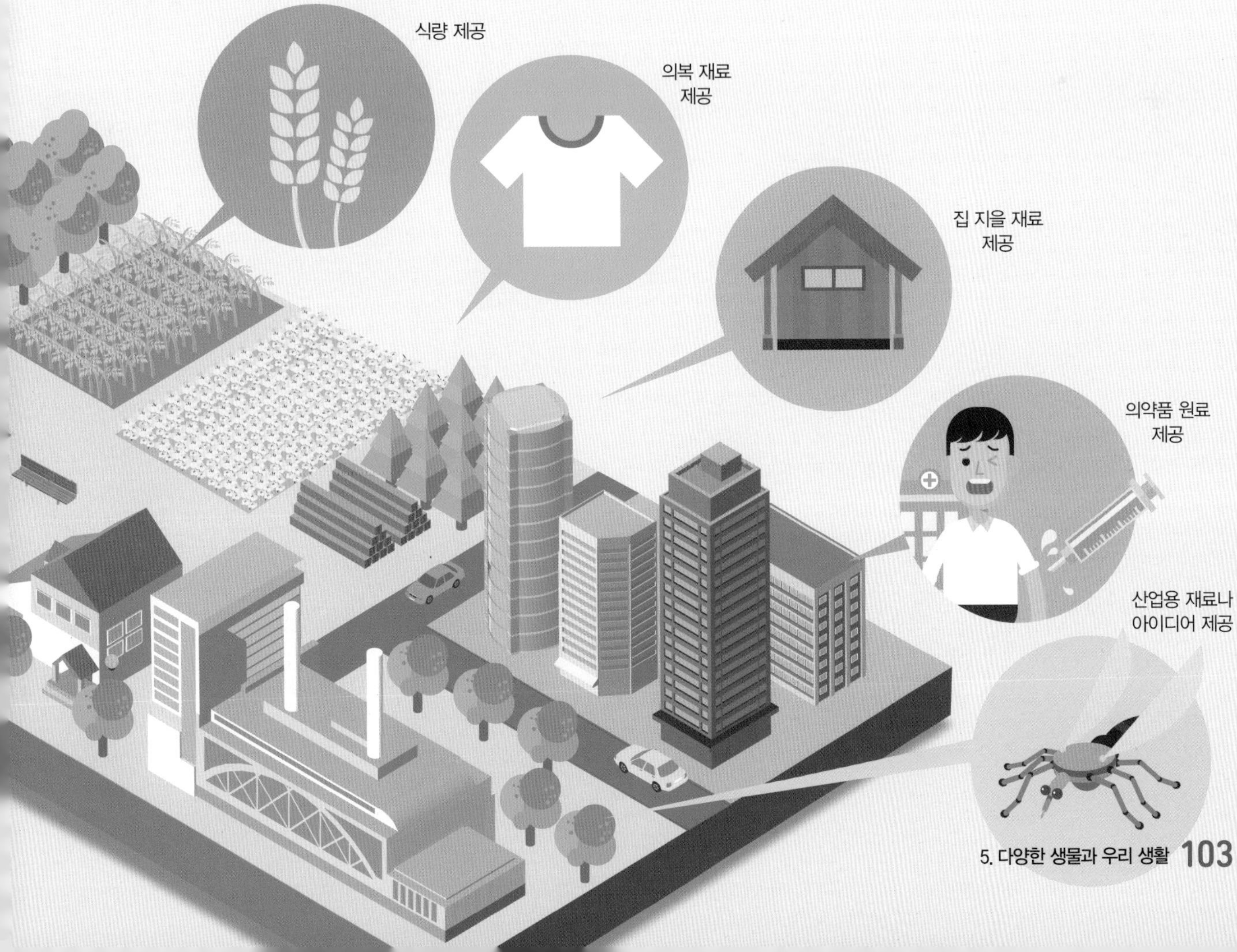

식량 제공

의복 재료 제공

집 지을 재료 제공

의약품 원료 제공

산업용 재료나 아이디어 제공

Where there is a will,
there is a way.

5학년 1학기 · 2학기

하이탑 초등 과학

HIGHTOP 초등 과학의 구성과 특징

Start 1단계

1 만화로 보는 주제

단원 시작 전에 한 컷 만화로 핵심 주제에 대해 알고 하이탑 시작!

2 개념 학습

과학 이야기를 읽듯이 차근차근 읽다 보면 과학 개념을 체계적으로 이해할 수 있습니다.

3 Mini 탐구

과학 교과서의 기본 탐구를 개념 학습과 함께 익힐 수 있습니다.

물체의 빠르기 비교 ②

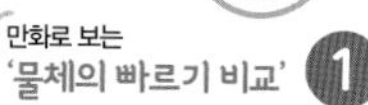

①

1. 일정한 거리를 이동한 물체의 빠르기

(1) **일정한 거리를 이동한 물체의 빠르기 비교** 일정한 거리를 이동한 물체의 빠르기는 물체가 이동하는 데 걸린 시간으로 비교한다. 일정한 거리를 이동하는 데 짧은 시간이 걸린 물체가 긴 시간이 걸린 물체보다 더 빠르다.

(2) **수영 경기에서 선수들의 빠르기 비교** 선수들이 출발선에서 동시에 출발했다면 결승선에 먼저 도착한 선수가 더 빠르다. 결승선에 먼저 도착한 선수는 나중에 도착한 선수보다 일정한 거리를 이동하는 데 걸린 시간이 더 짧다.

자유형 50m

순위	이름	걸린 시간
1	홍○○	28초 50
2	박○○	28초 75
3	이○○	29초 05
4	김○○	29초 20
5	양○○	30초 50
6	최○○	31초 20

◀ 수영 경기의 순위와 기록
- 홍○○ 선수가 가장 빠르다. 50m를 이동하는 데 걸린 시간(28초 50)이 가장 짧기 때문이다.
- 최○○ 선수가 가장 느리다. 50m를 이동하는 데 걸린 시간(31초 20)이 가장 길기 때문이다.

(3) **이동하는 데 걸린 시간으로 빠르기를 비교하는 운동 경기** 스피드 스케이팅, 조정, 마라톤, 쇼트 트랙, *알파인 스키, 100m 달리기, 사이클, *카약, 자동차 경주 등은 일정한 거리를 이동하는 데 걸린 시간으로 빠르기를 비교한다.

조정

조정은 물에서 일정한 거리를 이동하는 데 걸린 시간으로 빠르기를 겨루는 운동 경기이다. 출발선에서 동시에 출발해 결승선까지 이동하는 데 걸린 시간으로 순위를 정한다.

③ **Mini 탐구 일정한 거리를 이동한 물체의 빠르기 비교하기**

과정

1. 운동장에 50m 경주로를 그리고, 출발 신호에 따라 모둠별로 달리기를 한다.
2. 각 모둠에서 결승선에 가장 먼저 도착한 친구가 달리는 데 걸린 시간을 기록해 본다.
3. 우리 반에서 가장 빠르게 달린 친구를 어떻게 알 수 있는지 이야기해 본다.

결과

- 각 모둠에서 결승선에 가장 먼저 도착한 친구가 달리는 데 걸린 시간 ㉸

모둠	이름	걸린 시간	모둠	이름	걸린 시간	모둠	이름	걸린 시간
1	정원	8초 55	2	연희	9초 34	3	경희	8초 43
4	정현	9초 54	5	성은	9초 12	6	정민	8초 77

- 결승선까지 달리는 데 가장 짧은 시간이 걸린 친구(경희)가 가장 빠르게 달린 친구이다.

- **알파인 스키** 길고 굵은 폴 하나를 가지고 타는 스키.
- **카약** 작은 배의 좌석에 앉아 발을 앞으로 하고 노를 저어 빠르기를 겨루는 경기.

66 하이탑 초등 과학 5-2

“

과학 고수가 되는 길!

초등부터 HIGHTOP(하이탑)과 함께라면
과학 공부 어렵지 않아요.

”

2단계

2. 일정한 시간 동안 이동한 물체의 빠르기 교과서 속 탐구 68쪽

(1) 일정한 시간 동안 이동하는 물체의 빠르기 비교 일정한 시간 동안 이동한 물체의 빠르기는 물체가 이동한 거리로 비교한다. 일정한 시간 동안 긴 거리를 이동한 물체가 짧은 거리를 이동한 물체보다 더 빠르다.

(2) 여러 교통수단이 3시간 동안 이동한 거리로 빠르기 비교

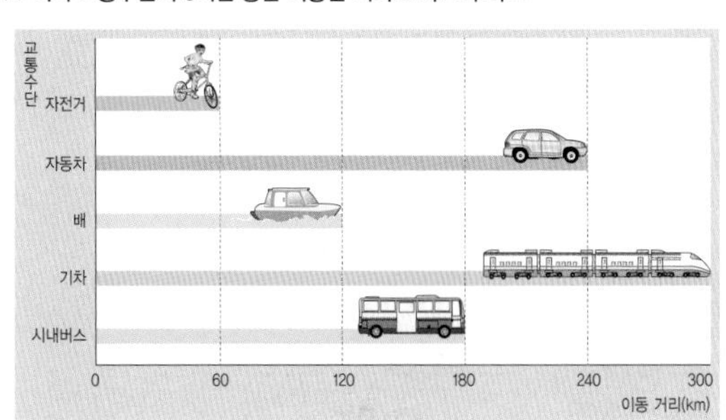

▲ 여러 교통수단이 3시간 동안 이동한 거리

① 위 그래프에서 3시간 동안 가장 긴 거리인 300km를 이동한 기차가 가장 빠르다. 자동차는 3시간 동안 240km, 시내버스는 3시간 동안 180km, 배는 3시간 동안 120km, 자전거는 3시간 동안 60km를 이동했기 때문에 빠른 순서로 교통수단을 나열하면 기차, 자동차, 시내버스, 배, 자전거이다.

② 시내버스보다 빠른 교통수단은 기차, 자동차이고, 시내버스보다 느린 교통수단은 배와 자전거이다.

치타의 빠르기 측정

야생에서 달리는 치타의 빠르기를 측정하려면 달리는 치타를 1초 간격으로 2회 사진을 찍는다. 치타의 몸통 길이와 사진 두 장에 나타난 이동 거리를 비교해 1초 동안 치타가 이동한 거리를 알 수 있다.

4 보충 플러스 이동한 거리를 비교해 승부를 겨루는 운동 경기

스피드 스케이팅의 팀 추월 경기는 두 팀이 서로 상대방의 뒤를 쫓는 경기이다. 개인 또는 소수의 팀원으로 구성된 서로 다른 팀이 경주로의 반대편에서 동시에 출발해 상대 팀을 추월하면 승리한다. 즉 같은 시간 동안 더 긴 거리를 이동한 팀이 승리하는 경기이다.

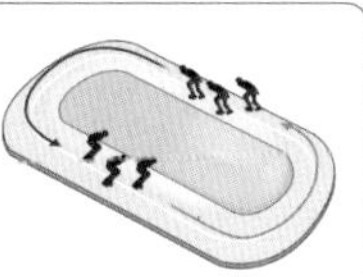

▲ 스피드 스케이팅의 팀 추월 경기

5 심화 이동한 시간과 이동한 거리가 다른 두 물체의 빠르기 비교

이동한 시간과 이동한 거리가 다른 두 물체의 빠르기는 이동한 시간 또는 이동한 거리를 맞춰서 비교한다. 즉 10초 동안 30m를 이동한 토끼와 20초 동안 100m를 이동한 개가 있을 때, 토끼는 20초 동안 30m×2=60m를 이동할 수 있다. 따라서 20초 동안 100m를 이동한 개가 토끼보다 빠르다.

4. 물체의 운동 67

4 보충 플러스

과학 원리에 대한 보충 설명으로 개념을 더 쉽게 이해할 수 있습니다.

5 심화

초등 과학 개념보다 확장된 내용으로 이해의 폭을 넓힐 수 있습니다.

무료 스마트러닝

• 1권 초등 과학 개념 강의

개념 동영상 강의를 보고 들으면서 좀 더 쉽게 학습할 수 있습니다.

HIGHTOP 초등 과학의 **구성과 특징**

2 단계

① 교과서 속 탐구

과학 교과서의 핵심 탐구를 과정, 결과, 알 수 있는 사실까지 꼼꼼하게 정리할 수 있습니다.

② 탐구문제

탐구 관련 문제를 풀면서 탐구로 알 수 있는 사실을 다시 한 번 정리할 수 있습니다.

③ 확인 문제

문제를 풀면서 오늘 공부한 개념을 정리하고 다질 수 있습니다.

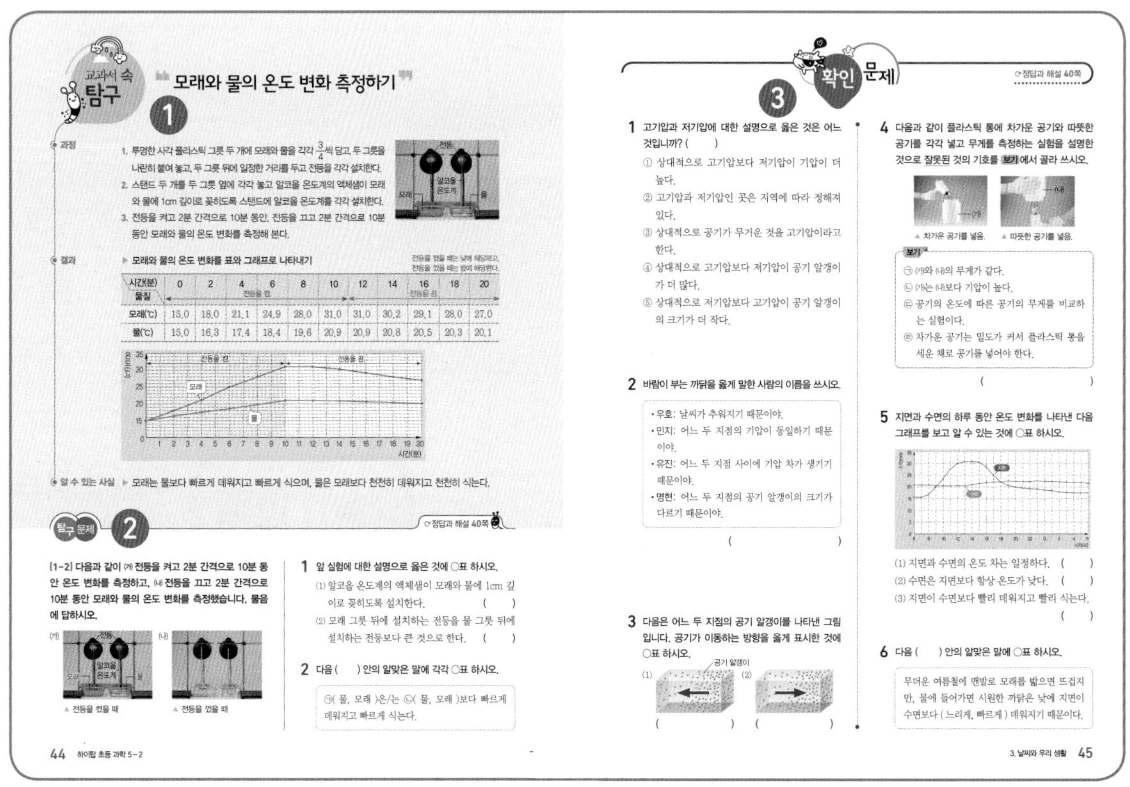

교과서 속 탐구 ①

모래와 물의 온도 변화 측정하기

과정

1. 투명한 사각 플라스틱 그릇 두 개에 모래와 물을 각각 $\frac{3}{4}$씩 담고, 두 그릇을 나란히 붙여 놓고, 두 그릇 뒤에 일정한 거리를 두고 전등을 각각 설치한다.
2. 스탠드 두 개를 두 그릇 옆에 각각 놓고 알코올 온도계의 액체샘이 모래와 물에 1cm 깊이로 꽂히도록 스탠드에 알코올 온도계를 각각 설치한다.
3. 전등을 켜고 2분 간격으로 10분 동안, 전등을 끄고 2분 간격으로 10분 동안 모래와 물의 온도 변화를 측정해 본다.

결과

▶ 모래와 물의 온도 변화를 표와 그래프로 나타내기

전등을 켰을 때는 낮에 해당하고, 전등을 껐을 때는 밤에 해당한다.

시간(분) / 물질	0	2	4	6	8	10	12	14	16	18	20
	전등을 켬						전등을 끔				
모래(℃)	15.0	18.0	21.1	24.9	28.0	31.0	31.0	30.2	29.1	28.0	27.0
물(℃)	15.0	16.3	17.4	18.4	19.6	20.9	20.9	20.8	20.5	20.3	20.1

알 수 있는 사실 ▶ 모래는 물보다 빠르게 데워지고 빠르게 식으며, 물은 모래보다 천천히 데워지고 천천히 식는다.

탐구 문제 ②

정답과 해설 40쪽

[1~2] 다음과 같이 (가) 전등을 켜고 2분 간격으로 10분 동안 온도 변화를 측정하고, (나) 전등을 끄고 2분 간격으로 10분 동안 모래와 물의 온도 변화를 측정했습니다. 물음에 답하시오.

(가) ▲ 전등을 켰을 때 (나) ▲ 전등을 껐을 때

1 앞 실험에 대한 설명으로 옳은 것에 ○표 하시오.
(1) 알코올 온도계의 액체샘이 모래와 물에 1cm 깊이로 꽂히도록 설치한다. ( )
(2) 모래 그릇 뒤에 설치하는 전등을 물 그릇 뒤에 설치하는 전등보다 큰 것으로 한다. ( )

2 다음 ( ) 안의 알맞은 말에 각각 ○표 하시오.

㉠(물, 모래)은/는 ㉡(물, 모래)보다 빠르게 데워지고 빠르게 식는다.

44 하이탑 초등 과학 5-2

확인 문제 ③

정답과 해설 40쪽

1 고기압과 저기압에 대한 설명으로 옳은 것은 어느 것입니까? ( )
① 상대적으로 고기압보다 저기압이 기압이 더 높다.
② 고기압과 저기압인 곳은 지역에 따라 정해져 있다.
③ 상대적으로 공기가 무거운 것을 고기압이라고 한다.
④ 상대적으로 고기압보다 저기압이 공기 알갱이가 더 많다.
⑤ 상대적으로 저기압보다 고기압이 공기 알갱이의 크기가 더 작다.

2 바람이 부는 까닭을 옳게 말한 사람의 이름을 쓰시오.
- 우호: 날씨가 추워지기 때문이야.
- 민지: 어느 두 지점의 기압이 동일하기 때문이야.
- 유진: 어느 두 지점 사이에 기압 차가 생기기 때문이야.
- 명현: 어느 두 지점의 공기 알갱이의 크기가 다르기 때문이야.

( )

3 다음은 어느 두 지점의 공기 알갱이를 나타낸 그림입니다. 공기가 이동하는 방향을 옳게 표시한 것에 ○표 하시오.
(1) ( ) (2) ( )

4 다음과 같이 플라스틱 통에 차가운 공기와 따뜻한 공기를 각각 넣고 무게를 측정하는 실험을 설명한 것으로 잘못된 것의 기호를 보기에서 골라 쓰시오.

▲ 차가운 공기를 넣음. ▲ 따뜻한 공기를 넣음.

보기
㉠ (가)와 (나)의 무게가 같다.
㉡ (가)는 (나)보다 기압이 높다.
㉢ 공기의 온도에 따른 공기의 무게를 비교하는 실험이다.
㉣ 차가운 공기는 밀도가 커서 플라스틱 통을 세운 채로 공기를 넣어야 한다.

( )

5 지면과 수면의 하루 동안 온도 변화를 나타낸 다음 그래프를 보고 알 수 있는 것에 ○표 하시오.
(1) 지면과 수면의 온도 차는 일정하다. ( )
(2) 수면은 지면보다 항상 온도가 낮다. ( )
(3) 지면이 수면보다 빨리 데워지고 빨리 식는다. ( )

6 다음 ( ) 안의 알맞은 말에 ○표 하시오.

무더운 여름철에 맨발로 모래를 밟으면 뜨겁지만, 물에 들어가면 시원한 까닭은 낮에 지면이 수면보다 (느리게, 빠르게) 데워지기 때문이다.

3. 날씨와 우리 생활 45

3단계 심화 →

① 단원평가

학교에서 실시하는 단원평가에 자주 출제되는 문제 유형으로 구성하였습니다. 문제를 푼 후 틀린 문제는 자세한 풀이를 보면서 확실하게 이해할 수 있습니다.

② 서술형 문제

서술형 문제를 풀면서 답을 쓸 때 꼭 들어가야 하는 핵심 내용을 정리하는 습관을 들일 수 있습니다.

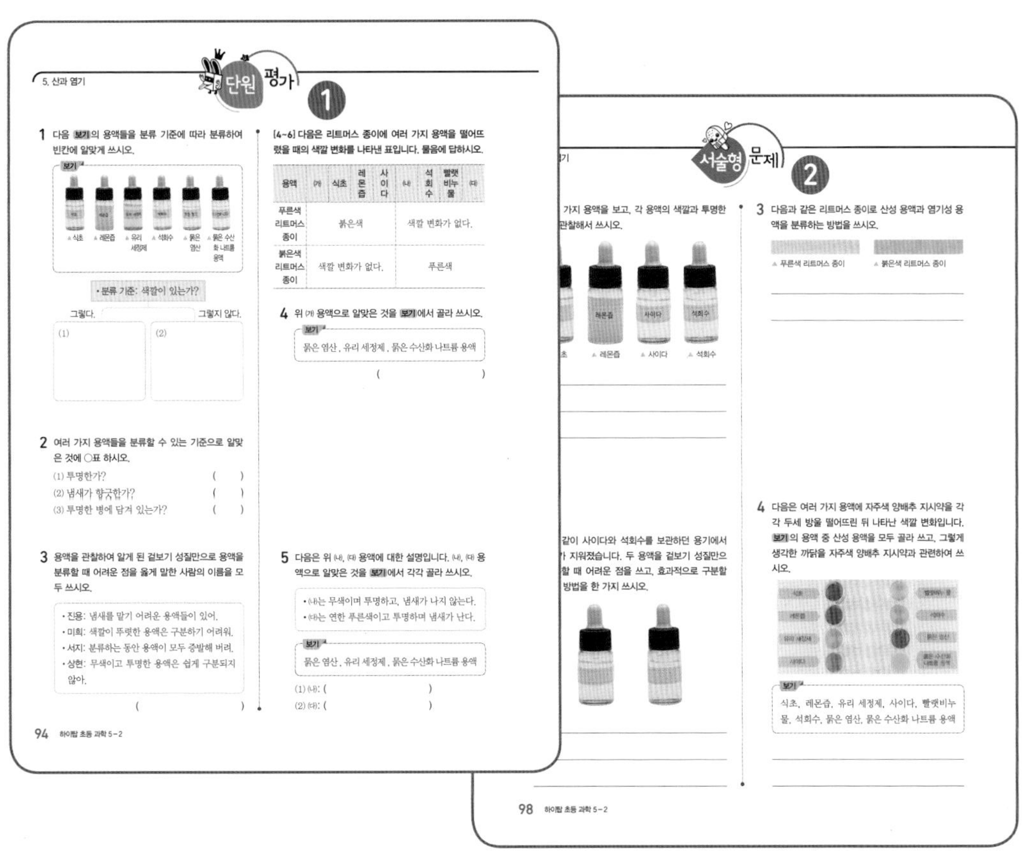

2학기 HIGHTOP

초등 과학의 차례 개념

1 재미있는 나의 탐구

1 자유 탐구 10
• 단원평가 14
• 서술형 문제 15

2 생물과 환경

1 생태계와 먹이 관계 18
2 비생물 요소와 환경 22
• 단원평가 26
• 서술형 문제 30
• 단원 핵심 정리 32
• 중학교 개념 33
• 비주얼 사이언스 34

3 날씨와 우리 생활

1 습도, 응결, 구름 38
2 기압과 온도 변화 42
3 해풍과 육풍, 계절별 날씨 46
• 단원평가 50
• 서술형 문제 54
• 단원 핵심 정리 56
• 중학교 개념 57
• 비주얼 사이언스 58

4

물체의 운동

1 운동하는 물체 62
2 물체의 빠르기 비교 66
3 속력과 안전 70
• 단원평가 74
• 서술형 문제 78
• 단원 핵심 정리 80
• 중학교 개념 81
• 비주얼 사이언스 82

5

산과 염기

1 용액의 분류 86
2 산성 용액과 염기성 용액 90
• 단원평가 94
• 서술형 문제 98
• 단원 핵심 정리 100
• 중학교 개념 101
• 비주얼 사이언스 102

재미있는 나의 탐구

1 자유 탐구

선수 학습

- 3~4학년군

과학자는 어떻게 탐구할까요?

재미있는 나의 탐구

과학자처럼 탐구해 볼까요?

- 5~6학년군

과학자는 어떻게 탐구할까요?

이 단원의 학습

- 5~6학년군

재미있는 나의 탐구

후속 학습

- 5~6학년군

과학자처럼 탐구해 볼까요?

자유 탐구

만화로 보는
'자유 탐구'

1. 탐구의 유형

① 자유 탐구를 하려고 할 때 만들기 중심 탐구, 실험 중심 탐구, 기르기 중심 탐구, 탐사·탐방 중심 탐구 중에서 자유롭게 탐구 문제를 정할 수 있다.

② 자유 탐구는 탐구 문제 정하기, 탐구 계획 세우기, 탐구 실행하기, 탐구 보고서를 만들고 탐구 결과 발표하기, 탐구 활동 평가하기의 단계로 진행된다. 이 단원에서는 만들기 중심의 자유 탐구를 다룬다.

과학 원리나 개념을 설명하거나 과학 지식이 응용된 생활용품 및 장난감 등을 만들어 보는 탐구이다.

2. 탐구 문제 정하는 방법

① 탐구 문제는 [생활용품의 작동 원리 알아보기] → [탐구 문제 정하기] → [탐구 문제 점검하기] 단계를 거쳐 정할 수 있다.

② **생활용품의 작동 원리 알아보기:** 주변에서 여러 가지 생활용품이 작동하는 모습을 관찰하고, 생활용품이 작동하는 원리를 책이나 인터넷에서 찾아본다.

③ **탐구 문제 정하기:** 생활용품의 작동 원리를 바탕으로 만들고 싶은 것을 선택하여 탐구 문제로 정한다.

④ **탐구 문제 점검하기:** 스스로 만들 수 있는지 등을 생각하며 탐구 문제가 적절한지 점검한다.

탐구 문제 점검하기

'만들기의 목표와 내용이 분명하게 드러나 있나요?', '스스로 해결할 수 있는 문제인가요?', '만들기에 필요한 재료와 도구를 쉽게 구할 수 있나요?', '간단한 조사로 답을 쉽게 찾을 수 있나요?' 등의 질문으로 탐구 문제가 적절한지 점검한다.

3. 탐구 계획 세우는 방법

① 탐구 계획은 [탐구 문제 해결 방법 정하기] → [탐구 계획 세우기] → [탐구 계획 발표하기] 단계를 거쳐 세울 수 있다.

② **탐구 문제 해결 방법 정하기:** 탐구 문제를 해결하는 데 필요한 여러 가지 조건을 찾은 다음, 만들고 싶은 작품에 맞는 조건을 정한다.

③ **탐구 계획 세우기:** 만들려는 작품을 그림으로 나타내 보고, 탐구 기간과 장소, 준비물, 탐구 순서, 역할 분담, 주의할 점 등이 들어간 탐구 계획을 세운다.

④ **탐구 계획 발표하기:** 탐구 계획을 발표하여 친구들의 의견을 듣고 부족한 부분이 있다면 보완한다.

탐구 계획 세우기 예

탐구 문제('1분을 측정하는 모래시계를 어떻게 만들 수 있을까?')에 대한 계획을 세우기 위해 주변에 있는 재료를 이용해 모래시계를 만들 수 있는 방법을 찾고, 모래시계의 측정 시간에 영향을 주는 조건(페트병 안에 넣는 재료의 종류, 재료의 양 등)을 생각해 본다. 만들고 싶은 모래시계를 정해 그림으로 나타내 보고, 탐구 계획을 세운다.

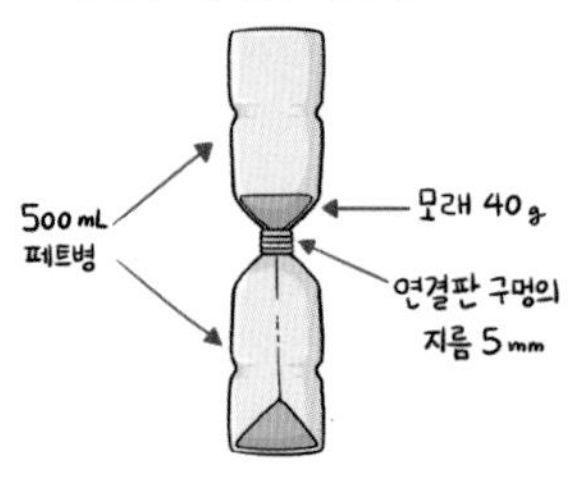

4. 탐구 실행하는 방법  12쪽

① 탐구 실행은 [작품 만들기] → [작품 점검하기] → [탐구 결과 정리하기] 단계를 거쳐 할 수 있다.

② 작품 만들기: 탐구 계획에 따라 작품을 만들고, 탐구 활동 중에는 사진이나 동영상을 찍어 활동 내용을 기록한다.

③ 작품 점검하기: 만든 작품이 탐구 문제를 해결할 수 있는지 확인한다.

④ 탐구 결과 정리하기: 필요한 경우 표나 그래프를 사용하여 탐구 결과를 기록하고, 탐구 과정과 결과를 바탕으로 알게 된 점을 정리한다.

⑤ 개선 방법 찾기: 작품을 점검하는 과정에서 문제점을 발견하면 문제의 원인을 찾고, 보완할 방법을 찾는다.

탐구 계획 확인하기

'작품을 스스로 만들 수 있나요?', '만들기를 위한 탐구 순서를 구체적으로 제시했나요?', '필요한 준비물을 빠짐없이 썼나요?', '준비물을 어떻게 준비할지 의논했나요?' 등의 질문으로 탐구 계획이 탐구 문제를 해결하기에 적절한지 확인한다.

5. 탐구 결과 발표하는 방법

① 탐구 결과 발표는 [발표 방법 정하기] → [발표 자료 만들기] → [탐구 결과 발표하기] 단계로 할 수 있다.

② 발표 방법 정하기: 발표 방법에는 시청각 설명, 포스터 발표, 전시회, 시연·시범, 손수 제작물(UCC) 등이 있다.

③ 발표 자료 만들기: 발표 자료에는 탐구 문제, 탐구 기간, 탐구 장소, 탐구한 사람, 준비물, 탐구 순서, 역할 분담, 탐구 결과, 느낀 점, 더 탐구할 것 등이 들어간다.

④ 탐구 결과 발표하기: 탐구 결과를 발표할 때는 중요한 내용만 간단하게 발표하고, 발표를 마친 다음에는 친구들의 질문에 대답한다.

탐구 결과 발표 확인하기

'발표 자료에 탐구 내용이 잘 드러났나요?', '탐구 결과를 발표한 방법이 탐구 내용을 전달하기에 적절했나요?', '발표 준비와 발표에 적극적으로 참여했나요?' 등의 질문으로 탐구 결과 발표가 적절한지 확인한다.

6. 새로운 탐구 시작하기

① 앞에서 탐구한 내용 중에서 궁금한 점이나 더 탐구하고 싶은 것을 새로운 탐구 문제로 정할 수 있다.

② 주변 관찰하기: 생활용품이 작동하는 원리를 관찰하고 과학 지식이나 원리를 찾아본다.

③ 스스로 탐구하기

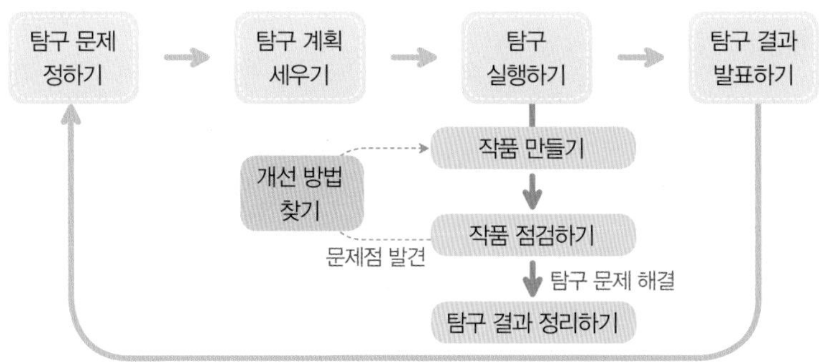

탐구 실행하기

1분을 측정하는 모래시계 만들기

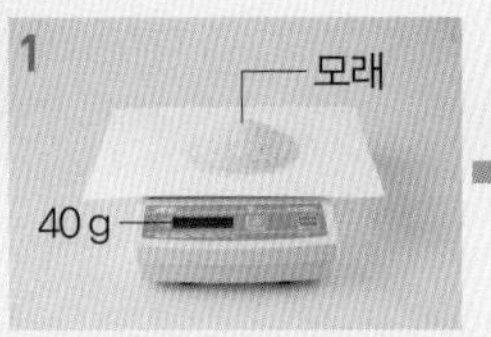

▲ 모래를 준비하여 전자 저울로 무게를 측정한다.

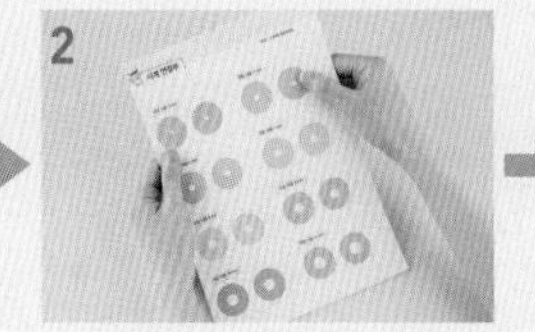

▲ 알맞은 크기의 구멍이 있는 모래시계 연결판을 선택한다.

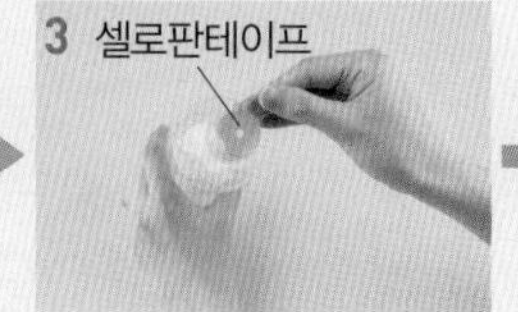

▲ 페트병 하나에 모래를 넣고 2의 연결판을 병 입구에 붙인다.

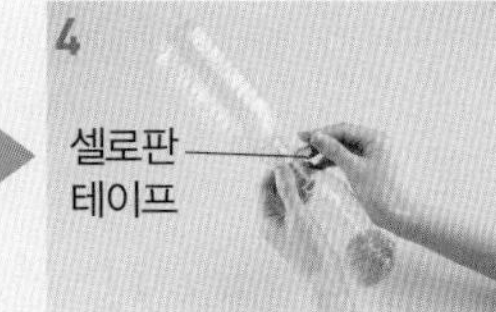

▲ 두 페트병을 연결하고, 셀로판테이프로 여러 번 감는다.

5. 초시계로 페트병 속 모래가 모두 떨어지는 데 걸리는 시간을 측정해 본다. ▶ 예 10초

모래시계 개선하기

1. 모래시계로 1분을 측정하는 데 필요한 모래의 양을 예상해 본다. ▶ 예 240g
2. 1을 바탕으로 모래시계를 다시 만들고, 초시계로 모래가 모두 떨어지는 데 걸리는 시간을 측정해 본다. ▶ 예 57초
3. 완성된 모래시계에 또 다른 문제가 있다면 그 원인과 해결 방법을 찾아 수정해 본다.

▶ **완성된 모래시계의 문제점, 그 원인, 해결 방법** 모래가 떨어지지 않을 때는 연결판의 구멍을 더 크게 만들고, 모래가 불규칙하게 떨어질 때는 모래를 체로 걸러서 알갱이 크기를 일정하게 한다.

문제점	원인	해결 방법
측정한 시간이 1분보다 짧다.	페트병에 넣은 모래의 양이 적다.	페트병에 모래를 더 넣는다.

알게 된 점

▶ 예 연결판 구멍의 지름이 5mm인 페트병에 모래 250g을 넣으면 1분을 측정하는 모래시계를 만들 수 있다.

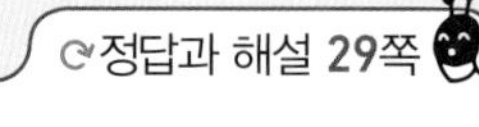
정답과 해설 29쪽

1 '1분을 측정하는 모래시계를 어떻게 만들 수 있을까?'라는 탐구 문제를 해결하기 위해 오른쪽과 같은 모래시계를 만들어 모래가 모두 떨어지는 데 걸리는 시간을 측정했더니 10초였습니다. 이 모래시계로 탐구 문제를 해결할 수 있는지 쓰고, 그럴 수 없다면 그 까닭과 해결 방법을 쓰시오.

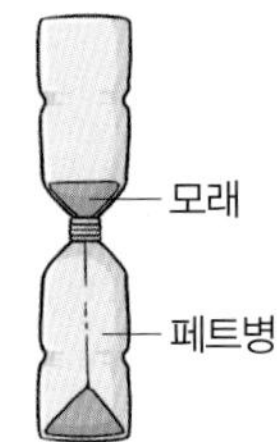

2 다음 표는 1분을 측정하는 모래시계를 만든 후, 완성된 모래시계로 페트병 속 모래가 모두 떨어지는 시간을 측정한 결과입니다. 이 모래시계로 1분을 측정하는 데 필요한 모래의 양을 예상하여 쓰고, 그 까닭을 쓰시오.

구분	모래의 양	측정 시간
측정 결과	40g	10초
예상하기	?	1분(60초)

정답과 해설 29쪽

1 다음 (　　) 안에 들어갈 알맞은 말을 쓰시오.

> 탐구의 유형에는 만들기 중심 탐구, 실험 중심 탐구, 기르기 중심 탐구, 탐사·탐방 중심 탐구가 있다. 이 중 (　　　　) 중심 탐구는 과학 원리나 개념을 설명하거나 과학 지식이 응용된 생활용품 등을 만들어 보는 탐구이다.

(　　　　　　　　)

2 다음 글을 읽고, 진희가 탐구 문제를 정하려고 할 때 해야 할 행동으로 알맞은 것에 ○표 하시오.

> 진희는 교실에 있던 모래시계를 관찰하며, '모래시계는 어떤 원리로 작동하는 걸까?'라는 궁금증이 생겼다.

(1) 모래시계가 얼마인지 알아본다. (　　)

(2) 모래시계 중 디자인이 예쁜 제품을 찾아본다. (　　)

(3) 모래시계가 작동하는 원리를 책이나 인터넷으로 찾아본다. (　　)

3 탐구 계획을 세우는 방법을 잘못 말한 사람의 이름을 쓰시오.

> • 수빈: 탐구 계획을 세울 때 만들려는 작품을 그림으로 나타내 봐야 해.
> • 히영: 탐구 계획을 세울 때에 담구 문제 해결 방법을 정할 필요는 없어.
> • 민국: 탐구 계획에는 탐구 기간과 장소, 준비물, 탐구 순서, 역할 분담, 주의할 점이 들어가.
> • 훈호: 탐구 계획을 세우면 탐구 계획을 발표하여 친구들의 의견을 듣고 부족한 부분은 보완하도록 해.

(　　　　　　　　)

4 다음은 1분을 측정하는 모래시계를 만든 후 완성된 모래시계에 발생한 문제의 원인과 해결 방법을 정리한 것입니다. (　　) 안의 알맞은 말에 ○표 하시오.

문제점	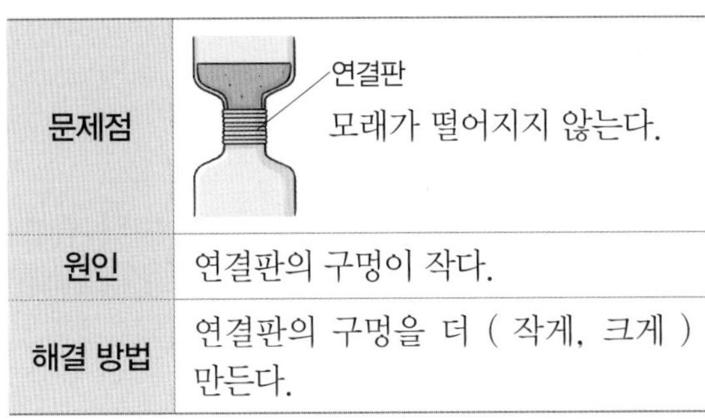 모래가 떨어지지 않는다.
원인	연결판의 구멍이 작다.
해결 방법	연결판의 구멍을 더 (작게, 크게) 만든다.

5 다음 **보기** 중 탐구 결과를 발표하기에 알맞은 방법을 모두 골라 기호를 쓰시오.

> **보기**
> ㉠ 몸짓　　㉡ 전시회
> ㉢ 시연·시범　　㉣ 시청각 설명

(　　　　　　　　)

6 다음은 준호가 새로운 탐구 문제를 정하려고 정리한 내용입니다. 준호의 새로운 탐구 문제로 가장 알맞은 것을 **보기**에서 골라 기호를 쓰시오.

> • 정수기의 과학 원리: 정수기는 필터를 이용해 이물질을 걸러 낸다.
> • 직접 확인하고 싶은 과학 원리: 간이 정수기를 만들어 흙탕물을 깨끗한 물로 바꾸고 싶다.
> • 새로운 탐구 문제: ______________

> **보기**
> ㉠ 정수기의 필터는 어떨까?
> ㉡ 흙탕물을 깨끗한 물로 정화할 수 있다.
> ㉢ 모든 종류의 음료를 정수기로 걸러 내 볼까?
> ㉣ 흙탕물을 깨끗한 물로 바꿀 수 있는 정수기를 어떻게 만들 수 있을까?

(　　　　　　　　)

정답과 해설 29쪽

1 다음 정리한 내용을 바탕으로 정할 수 있는 탐구 문제를 한 가지 쓰시오.

• 자석의 과학 원리: 자석은 같은 극끼리는 서로 밀어 내고, 다른 극끼리는 서로 끌어당긴다.

⬇

• 직접 확인하고 싶은 과학 원리: 자석의 성질을 이용해 장난감을 만들 수 있을지 궁금하다.

____

____

2 좋은 탐구 문제가 아닌 것을 두 가지 고르시오. (　　　)

① 식물이 잘 자라는 온도는 몇 도일까?
② 무중력 상태에서 종이비행기가 날 수 있을까?
③ 종이비행기의 앞부분을 많이 접을수록 종이비행기가 더 오래 날까?
④ 봉숭아를 키우는 흙의 종류에 따라 봉숭아의 자람은 어떻게 달라질까?
⑤ 모래시계의 모래 알갱이 크기가 측정 시간에 미치는 영향은 무엇일까?

[3~4] 다음은 만들고 싶은 모래시계를 정해 그림으로 나타낸 것입니다. 물음에 답하시오.

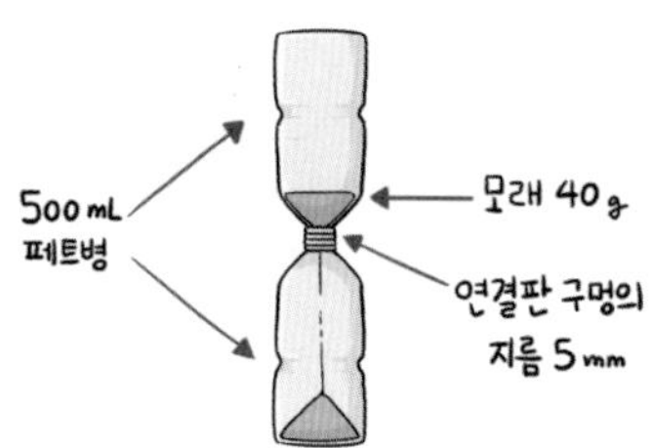

3 모래시계 만들기 탐구 계획을 세울 때 들어가야 할 것을 보기에서 모두 골라 기호를 쓰시오.

보기
㉠ 준비물　　㉡ 탐구 기간
㉢ 탐구 장소　　㉣ 탐구 순서

(　　　　　　　　)

4 다음은 앞 그림을 보고 모래시계 만들기 탐구 계획을 세울 때의 탐구 순서입니다. 밑줄 친 부분에 들어갈 알맞은 내용을 쓰시오.

① 두꺼운 종이를 페트병 입구 모양으로 자르고, 가운데 구멍을 뚫어 연결판을 만든다.
② ______________________
③ 페트병 두 개를 마주 보게 한 다음, 셀로판테이프를 여러 번 감아 고정한다.
④ 완성된 모래시계로 시간을 측정해 본다.

____

____

5 다음 (　　) 안의 알맞은 말에 각각 ○표 하시오.

탐구를 실행하여 만든 작품을 점검하는 단계에서 문제점을 발견했을 때는 ㉠ (개선 방법, 탐구 결과) 찾기 단계를 거쳐 다시 작품 ㉡ (만들기, 점검하기) 단계로 돌아간다.

6 1분을 측정하는 모래시계를 만들고 점검하는 단계에서 오른쪽과 같이 모래가 불규칙하게 떨어지는 문제를 발견했습니다. 해결 방법으로 알맞은 것에 ○표 하시오.

(1) 페트병에 모래를 더 넣는다. (　　)
(2) 연결판의 구멍을 더 크게 만든다. (　　)
(3) 모래를 체로 걸러서 알갱이 크기를 일정하게 한다. (　　)

정답과 해설 30쪽

1 다음 보기에서 탐구 문제로 알맞지 않은 것을 두 가지 골라 기호를 쓰고, 그 까닭을 각각 쓰시오.

보기
㉠ 보온병은 어떨까?
㉡ 촛농이 떨어지지 않는 초를 만들 수 있을까?
㉢ 형상기억합금으로 우주선을 만들 수 있을까?
㉣ 고무줄로 움직이는 자동차를 만들 수 있을까?

2 다음을 보고 주변에 있는 재료를 이용해 모래시계를 만들 수 있는 방법을 쓰고, 모래시계의 측정 시간에 영향을 주는 조건을 두 가지 쓰시오.

- 모래시계의 원리: 일정량의 모래가 구멍으로 모두 떨어지는 데 걸리는 시간이 일정하다는 것을 이용하여 시간을 측정한다.
- 탐구 문제: 1분을 측정하는 모래시계를 어떻게 만들 수 있을까?

(1) 방법:

(2) 조건:

3 다음과 같이 탐구 문제를 정하고 탐구를 실행하여 결과를 얻었습니다. 완성된 모래시계로 탐구 문제를 해결할 수 있는지 없는지 쓰고, 그렇게 생각한 까닭을 쓰시오.

- 탐구 문제: 1분을 측정하는 모래시계를 어떻게 만들 수 있을까?
- 작품 만들기: 1분을 측정하는 모래시계 만들기
- 만들기 결과: 페트병 속 모래가 모두 떨어지는 데 80초가 걸린다.

4 다음은 물시계를 관찰한 후 물시계의 작동 원리를 인터넷에서 찾아 정리한 내용입니다. 물음에 답하시오.

좁은 구멍을 통하여 물이 일정한 속도로 그릇에 떨어지게 하여, 고이는 물의 분량이나 줄어든 물의 분량을 헤아려서 시간을 측정한다.

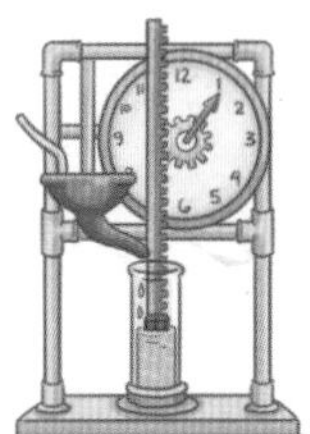

(1) 물시계의 작동 원리를 바탕으로 직접 확인하고 싶거나 개선하고 싶은 것을 한 가지 쓰시오.

(2) 위 (1)의 답을 바탕으로 탐구 문제를 정해 쓰시오.

생물과 환경

1 생태계와 먹이 관계

2 비생물 요소와 환경

선수 학습

- 3~4학년군 **동물의 생활, 식물의 생활**
- 5~6학년군 **다양한 생물과 우리 생활**

이 단원의 학습

- 5~6학년군 **생물과 환경**

후속 학습

- 5~6학년군 **생물의 다양성**

생태계와 먹이 관계

만화로 보는
'생태계'

집사야, 사료가 맛이 없다.
냐옹~
아, 옛날이여.
휙!

영향을 주고받는 생태계

비생물 요소인 공기가 없으면 생물 요소들이 호흡할 수 없고, 생물 요소인 식물은 비생물 요소인 공기를 맑게 정화할 수 있다.

- **배출물** 사람이나 동물의 몸 밖으로 내보내는 똥이나 오줌, 땀 등의 물질.
- **정화** 불순하거나 더러운 것을 깨끗하게 함.

1. 생태계

(1) 다양한 생태계

① 어떤 장소에서 서로 영향을 주고받는 생물 요소와 비생물 요소를 생태계라고 한다. 생물 요소는 동물과 식물처럼 살아 있는 것이고, 비생물 요소는 공기, 햇빛, 물, 흙, 온도처럼 살아 있지 않은 것이다.
(눈에 보이지 않는 세균과 곰팡이도 생물 요소이다.)

② 화단, 연못과 같이 규모가 작은 생태계도 있고 숲, 바다와 같이 규모가 큰 생태계도 있다. 바다에 비하면 연못은 작은 생태계이지만, 비 오는 날의 운동장 웅덩이에 비하면 연못은 큰 생태계이다.

(2) 생산자, 소비자, 분해자

① 양분을 얻는 방법에 따라 생물 요소를 생산자, 소비자, 분해자로 분류할 수 있다.

② 생산자: 배추, 느티나무와 같이 햇빛 등을 이용하여 살아가는 데 필요한 양분을 스스로 만드는 생물이다.

③ 소비자: 배추흰나비, 참새와 같이 스스로 양분을 만들지 못하고 다른 생물을 먹이로 하여 양분을 얻는 생물이다.

④ 분해자: 곰팡이, 세균과 같이 주로 죽은 생물이나 배출물을 분해하여 양분을 얻는 생물이다. 교과서 속 탐구 20쪽

먹이 사슬

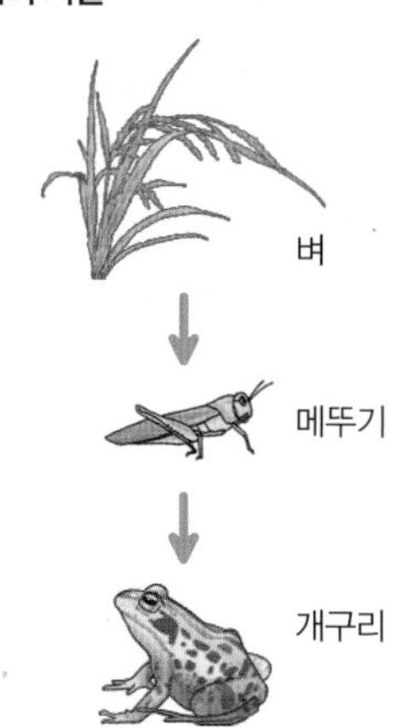

2. 먹이 관계

생태계 생물은 서로 먹고 먹히는 관계에 있다.

(1) 먹이 사슬 생태계에서 생물들 사이의 먹이 관계가 사슬처럼 연결되어 있는 것이다. 메뚜기는 벼를 먹고, 개구리는 메뚜기를 먹는다.

(2) 먹이 그물 생태계에서 여러 개의 먹이 사슬이 얽혀 그물처럼 연결되어 있는 것이다. 메뚜기는 벼, 옥수수 등을 먹고, 개구리는 메뚜기, 나방 애벌레 등을 먹는다.

(3) 먹이 사슬과 먹이 그물의 공통점 생물들이 먹고 먹히는 관계가 나타난다.

(4) 먹이 사슬과 먹이 그물의 차이점

① 먹이 사슬은 한 방향으로만 연결되고, 먹이 그물은 여러 방향으로 연결된다.

② 먹이 그물이 먹이 사슬보다 생태계에서 여러 생물들이 함께 살아가기에 유리한 먹이 관계이다. 어느 한 종류의 먹이가 부족해지더라도 다른 먹이를 먹고 살 수 있기 때문이다.

▲ 먹이 그물

- **인위적** 자연의 힘이 아닌 사람의 힘으로 이루어진 것.

3. 생태 피라미드와 생태계 평형

(1) 생태 피라미드

① 먹이 단계별로 생물의 수를 쌓아올리면 피라미드 모양이 되는데, 이를 생태 피라미드라고 한다.

② 생산자를 먹이로 하는 생물을 1차 소비자, 1차 소비자를 먹이로 하는 생물을 2차 소비자, 마지막 단계의 소비자를 최종 소비자라고 한다.

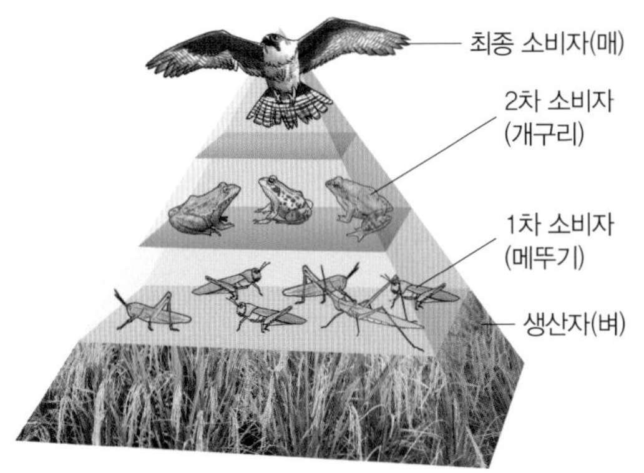

▲ 생태 피라미드

③ 생태계에서 생물들의 수는 먹이 단계가 올라갈수록 줄어든다.

(2) 생태계 평형

① 어떤 지역에 살고 있는 생물의 종류와 수 또는 양이 균형을 이루며 안정된 상태를 유지하는 것을 생태계 평형이라고 한다.

② 특정 생물의 수나 양이 갑자기 늘어나거나 줄어들면 생태계 평형이 깨지기도 한다. 이를 다시 회복하려면 오랜 시간과 노력이 필요하다.

③ 생태계 평형이 깨지는 원인에는 가뭄, 홍수, 태풍, 지진, 산불과 같은 자연적인 요인뿐만 아니라 댐, 도로, 건물 건설과 같은 인위적인 요인도 있다.

1차 소비자 수 변화에 따른 일시적 변화

생태 피라미드에서 1차 소비자인 메뚜기의 수가 갑자기 늘어나면 늘어난 메뚜기의 먹이가 되는 생산자의 수가 줄어든다. 메뚜기를 먹는 2차 소비자의 수는 먹이인 메뚜기의 증가로 늘어난다. 2차 소비자가 늘어나면 2차 소비자를 먹는 최종 소비자의 수도 늘어나는 일시적인 변화가 생긴다.

늑대, 사슴, 비버가 살고 있는 국립 공원의 생물 관계

- 늑대가 사라진 뒤: 사슴의 수는 빠르게 늘어났다. 사슴은 강가에 머물며 풀과 나무 등을 닥치는 대로 먹었다. 그 결과 풀과 나무가 제대로 자라지 못하였고, 나무로 집을 짓고 나뭇가지 등을 먹는 비버가 국립 공원에서 거의 사라졌다.
- 늑대를 다시 풀어놓은 뒤: 오랜 시간에 걸쳐 국립 공원의 생태계는 점점 평형을 되찾았다. 늑대와 사슴의 수는 적절하게 유지되고, 강가의 풀과 나무도 잘 자라게 되었다. 그 결과 비버의 수도 늘어나게 되었다.

양분을 얻는 방법에 따라 생물 요소 분류하기

과정

1. 그림에서 생물 요소를 찾고, 각 생물 요소가 양분을 얻는 방법에 따라 생물 요소를 분류해 본다.

결과

▶ **생물 요소**: 배추, 느티나무, 개망초, 배추흰나비 애벌레, 참새, 배추흰나비, 곰팡이, 세균 등

▶ **양분을 얻는 방법에 따른 생물 요소 분류**

양분을 얻는 방법	햇빛 등을 이용하여 양분을 스스로 만든다.	다른 생물을 먹이로 하여 양분을 얻는다.	죽은 생물이나 배출물을 분해하여 양분을 얻는다.
생물 요소	배추, 느티나무, 개망초	배추흰나비 애벌레, 배추흰나비, 참새	곰팡이, 세균

알 수 있는 사실

▶ 생물에 따라 양분을 얻는 방법이 다양하며, 양분을 얻는 방법에 따라 생물을 생산자, 소비자, 분해자로 분류할 수 있다.

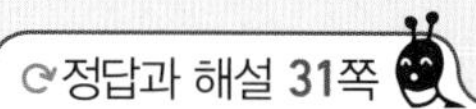

1 다음 (   ) 안에 들어갈 알맞은 생물 요소를 **보기**에서 모두 골라 쓰시오.

보기

배추, 세균, 참새, 개망초, 곰팡이, 느티나무, 배추흰나비, 배추흰나비 애벌레

(   )은/는 햇빛 등을 이용하여 스스로 양분을 만든다.

(   )

2 양분을 얻는 방법에 따라 여러 가지 생물 요소를 분류했을 때 잘못 분류한 생물 요소를 모두 찾아 쓰시오.

양분을 얻는 방법	햇빛 등을 이용하여 양분을 스스로 만든다.	죽은 생물이나 배출물을 분해하여 양분을 얻는다.
생물 요소	배추, 참새, 느티나무	곰팡이, 개망초, 세균

(   )

3 배추흰나비가 양분을 얻는 방법을 쓰시오.

정답과 해설 31쪽

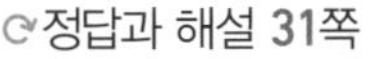

1 생태계란 무엇인지 알맞은 것을 보기에서 골라 기호를 쓰시오.

보기
㉠ 어떤 장소의 공기, 온도, 흙이다.
㉡ 어떤 장소에서 살고 있는 생물 요소이다.
㉢ 어떤 장소에서 광합성을 하는 초록색 식물이다.
㉣ 어떤 장소에서 서로 영향을 주고받는 생물 요소와 비생물 요소이다.

( )

[2~3] 다음은 생태계 모습입니다. 물음에 답하시오.

2 위 생태계에서 생물 요소와 비생물 요소를 각각 두 가지씩 찾아 쓰시오.

(1) 생물 요소: ( )
(2) 비생물 요소: ( )

3 위 생태계에서 분해자를 한 가지 찾아 쓰시오.

( )

4 먹이 사슬과 먹이 그물의 차이점으로 ( ) 안의 알맞은 말에 각각 ○표 하시오.

생물들이 먹고 먹히는 관계가, 먹이 사슬은 ㉠(한, 여러) 방향으로 연결되고, 먹이 그물은 ㉡(한, 여러) 방향으로 연결된다.

5 다음 ( ) 안에 들어갈 알맞은 말을 각각 쓰시오.

- 먹이 단계별로 생물의 수를 쌓아올려 피라미드 모양을 이룬 것을 (㉠)(이)라고 한다.
- 어떤 지역에 살고 있는 생물의 종류와 수 또는 양이 균형을 이루며 안정된 상태를 유지하는 것을 (㉡)(이)라고 한다.

㉠ ( )
㉡ ( )

6 다음은 벼, 메뚜기, 개구리, 매의 수를 먹이 단계별로 쌓아올린 것입니다. 메뚜기 수가 갑자기 늘어났을 때 생기는 일시적인 변화로 옳은 것은 어느 것입니까? ( )

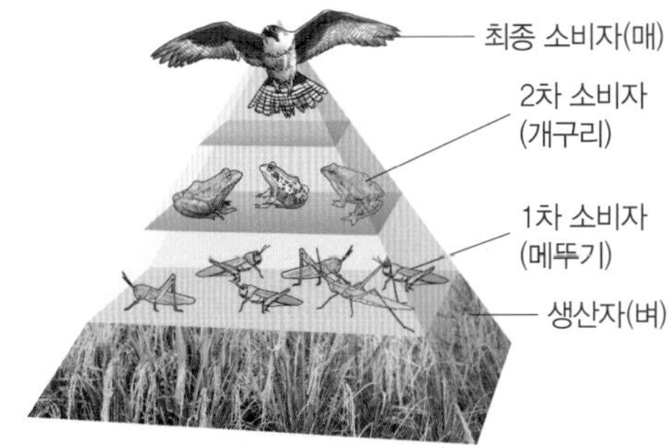

① 벼의 수가 늘어난다.
② 매의 먹이가 줄어든다.
③ 개구리의 수가 늘어난다.
④ 매의 수가 줄어들다가 멸종된다.
⑤ 벼와 개구리의 수는 변화가 없다.

2 비생물 요소와 환경

개념 강의

만화로 보는 '환경 오염'

1. 비생물 요소가 생물에게 주는 영향

교과서 속 탐구 24쪽

(1) **온도** 추운 계절에 온도가 낮아지면 개나 고양이는 털갈이를 하고, 철새는 먹이를 구하거나 새끼를 기르기에 적절한 장소를 찾아 먼 거리를 이동한다. 온도의 영향으로 식물의 잎에 단풍이 든다.

(2) **햇빛** 식물이 양분을 만들고 동물이 물체를 보는 데 필요하다. 꽃이 피는 시기와 동물의 번식 시기에도 영향을 준다. 번식에 중요한 호르몬 분비와 기관의 기능이 햇빛이 내리쬐는 시간과 관련이 있기 때문이다.

종다리와 제비는 봄과 여름에 번식하고, 양, 염소, 사슴은 가을과 겨울에 번식한다.

(3) **물** 생물이 생명을 유지하는 데 반드시 필요하다. 물은 동물의 체온을 유지하고 몸속으로 들어온 양분을 녹여 소화를 돕는다. 또 각종 양분을 운반하고 노폐물을 배출하는 것을 돕는다. 식물은 물이 부족하면 생장이 억제되고, 낙엽이나 낙화 현상이 나타난다. 물이 없으면 생물은 결국 죽는다.

(4) **공기** 생물이 숨을 쉴 수 있게 해 준다.

(5) **흙** 생물이 살아가는 장소를 제공한다. 식물은 자라는 데 필요한 물과 양분을 흙에서 얻는다.

단풍이 드는 까닭

하루 최저 기온이 5℃ 이하로 떨어지기 시작하면 단풍이 든다. 노란색 계열의 단풍은 기온이 떨어지면서 엽록소 합성이 중지되고 잎 속에 남아 있던 노란색 또는 주황색 색소가 드러나 나타난다. 붉은색 단풍은 잎에서 엽록소의 분해와 함께 붉은색 색소가 생성되어 나타난다.

2. 생물의 환경 적응

(1) **서식지** 생물이 사는 곳을 서식지라고 한다. 지구에는 숲, 강, 바다, 사막 등 다양한 환경의 서식지가 있다. 생물은 각 서식지 환경에서 살아남기에 유리한 특징을 지녀야 자손을 남길 수 있다.

(2) **적응** 특정한 서식지에서 오랜 기간에 걸쳐 살아남기에 유리한 특징이 자손에게 전달되는 것을 적응이라고 한다. 생물은 생김새와 생활 방식 등을 통하여 환경에 적응된다.

(3) **생김새를 통한 적응**

① 여우는 서식지 환경과 털 색깔이 비슷해서 적에게서 몸을 숨기거나 먹잇감에 접근하기 유리하게 적응되었다.

② 선인장은 굵은 줄기와 뾰족한 가시로 건조한 환경에 적응되었다.

③ 대벌레는 가늘고 길쭉한 생김새를 통해 나뭇가지가 많은 환경에서 몸을 숨기기 유리하게 적응되었다.

▲ 여름철 북극여우

▲ 겨울철 북극여우

▲ 사막여우

④ 밤송이는 가시를 통해 적에게서 밤을 보호하기 유리하게 적응되었다.

▲ 선인장

▲ 대벌레

▲ 밤송이

(4) 생활 방식을 통한 적응

① 철새가 다른 지역으로 이동하는 행동은 계절별 온도 차가 큰 환경에서 생활 방식을 통해 생물이 적응된 결과이다.

② 다람쥐는 겨울잠을 자는 행동으로 몸에 저장된 양분을 천천히 사용하여 추운 겨울을 지내기 유리하게 적응되었다.

③ 공벌레는 오므리는 행동으로 적의 공격에서 몸을 보호하기 좋게 적응되었다.

▲ 이동하는 철새

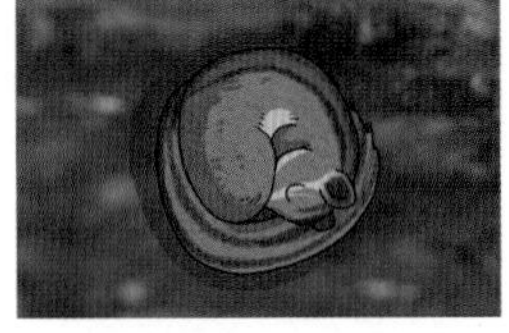
▲ 겨울잠을 자는 다람쥐

▲ 몸을 오므린 공벌레

3. 환경 오염의 영향

환경이 오염되면 생물의 종류와 수가 줄어들고, 심하면 생물이 없어진다.

(1) 환경 오염 사람들의 활동으로 자연환경이나 생활 환경이 더럽혀지거나 훼손되는 현상을 환경 오염이라고 한다.

(2) 환경 오염의 원인

① **대기(공기) 오염**: 자동차나 공장의 매연 등이 원인이다. 이로 인해 황사나 미세 먼지가 발생하여 동물의 질병을 증가시킨다.

② **수질(물) 오염**: 폐수의 배출, 유조선의 기름 유출 등이 원인이다. 이로 인해 물이 더러워지고 악취가 나며 그곳에 사는 물고기는 산소가 부족하여 죽기도 한다. 또 기름이 바다를 덮으면 생물의 서식지가 파괴된다.

③ **토양(흙) 오염**: 쓰레기 배출, 농약이나 비료의 지나친 사용 등이 원인이다. 쓰레기를 땅에 묻어 심각한 악취가 나고 생활 환경이 나빠진다.

④ 사람들이 도로를 만들거나 건물을 지으면서 생물의 서식지를 파괴하기도 한다. 무분별한 개발로 훼손된 자연환경은 생태계에 해로운 영향을 준다.

개발과 생태계 보전 사이의 균형과 조화가 필요하다.

보충 플러스+ 생태계 보존을 위한 노력, 람사르 협약

1971년 맺어진 람사르 협약은 습지의 중요성을 인식하고 보존하기 위한 최초의 국제적 협약이다. 현재 우리나라의 대암산 용늪, 우포늪 등의 습지가 람사르 습지로 등록되어 있다.

생물학적 '적응'

생물의 환경 적응에서 사용하는 '적응'이라는 용어는 생물이 스스로 노력하여 환경에 적응하는 것이 아니고, 수 세대에 걸쳐 주어진 환경에 더 적합한 행동을 하는 개체나, 환경에 더 적합한 형태를 가진 개체의 유전자가 자연적으로 다음 세대의 자손에게 전달된 것을 뜻한다.

용어

- **털갈이** 짐승이나 새의 묵은 털이 빠지고 새 털이 남.
- **호르몬** 동물의 몸속에서 분비되는 체액과 함께 몸속을 돌며, 다른 기관이나 조직의 작용을 촉진, 억제하는 물질을 통틀어 이르는 말.
- **분비** 몸속에서 만들어진 호르몬 등을 배출관으로 보내는 일.
- **생장** 나서 자라는 과정.
- **훼손** 헐거나 깨뜨려 못 쓰게 만듦.
- **유전자** 생물체의 유전 형질을 나타내는 원인이 되는 인자. 생식 세포를 통하여 어버이로부터 자손에게 유전 정보를 전달함.

생태계 보전 방법

- 자전거를 이용한다.
- 일회용품 사용을 줄인다.
- 나무를 심는다.
- 대중교통을 이용한다.
- 물을 절약한다.

"햇빛과 물이 콩나물의 자람에 미치는 영향"

과정

1. 자른 페트병 네 개의 입구 부분을 거꾸로 하여 탈지면을 깔고 비슷한 굵기와 길이의 콩나물을 각각 같은 양으로 담는다. 잘라 낸 페트병의 나머지 부분은 물 받침대로 사용한다.
2. 페트병 두 개는 햇빛이 잘 드는 곳에 두고, 그중 하나의 페트병에만 물을 자주 준다.
3. 나머지 페트병 두 개는 어둠상자로 덮어 햇빛을 가린 다음에 그중 하나의 페트병에만 물을 자주 준다.
4. 콩나물이 자라는 모습을 일주일 이상 관찰해 보고, 알게 된 점을 이야기해 본다.

결과

햇빛이 잘 드는 곳에 놓아 둔 콩나물	**물을 준 것** 햇빛이 잘 드는 곳에서 물을 준 콩나물이 가장 잘 자란다.	떡잎과 떡잎 아래 몸통이 초록색으로 변한다. 떡잎 아래 몸통이 길고 굵어졌으며, 햇빛을 향하여 굽어 자란다. 초록색 본잎이 나온다.
	물을 주지 않은 것	떡잎이 연한 초록색으로 변했고, 떡잎 아래 몸통이 가늘어지고 시든다.
어둠상자로 덮어 놓은 콩나물	물을 준 것	떡잎이 노란색이고, 떡잎 아래 몸통이 곧고 길게 자란다. 노란색 본잎이 나온다.
	물을 주지 않은 것	떡잎이 노란색이고, 떡잎 아래 몸통이 매우 가늘어지고 시든다.

알 수 있는 사실 ▶ 콩나물이 자라는 데에는 햇빛과 물이 영향을 준다.

정답과 해설 33쪽

[1~2] 다음 ㈎와 ㈏는 자른 페트병 두 개에 비슷한 굵기와 길이의 콩나물을 같은 양만큼 담고 햇빛이 잘 드는 곳에 놓아둔 것입니다. 물음에 답하시오.

㈎ 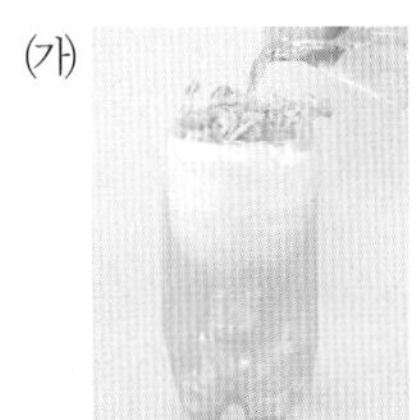

▲ 물을 줌.

㈏

▲ 물을 주지 않음.

1 일주일 뒤 관찰했을 때 떡잎 아래 몸통이 길고 굵어지며, 초록색 본잎이 나온 것의 기호를 쓰시오.

( )

2 앞 실험에 대한 설명으로 다음 ( ) 안의 알맞은 말에 ○표 하시오.

(햇빛, 물)이 콩나물의 자람에 미치는 영향을 알아볼 수 있는 실험이다.

3 햇빛이 식물에게 미치는 영향을 한 가지 쓰시오.

확인 문제

정답과 해설 33쪽

1 다음과 같은 부분에 영향을 미치는 비생물 요소로 가장 적합한 것은 어느 것입니까? (　　)

- 개나 고양이가 털갈이를 하는 것
- 철새가 먼 거리를 이동하는 것
- 식물에 단풍이 드는 것

① 흙　② 공기　③ 온도　④ 습도　⑤ 바람

[2~3] 자른 페트병 두 개에 비슷한 굵기와 길이의 콩나물을 같은 양만큼 담고 (가)는 햇빛이 잘 드는 곳에 두고, (나)은 어둠 상자로 덮어 둔 뒤 둘 다 물을 자주 주었습니다.

(가) 　(나) 

2 위 (가), (나) 중 떡잎의 색깔이 초록색으로 변하는 것의 기호를 쓰시오.

(　　　　　　)

3 위 실험으로 어떤 비생물 요소의 영향을 알아볼 수 있는지 보기에서 알맞은 것을 골라 쓰시오.

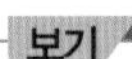

보기: 흙, 물, 공기, 햇빛

(　　　　　　)

4 생물의 적응을 옳게 설명한 사람의 이름을 쓰시오.

- 영빈: 생물은 생김새를 통해 환경에 적응되기도 해.
- 수혁: 생물은 의사소통 방식을 통해 환경에 적응되기도 해.
- 미수: 생물은 서식지 환경에서 살아남기에 어려운 특징을 지녀야 자손을 남길 수 있어.
- 진영: 특정한 서식지에서 1년 동안만 살아남기에 유리한 특징이 자손에게 전달되는 것을 적응이라고 해.

(　　　　　　)

5 오른쪽과 같이 얼음과 눈이 많은 서식지에서 살아남기에 유리한 여우의 모습을 골라 ○표 하시오.

(1) 
(　　　　)

(2) 
(　　　　)

6 환경 오염에 대한 설명으로 (　　) 안에 들어갈 알맞은 말을 옳게 짝 지은 것은 어느 것입니까? (　　)

(　㉠　)의 활동으로 (　㉡　)(이)나 생활 환경이 더럽혀지거나 훼손되는 현상이다.

	㉠	㉡
①	새	하늘
②	세균	공기
③	사람	자연환경
④	사람	사회 환경
⑤	동식물	사회 환경

1 생태계란 무엇인지 **보기**의 낱말을 모두 포함하여 쓰시오.

보기

장소, 생물, 비생물

2 생태계에 대한 설명으로 옳은 것에 ○표, 옳지 않은 것에 ×표 하시오.

(1) 화단, 숲도 생태계이다. (　　)

(2) 지구에는 생태계가 두 개만 있다. (　　)

(3) 화단은 숲보다 규모가 작은 생태계이다. (　　)

(4) 비 오는 날의 운동장 웅덩이는 생태계가 아니다. (　　)

3 다음 **보기**를 생물 요소와 비생물 요소로 나누어 빈칸에 알맞은 기호를 각각 쓰시오.

보기

㉠ 개　㉡ 흙　㉢ 돌
㉣ 사람　㉤ 햇빛　㉥ 개미

생물 요소	(1)
비생물 요소	(2)

4 생물 요소를 생산자, 소비자, 분해자로 분류하는 기준은 무엇입니까? (　　)

① 이동하는 방법
② 번식하는 방법
③ 잠을 자는 방법
④ 양분을 얻는 방법
⑤ 암수를 구별하는 방법

5 다음은 학교 화단에서 볼 수 있는 생물을 생산자, 소비자, 분해자로 분류한 것입니다. 잘못 분류한 생물을 두 가지 골라 쓰시오.

생산자	감나무, 느티나무, 공벌레
소비자	개미, 참새, 민들레
분해자	세균, 곰팡이

(　　　　　　　　)

6 다음 (　　) 안의 알맞은 말에 ○표 하시오.

(생산자, 분해자)가 없어진다면 소비자는 먹이가 없어서 죽게 되고, 그 다음 단계의 소비자도 먹이가 없어서 죽게 될 것이다.

정답과 해설 34쪽

7 다음 ㉠, ㉡ 중 먹이 사슬을 나타낸 것의 기호를 쓰시오.

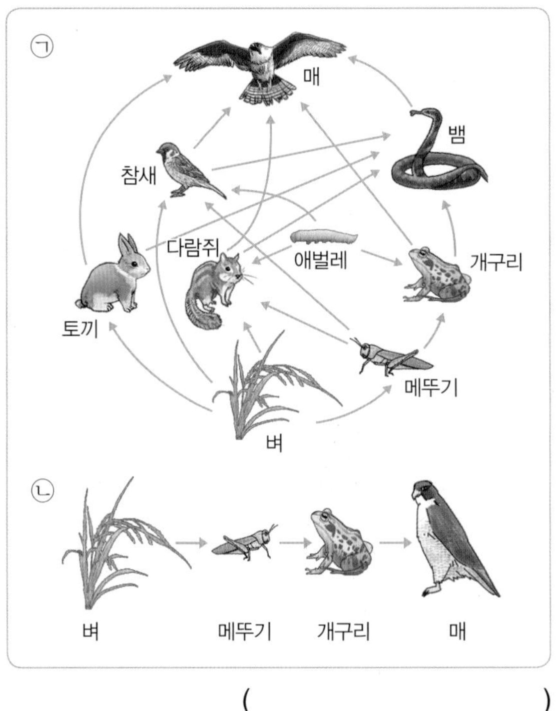

(   )

8 다음 그림을 보고, 생물 사이의 먹고 먹히는 관계를 잘못 연결한 것을 보기에서 골라 기호를 쓰시오. (단, 화살표의 방향은 잡아먹는 쪽을 향함.)

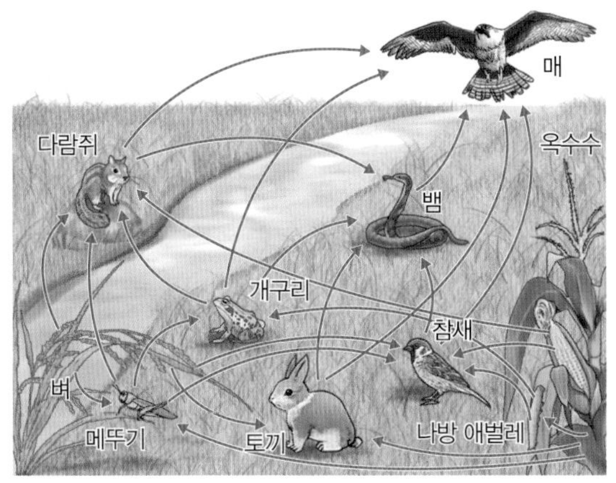

보기

㉠ 벼 → 다람쥐 → 뱀
㉡ 벼 → 다람쥐 → 매
㉢ 벼 → 메뚜기 → 개구리 → 매
㉣ 뱀 → 개구리 → 메뚜기 → 벼

(   )

9 먹이 사슬과 먹이 그물 중 생태계에서 여러 생물들이 함께 살아가기에 유리한 먹이 관계를 쓰고, 그 까닭을 쓰시오.

10 다음은 생태 피라미드입니다. 생태 피라미드에 대한 설명이 잘못된 것을 보기에서 골라 기호를 쓰시오.

보기

㉠ 피라미드 모양이다.
㉡ 마지막 단계의 소비자는 최종 소비자이다.
㉢ 1차 소비자의 수가 생산자의 수보다 더 많다.
㉣ 생물의 수를 먹이 단계별로 쌓아올린 모양이다.

(   )

11 생태계 평형에 대한 설명으로 옳은 것에 ○표 하시오.

(1) 생태계 평형이 깨지면 다시 회복되지 않는다. ( )

(2) 생태계 평형이 깨지는 원인은 모두 자연적인 요인이다. ( )

(3) 특정 생물의 수나 양이 갑자기 늘어나거나 줄어들면 생태계 평형이 깨지기도 한다. ( )

12 다음 밑줄 친 부분에 들어갈 알맞은 말을 보기에서 골라 기호를 쓰시오.

어느 국립 공원에 살고 있던 늑대가 사라졌다. 늑대가 사라진 뒤 사슴의 수는 빠르게 늘어났다. 사슴은 강가에 머물며 풀과 나무 등을 닥치는 대로 먹었다. 그 결과 풀과 나무가 제대로 자라지 못하였고, 나무로 집을 짓고 나뭇가지 등을 먹는 비버가 국립 공원에서 ________.

보기
㉠ 거의 사라졌다.
㉡ 많은 새끼를 낳았다.
㉢ 사슴을 먹기 시작했다.
㉣ 먹이를 먹지 않고 겨울잠을 잤다.

( )

13 다음은 자른 페트병의 입구 부분을 거꾸로 하여 탈지면을 깔고 콩나물을 담은 뒤, 9일이 지난 모습을 관찰한 내용입니다. (1), (2)의 콩나물이 자란 조건을 보기에서 찾아 알맞은 기호를 각각 쓰시오.

보기
㉠ 햇빛이 잘 드는 곳에서 물을 줌.
㉡ 햇빛이 잘 드는 곳에서 물을 주지 않음.
㉢ 어둠상자로 덮고 물을 줌.
㉣ 어둠상자로 덮고 물을 주지 않음.

(1)

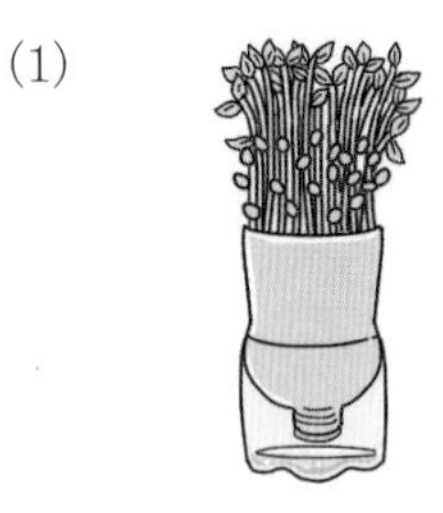

▲ 떡잎이 노란색이고, 떡잎 아래 몸통이 곧고 위로 길게 자란다.

( )

(2)

▲ 떡잎이 연한 초록색으로 변했고, 떡잎 아래 몸통이 가늘어지고 시든다.

( )

14 햇빛의 양이 나팔꽃의 개화에 미치는 영향을 알아보는 실험을 할 때 다르게 해야 할 조건을 쓰시오.

( )

15 물과 흙이 식물에게 주는 영향을 각각 한 가지씩 쓰시오.

____

____

16 다음 (   ) 안에 들어갈 알맞은 말을 각각 쓰시오.

> 생물이 사는 곳을 (㉠)(이)라고 한다. 특정한 (㉠)에서 오랜 기간에 걸쳐 살아남기에 유리한 특징이 자손에게 전달되는 것을 (㉡)(이)라고 한다.

㉠ (   )
㉡ (   )

17 다음은 우리나라에서 사는 토끼풀과 사막에서 사는 선인장의 모습입니다. 토끼풀과 달리 선인장의 줄기가 굵고 잎이 가시로 변형된 까닭으로 알맞은 것을 보기에서 골라 기호를 쓰시오.

▲ 토끼풀

▲ 선인장

보기
㉠ 습한 환경에 적응되었기 때문
㉡ 어두운 환경에 적응되었기 때문
㉢ 건조한 환경에 적응되었기 때문
㉣ 먼지가 많은 환경에 적응되었기 때문

(   )

[18~19] 다음은 북극여우의 모습입니다. 물음에 답하시오.

(가) (나)

18 위 (가)와 (나) 중 북극여우의 여름철 모습과 겨울철 모습을 각각 골라 알맞은 기호를 쓰시오.

(1) 여름철 북극여우: (   )
(2) 겨울철 북극여우: (   )

19 위 (가)와 (나)처럼 북극여우의 털 색깔이 여름철과 겨울철에 다른 까닭을 두 가지 고르시오. (   )

① 아름답게 보이기 때문에
② 서로를 알아보기 유리하기 때문에
③ 몸이 빠르게 성장할 수 있기 때문에
④ 먹잇감에 접근하기 유리하기 때문에
⑤ 적에게서 몸을 숨기기 유리하기 때문에

20 환경 오염에 대해 잘못 말한 사람의 이름을 쓰시오.

- 민희: 황사와 미세 먼지 때문에 사람의 질병이 증가해.
- 수한: 바다에서 기름이 유출되면 생물의 서식지가 파괴돼.
- 호연: 환경이 오염되면 그곳에 사는 생물의 종류와 수가 늘어나.
- 준우: 사람들이 도로를 만들고 건물을 지으면서 생물의 서식지가 파괴돼.

(   )

1 다음 그림에서 생산자, 소비자, 분해자를 각각 두 가지씩 찾아 빈칸에 알맞게 쓰고, 분해자가 없어진다면 어떤 일이 일어날지 쓰시오.

생산자	소비자	분해자
(1)	(2)	(3)

2 다음 생태 피라미드에서 1차 소비자의 수가 갑자기 늘어나면 어떤 일시적인 변화가 생길지 쓰고, 그렇게 생각한 까닭을 쓰시오.

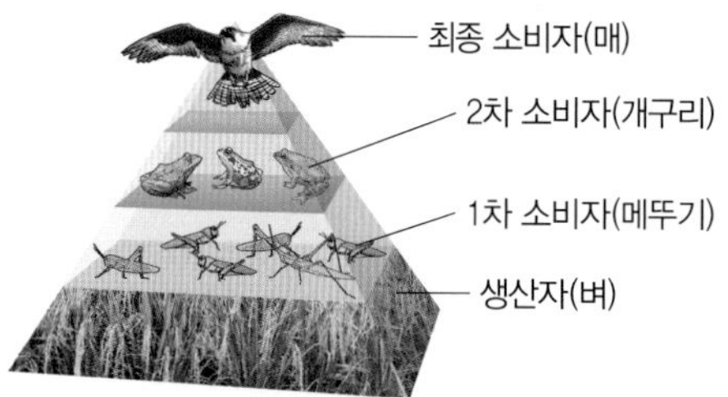

[3~4] 다음은 어느 국립 공원의 이야기입니다. 물음에 답하시오.

> 국립 공원에서 늑대가 사라졌다. 늑대가 사라지자 사슴의 수는 빠르게 늘어났다. 사슴은 강가에 머물며 풀과 나무 등을 닥치는 대로 먹었다. 그 결과 풀과 나무가 제대로 자라지 못하였고, 나무로 집을 짓고 나뭇가지 등을 먹는 비버가 국립 공원에서 거의 사라졌다.
> 국립 공원에서는 늑대를 다시 풀어놓았다. 늑대를 다시 풀어놓은 뒤 오랜 시간에 걸쳐 국립 공원의 생태계는 점점 평형을 되찾았다. 늑대와 사슴의 수는 적절하게 유지되고, 강가의 풀과 나무도 잘 자라게 되었다. 그 결과 비버의 수가 ________________.

3 위 밑줄 친 부분에 들어갈 말을 쓰고, 그렇게 생각한 까닭을 쓰시오.

4 만약 국립 공원에 늑대를 다시 풀어놓지 않았다면 현재 국립 공원에 사는 비버의 수는 어떻게 되었을지 쓰고, 그렇게 생각한 까닭을 쓰시오.

정답과 해설 37쪽

5 먹이 사슬과 먹이 그물의 공통점과 차이점을 한 가지씩 쓰시오.

6 다음은 오른쪽과 같이 자른 페트병의 입구 부분을 거꾸로 하여 탈지면을 깔고 콩나물을 담은 뒤, ㉠~㉣과 같은 네 가지 조건에서 9일이 지난 모습을 관찰한 결과입니다. 이 실험 결과로 알 수 있는 사실을 쓰시오.

• 조건

㉠ 햇빛이 잘 드는 곳에서 물을 줌.

㉡ 햇빛이 잘 드는 곳에서 물을 주지 않음.

㉢ 어둠상자로 덮고 물을 줌.

㉣ 어둠상자로 덮고 물을 주지 않음.

• 결과

㉠	떡잎과 떡잎 아래 몸통이 초록색으로 변한다. 떡잎 아래 몸통이 길고 굵어졌으며, 햇빛을 향하여 굽어 자란다. 초록색 본잎이 나온다.
㉡	떡잎이 연한 초록색으로 변했고, 떡잎 아래 몸통이 가늘어지고 시든다.
㉢	떡잎이 노란색이고, 떡잎 아래 몸통이 곧고 길게 자란다. 노란색 본잎이 나온다.
㉣	떡잎이 노란색이고, 떡잎 아래 몸통이 매우 가늘어지고 시든다.

7 다음 대벌레와 공벌레가 환경에 적응된 특징을 각각 쓰고, 생김새를 통한 적응인지 생활 방식을 통한 적응인지 구분하여 쓰시오.

▲ 대벌레

▲ 공벌레

8 생활에서 실천할 수 있는 생태계 보전 방법을 한 가지 쓰고, 그 방법이 생태계를 보전하는 데 어떻게 도움이 되는지 쓰시오.

핵심 정리

생태계

생태계	어떤 장소에서 서로 영향을 주고받는 생물 요소와 비생물 요소이다. 지구에는 숲, 바다, 연못, 비 오는 날의 운동장 웅덩이 등 다양한 생태계가 있다.
생물 요소	동물과 식물처럼 살아 있는 것이다.
비생물 요소	공기, 햇빛, 물, 흙, 온도처럼 살아 있지 않은 것이다.

생물 요소

생산자	햇빛을 이용하여 살아가는 데 필요한 양분을 스스로 만드는 생물이다.
소비자	스스로 양분을 만들지 못하고 다른 생물을 먹이로 하여 살아가는 생물이다.
분해자	죽은 생물이나 배출물을 분해하여 양분을 얻는 생물이다.

▶ 생물 요소는 양분을 만드는 방법에 따라 생산자, 소비자, 분해자로 분류할 수 있다.

생물의 먹이 관계

먹이 사슬	생물의 먹이 관계가 사슬처럼 연결되어 있는 것이다.
먹이 그물	여러 개의 먹이 사슬이 얽혀 그물처럼 연결되어 있는 것이다.

▶ 실제 생태계에서 생물의 먹이 관계는 먹이 그물의 형태이다.

생태 피라미드와 생태계 평형

생태 피라미드	먹이 단계가 올라갈수록 줄어드는 생물의 수를 쌓아올리면 피라미드 모양이 되는 것이다.
생태계 평형	어떤 지역에 살고 있는 생물의 종류와 수 또는 양이 균형을 이루며 안정된 상태를 유지하는 것이다.

비생물 요소가 생물에 미치는 영향

온도	동물의 털갈이, 철새의 이동, 식물의 잎에 단풍이 들고 낙엽이 지는 데 영향을 준다.
햇빛	식물이 양분을 만드는 데 필요하다. 햇빛을 받은 콩나물은 떡잎의 색깔이 초록색이고, 햇빛을 받지 못한 콩나물은 떡잎의 색깔이 노란색이다.
물	생물이 생명을 유지하는 데 반드시 필요하다. 물을 준 콩나물은 길쭉하게 자라고 물을 주지 않은 콩나물은 시든다.

환경 오염의 원인과 생물에 미치는 영향

대기(공기) 오염	원인	자동차나 공장의 매연 등
	영향	황사나 미세 먼지로 동물의 호흡 기관에 이상이 생긴다. 자동차의 배기가스는 생물의 성장에 피해를 준다.
수질(물) 오염	원인	폐수의 배출, 기름 유출 등
	영향	물이 더러워지고 악취가 나며 물고기는 산소가 부족하여 죽기도 한다. 유조선의 기름이 유출되어 생물의 서식지가 파괴된다.
토양(흙) 오염	원인	쓰레기 배출, 농약이나 비료의 지나친 사용 등
	영향	쓰레기를 매립하면 토양이 오염되어 주변에 심각한 악취가 난다.

생물 다양성

1 종 다양성

생물 다양성은 어떤 지역에 살고 있는 생물의 다양한 정도를 뜻한다. 종 다양성은 일정한 지역에 살고 있는 생물종의 다양한 정도를 뜻한다. 생물종의 수가 많고, 여러 종의 생물이 고르게 분포할수록 종 다양성이 높다. 종 다양성이 높으면 **먹이 사슬**이 복잡해지므로, **생태계 평형**이 잘 유지된다.

개념 18쪽
개념 19쪽

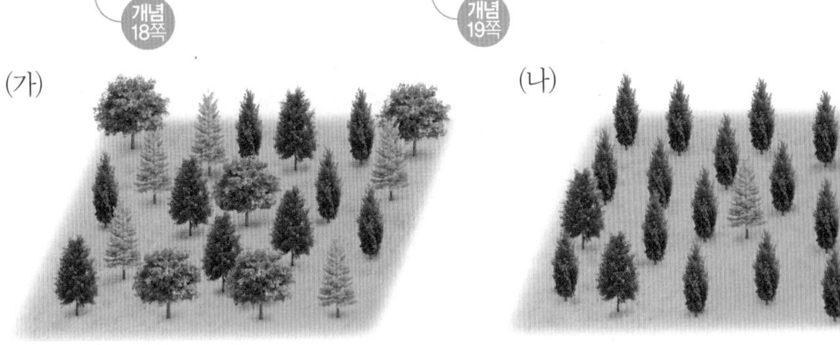

(가)와 (나) 지역에 분포하는 나무의 총 개체 수는 같지만 (가)에는 (나)보다 분포하는 종의 수가 많고 여러 종이 고르게 분포한다.

➡ (가)는 (나)보다 생물 다양성이 높다.

개념 18쪽

2 생태계 다양성

어떤 지역에 존재하는 **생태계**의 다양한 정도를 뜻한다. 지구에는 열대 우림, 초원, 사막, 연못, 호수, 강, 갯벌, 바다, 농경지 등 여러 형태의 생태계가 있다. 생태계의 종류에 따라 살고 있는 생물종이 다르므로, 생태계가 다양할수록 종 다양성이 높아진다.

▲ 열대 우림

▲ 갯벌

열대 우림은 일 년 내내 기온이 높고 물이 풍부하여 식물이 무성하게 자란다. 많은 종류의 동물과 미생물이 서식하므로, 생물 다양성이 가장 높다.

갯벌은 육상 생태계와 수중 생태계를 연결하는 완충 지역으로, 두 생태계의 자원을 이용하는 생물이 함께 존재하여 종 다양성이 높다.

비주얼 사이언스

핀치의 부리 모양

갈라파고스 제도는 남아메리카 대륙에서 1000km 정도 떨어진 남태평양에 있다. 갈라파고스 제도의 여러 섬에는 부리의 모양이 다양한 핀치가 살고 있는데, 핀치의 부리 모양은 먹이의 종류와 밀접한 관계가 있다.

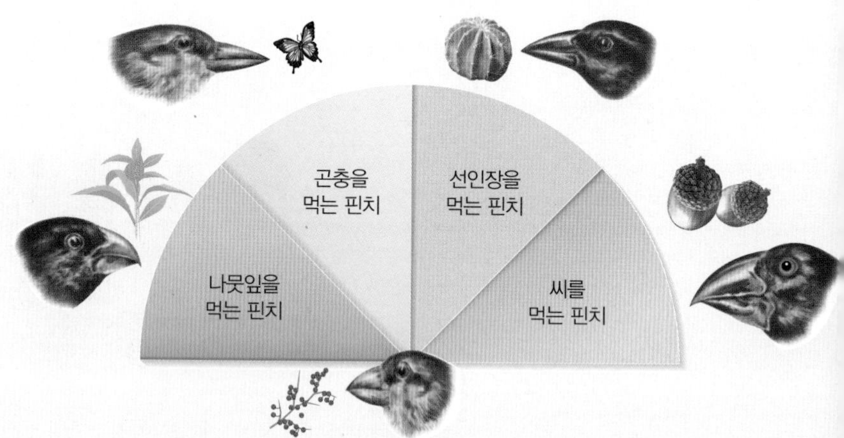

핀치의 종류가 다양해지는 과정

남아메리카 대륙에 살던 한 종류의 핀치가 갈라파고스 제도의 여러 섬에 나뉘어 살면서 다양한 모양이 되었다. 핀치들이 서로 다른 환경에 적응하는 과정에서 그 차이가 더욱 커져 새로운 종류가 된 것이다.

생물 다양성

어떤 지역에 살고 있는 생물의 다양한 정도로, 유전적 다양성, 종 다양성, 생태계 다양성을 모두 포함한다.

생태계 다양성

산림

유전적 다양성

종 다양성

초원

강

유전적 다양성은 같은 종에 속하는 개체들의 유전자가 다양한 정도로, 유전적 다양성이 높은 집단은 급격한 환경 변화에도 멸종되지 않고 생물종을 유지할 수 있다.

종 다양성은 생물의 종이 다양한 정도로, 종 다양성이 높을수록 먹이 사슬이 복잡하게 얽혀 생태계 평형을 유지하는 데 도움이 된다.

생태계 다양성은 삼림, 초원, 강, 바다 등의 생태계가 다양한 정도로, 생태계가 다양할수록 생물에게 다양한 서식지와 환경을 제공하여 종 다양성과 유전적 다양성이 높게 유지되도록 한다.

생물 다양성 보전 대책

인간의 무분별한 활동으로 생물 다양성이 감소하는 문제가 발생하고 있다. 따라서 생물 다양성의 감소 원인을 제거하거나 줄이는 노력을 기울여 생물 다양성을 보전해야 한다.

서식지 파괴

대책
- 지나친 개발 자제
- 서식지 보전
- 보호 구역 지정
- 생태 통로 설치

불법 포획과 남획

대책
- 법률 강화
- 멸종 위기 생물 지정

외래종의 유입

대책
- 외래종의 무분별한 유입 방지
- 외래종의 꾸준한 감시와 퇴치 운동

환경 오염

대책
- 쓰레기 배출량을 줄이는 생활 습관
- 환경 정화 시설 설치

날씨와 우리 생활

1 습도, 응결, 구름

2 기압과 온도 변화

3 해풍과 육풍, 계절별 날씨

선수 학습

- 3~4학년군
  물과 상태 변화
  물의 여행

이 단원의 학습

- 5~6학년군 **날씨와 우리 생활**

후속 학습

- 중학교 1~3학년군 **기권과 날씨**

1 습도, 응결, 구름

개념 강의

1. 습도

(1) 습도

① 공기 중에 수증기가 포함된 정도를 습도라고 한다.

② 습도가 높으면 음식물이 부패하거나 빨래가 잘 마르지 않고, 습도가 낮으면 감기에 걸리거나 산불이 발생하기 쉽다.

③ 습도는 건습구 습도계를 이용해 측정할 수 있다.

(2) 건습구 습도계

① 알코올 온도계 두 개(건구 온도계, 습구 온도계)를 사용하여 습도를 측정하는 기구이다.

② 건구 온도계: 헝겊을 감싸지 않은 온도계로, 기온을 측정한다.

③ 습구 온도계: 알코올 온도계 액체샘을 헝겊으로 감싼 뒤에 헝겊의 아랫부분이 물에 잠기도록 한 온도계이다.

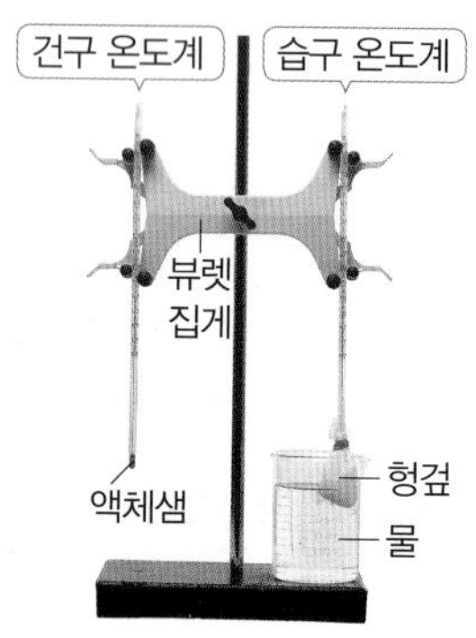

▲ 건습구 습도계

(3) 습도표 읽는 방법

(단위: %)

건구 온도 (℃)	건구 온도와 습구 온도의 차 (℃)			
	0	1	2 ②	3
25	100	92	84	77
① 26	100	92	85 ③	78
27	100	92	85	78

① 건구 온도 26℃를 세로줄에서 찾는다.

② 건구 온도와 습구 온도의 차(26℃ − 24℃ = 2℃)를 가로줄에서 찾는다.

③ ①과 ②가 만나는 지점이 현재 습도이다.

▲ 건구 온도 26℃, 습구 온도 24℃일 때 현재 습도는 85%이다.

2. 이슬과 안개

(1) **응결** 공기 중 수증기가 물방울로 변하는 현상을 응결이라고 한다. 물과 조각 얼음이 들어 있는 집기병 표면에 물방울이 맺히는 것은 공기 중 수증기가 응결해 나타나는 현상이다. 목욕탕 거울이 뿌옇게 흐려지고, 차가운 음료가 든 컵 표면에 물방울이 맺히는 것은 응결 현상이다.

(2) **이슬** 밤에 차가워진 나뭇가지나 풀잎 표면 등에 수증기가 응결해 물방울로 맺히는 것이다.

만화로 보는 '응결'

습도와 건강

실내 습도가 40%에 미치지 못할 경우 호흡기 감염, 알레르기 증상, 천식, 감기 등의 질병에 걸릴 수 있다. 반대로 과도하게 높은 습도는 진드기, 곰팡이의 번식과 성장을 촉진한다.

습도를 조절하는 방법

건조한 날 습도를 높이려면 실내에 빨래를 널거나 가습기를 사용한다. 습한 날 습도를 낮추려면 습기를 없애는 물질인 제습제 또는 제습기를 사용한다.

습구 온도계의 원리

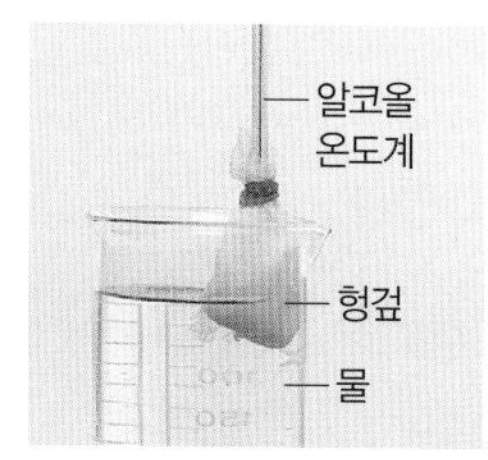

습구 온도계를 감싸고 있는 젖은 헝겊의 물이 온도계 주위의 에너지를 흡수하여 수증기가 되기 때문에 공기가 건조할수록 습구 온도계의 눈금이 낮아진다.

(3) **안개** 밤에 지표면 근처의 공기가 차가워지면 공기 중 수증기가 응결해 작은 물방울로 떠 있는 것이다.

Mini 탐구 1. 이슬 발생 실험 2. 안개 발생 실험

탐구1 과정

1. 집기병에 물과 조각 얼음을 $\frac{2}{3}$ 정도 넣는다.
2. 집기병 표면을 마른 수건으로 닦은 뒤, 집기병 표면의 변화를 관찰해 본다.

탐구1 결과

- 집기병 표면에 작은 물방울이 맺힌다. 집기병 바깥에 있는 공기 중 수증기가 응결해 집기병 표면에서 물방울로 맺히기 때문이다. 이는 자연 현상에서 이슬이 만들어지는 현상과 비슷하다.

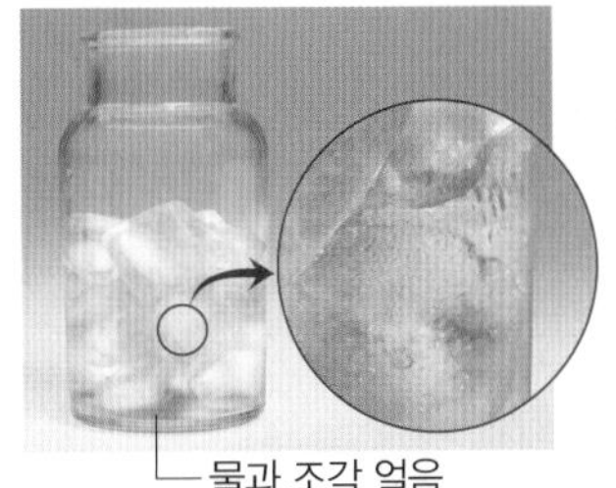

탐구2 과정

1. 조각 얼음을 페트리 접시에 담는다.
2. 집기병에 따뜻한 물을 가득 넣어 집기병 안을 데운 뒤에 물을 버린다.
3. 향에 불을 붙이고 집기병에 향을 넣었다가 뺀다.
4. 조각 얼음이 담긴 페트리 접시를 집기병 위에 올려놓고, 집기병 안의 변화를 관찰해 본다.

탐구2 결과

- 집기병 안이 뿌옇게 흐려진다. 집기병 안의 따뜻한 수증기가 조각 얼음 때문에 차가워져 응결하기 때문이다. 이는 자연 현상에서 안개가 만들어지는 현상과 비슷하다.

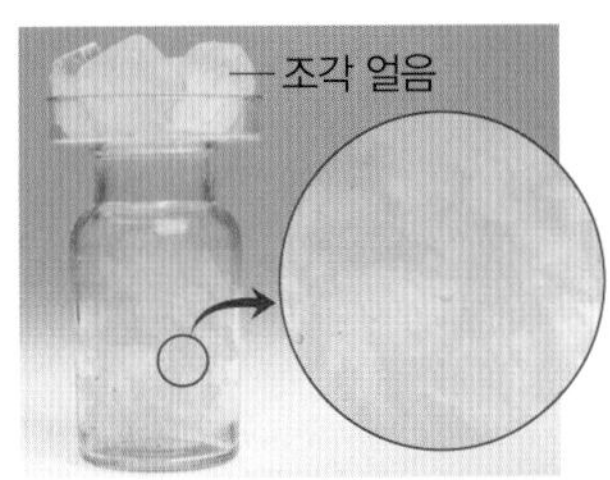

3. 구름, 비, 눈 교과서 속 탐구 40쪽

(1) **구름** 공기는 지표면에서 하늘로 올라가면서 부피가 점점 커지고 온도는 점점 낮아진다. 이때 공기 중 수증기가 응결해 물방울이 되거나 얼음 알갱이 상태로 변해 높은 하늘에 떠 있는 것을 구름이라고 한다.

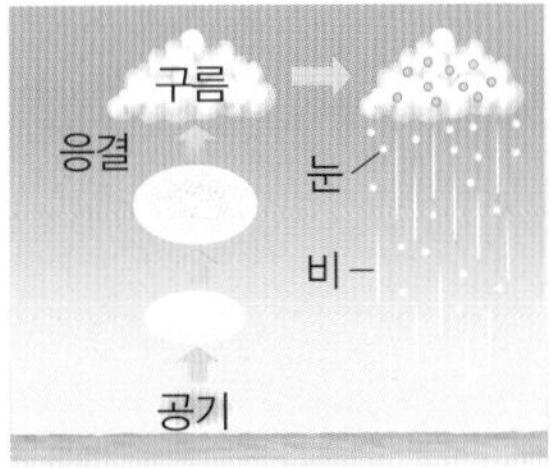

(2) **비** 구름 속 작은 물방울이 합쳐지면서 무거워져 떨어지거나, 크기가 커진 얼음 알갱이가 무거워져 떨어지면서 녹은 것이다.

(3) **눈** 얼음 알갱이의 크기가 커지면서 무거워져 떨어질 때 녹지 않은 채로 떨어지는 것이다.

이슬이 맺힌 풀잎

안개가 낀 도로

이슬, 안개, 구름의 공통점과 차이점
이슬, 안개, 구름 모두 수증기가 응결해 나타나는 현상이다.
이슬은 물체의 표면에 맺히고, 안개는 지표면에 떠 있다. 구름은 높은 하늘에 떠 있다.

구름 발생 실험하기

과정

1. 페트병에 액정 온도계를 넣은 뒤, 공기 주입 마개로 닫는다.
2. 공기 주입 마개를 눌러 페트병 안에 공기를 넣는다. 공기를 넣으면서 페트병 안 온도 변화를 관찰한다.
3. 페트병 안 온도가 더 이상 변하지 않으면 페트병 안 온도를 측정해 본다.
4. 공기 주입 마개 뚜껑을 열어 페트병 안 온도를 측정하고, 이때 나타나는 변화를 관찰해 본다.

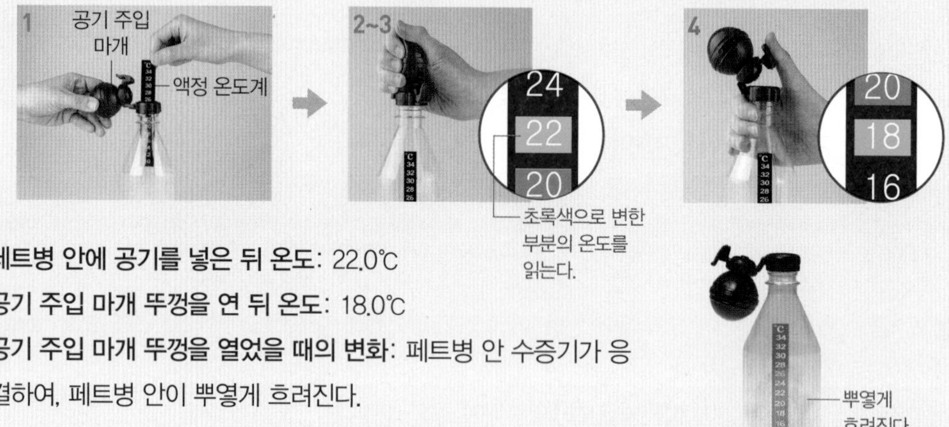

결과

- **페트병 안에 공기를 넣은 뒤 온도:** 22.0℃
- **공기 주입 마개 뚜껑을 연 뒤 온도:** 18.0℃
- **공기 주입 마개 뚜껑을 열었을 때의 변화:** 페트병 안 수증기가 응결하여, 페트병 안이 뿌옇게 흐려진다.

뿌옇게
흐려진다.

알 수 있는 사실

- 페트병 안에 공기를 넣은 뒤 공기 주입 마개의 뚜껑을 열면 페트병 안 온도가 낮아지면서 수증기가 응결하여 물방울로 변하는 현상이 나타난다. 이것은 자연 현상 중에서 구름이 만들어지는 현상과 비슷하다.

정답과 해설 39쪽

[1~3] 다음과 같이 액정 온도계를 넣은 페트병에 공기 주입 마개로 공기를 넣은 뒤, 공기 주입 마개의 뚜껑을 열었습니다. 물음에 답하시오.

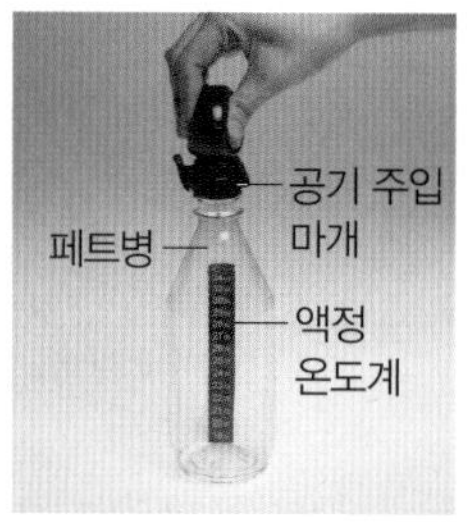

1 위 실험에서 공기 주입 마개의 뚜껑을 열었을 때 페트병 안의 온도 변화를 쓰시오.

____

2 앞 실험에서 공기 주입 마개 뚜껑을 열었을 때 페트병 안에서 나타나는 변화를 쓰시오.

____

____

3 앞 실험은 자연 현상 중에서 무엇이 만들어지는 현상과 비슷한지 보기에서 골라 쓰시오.

보기

이슬, 안개, 구름, 눈, 비

(   )

정답과 해설 39쪽

1 다음 습도표를 보고, 건구 온도 27℃, 습구 온도 24℃일 때 현재 습도를 구해 쓰시오.

(단위: %)

건구 온도(℃)	건구 온도와 습구 온도의 차(℃)				
	0	1	2	3	4
26	100	92	85	78	71
27	100	92	85	78	71
28	100	93	85	78	72
29	100	93	86	79	72
30	100	93	86	79	73

( )%

2 현재 우리 교실의 습도가 15%일 때 습도를 알맞게 조절하는 방법을 골라 ○표 하시오.

(1) 제습제를 사용하여 습도를 높인다. ( )

(2) 가습기를 틀거나 젖은 수건 등을 널어 습도를 높인다. ( )

3 이슬과 안개의 공통점에 대해 옳게 말한 사람을 모두 찾아 이름을 쓰시오.

- 수미: 응결에 의해 나타나는 현상이야.
- 병호: 공기 중에 있는 수증기가 물방울로 변하는 현상이야.
- 희정: 밤에 차가워진 나뭇가지나 풀잎 등에 수증기가 응결해 물방울로 맺힌 거야.
- 석우: 밤에 지표면 근처의 공기가 차가워지면 공기 중 수증기가 응결해 작은 물방울로 떠 있는 거야.

( )

4 오른쪽과 같이 집기병에 물과 조각 얼음을 $\frac{2}{3}$ 정도 넣고 집기병 표면을 마른 수건으로 닦았습니다. 이때 집기병 표면에서 나타나는 현상과 비슷한 자연 현상을 보기에서 골라 쓰시오.

보기

비, 눈, 구름, 이슬, 안개

( )

5 구름에 대한 설명으로 옳은 것의 기호를 쓰시오.

㉠ 공기 중 얼음 알갱이가 커지면서 무거워져 떨어지는 것이다.

㉡ 공기 중 수증기가 응결해 물체 표면에 물방울로 맺히는 것이다.

㉢ 밤에 지표면 근처의 공기가 차가워지면 공기 중에 작은 물방울이 생기면서 만들어지는 것이다.

㉣ 지표면 근처의 공기가 하늘로 올라가면서 부피가 점점 커지고, 온도가 점점 낮아져서 수증기가 응결해 작은 물방울이나 얼음 알갱이가 생기면서 만들어지는 것이다.

( )

6 구름 속 작은 물방울이 합쳐지면서 무거워져 떨어지거나 커진 얼음 알갱이가 무거워져 떨어지면서 녹은 것을 무엇이라고 하는지 쓰시오.

( )

기압과 온도 변화

만화로 보는
'고기압과 저기압'

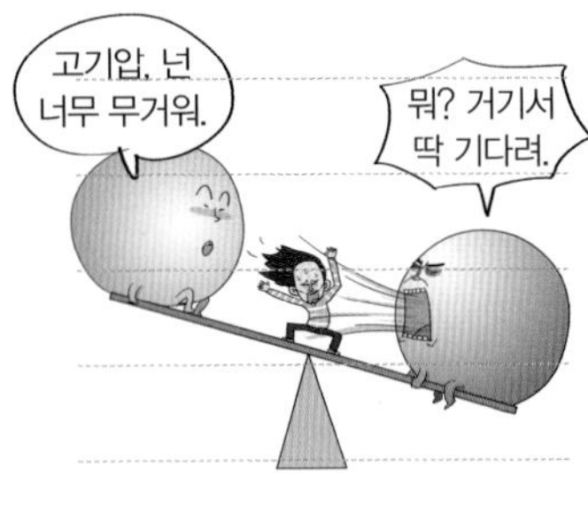

1. 고기압과 저기압

(1) 기압

① 공기의 무게로 생기는 누르는 힘을 기압이라고 한다.

② 일정한 부피에 공기 알갱이가 많을수록 공기는 무거워지고 기압은 높아진다.

(2) 고기압과 저기압

① 차가운 공기는 따뜻한 공기보다 일정한 부피에 공기 알갱이가 더 많아 무겁고 기압이 더 높다.

② **고기압**: 상대적으로 공기가 무거운 것이다.

③ **저기압**: 상대적으로 공기가 가벼운 것이다.

(3) 바람 어느 두 지점 사이에 기압 차가 생기면 공기는 고기압에서 저기압으로 이동한다. 이와 같이 기압 차로 공기가 이동하는 것을 바람이라고 한다. 이때 공기의 이동은 수평 이동을 말한다.

바람의 방향

위 일기 예보 그림에서 우리나라에 부는 바람의 방향은 빨간색 화살표와 같다. 그 까닭은 공기는 고기압에서 저기압으로 이동하는데, 우리나라의 서쪽에 고기압이 있고 동쪽에 저기압이 있기 때문이다.

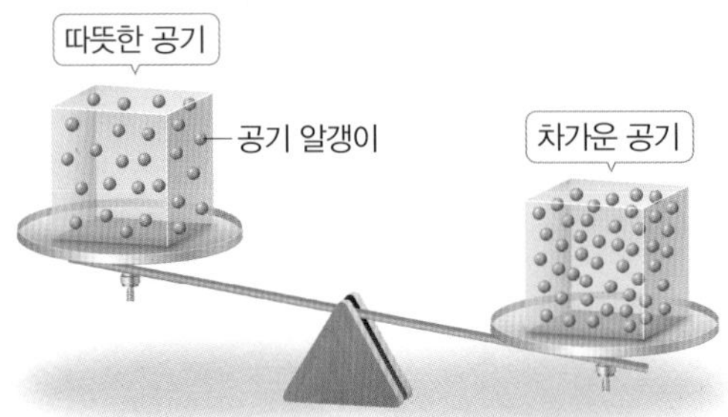

▲ 고기압과 저기압의 무게 비교: 단위 부피에 포함된 공기 알갱이의 양을 표현한 그림이다. 오른쪽 상자는 왼쪽 상자에 비해 더 많은 수의 공기 알갱이를 포함하므로, 더 무겁다.

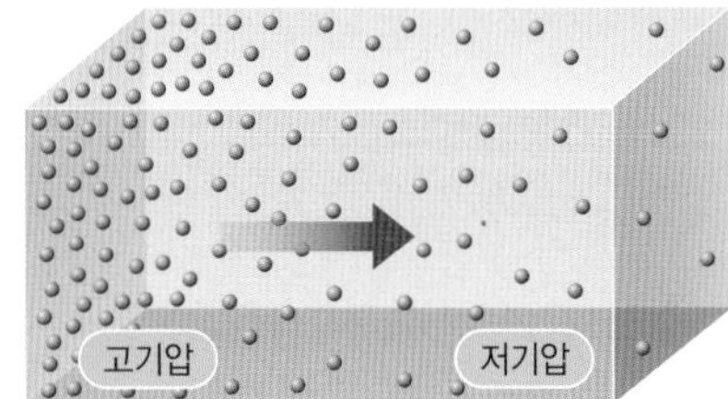

▲ 기압 차에 의한 공기의 이동: 실제 자연에서 공기 알갱이는 그림과 같이 지역에 따라 서로 다른 •밀도로 분포되어 있다. 밀도 차는 기압 차를 만들고, 이로 인해 공기가 이동한다.

• **밀도** 어떤 물질의 단위 부피만큼의 질량.

보충 플러스⁺ 기압의 차이가 생기는 까닭

지표면을 이루는 물질의 차이로 지표면이 서로 다르게 가열되어 서로 다른 지역 사이에 기압 차가 생긴다. 따뜻한 지표면 위의 공기는 기체 알갱이의 운동이 활발하여 팽창함에 따라 단위 부피당 무게가 줄어들고 기압도 낮아진다. 차가운 지표면 위의 공기는 기체 분자 운동이 느려지면서 부피가 수축하고 단위 부피당 무게가 커져 기압이 높아진다.

Mini 탐구 공기의 온도에 따른 공기의 무게 비교 실험

과정

차가운 공기는 밀도가 커서 플라스틱 통을 세운 채로 공기를 넣고,
따뜻한 공기는 밀도가 작아서 플라스틱 통을 뒤집은 채로 공기를 넣는다.

1. 플라스틱 통을 세우고, 머리말리개로 차가운 공기를 약 20초 동안 넣은 뒤 뚜껑을 닫는다. 그리고 플라스틱 통의 무게를 전자저울로 측정해 본다.
2. 플라스틱 통을 뒤집고, 머리말리개로 따뜻한 공기를 약 20초 동안 넣은 뒤, 통을 뒤집은 채로 뚜껑을 닫는다. 그리고 플라스틱 통의 무게를 전자저울로 측정해 본다.
3. 차가운 공기와 따뜻한 공기의 무게를 서로 비교해 본다.

결과

- 차가운 공기를 넣은 플라스틱 통의 무게는 278.0g이고, 따뜻한 공기를 넣은 플라스틱 통의 무게는 277.3g이다.

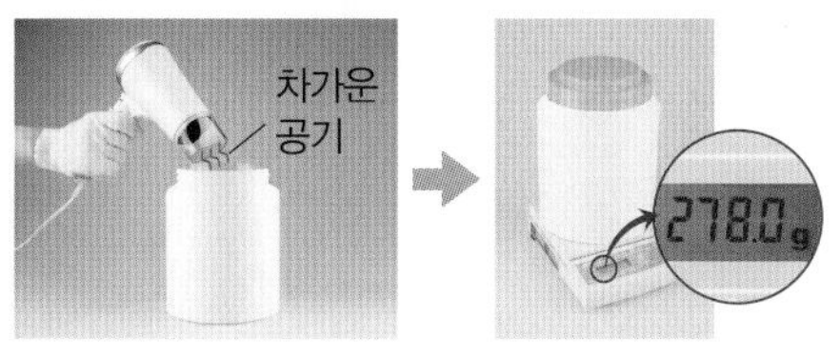

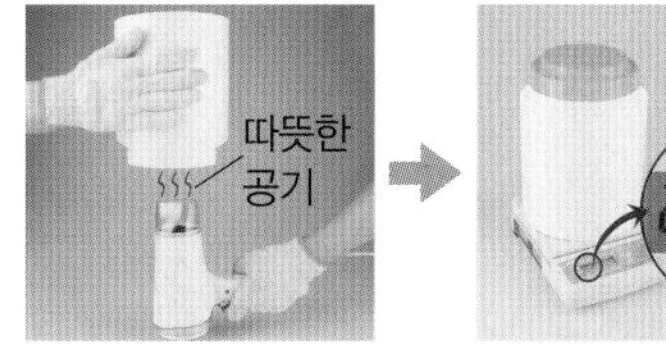

- 차가운 공기가 따뜻한 공기보다 더 무겁다.

2. 지면과 수면의 하루 동안 온도 변화  44쪽

① 같은 시각에 모래와 물의 온도가 서로 다르기 때문에 무더운 여름철 낮에 맨발로 흙이나 모래를 밟으면 뜨겁지만, 물에 들어가면 시원하다.

② 지면과 수면은 하루 동안 온도 변화가 다르게 나타난다.

③ 낮에는 지면이 수면보다 빠르게 데워지기 때문에 지면의 온도가 수면의 온도보다 높다.

④ 밤에는 지면이 수면보다 빠르게 식기 때문에 지면의 온도가 수면의 온도보다 낮다.

2016년 10월 4일 6시부터 24시간 동안 인천에서 측정한 지면과 수면 온도 자료이다.
지면은 15.7℃~31.3℃, 수면은 20.6℃~22.6℃의 값을 나타낸다.

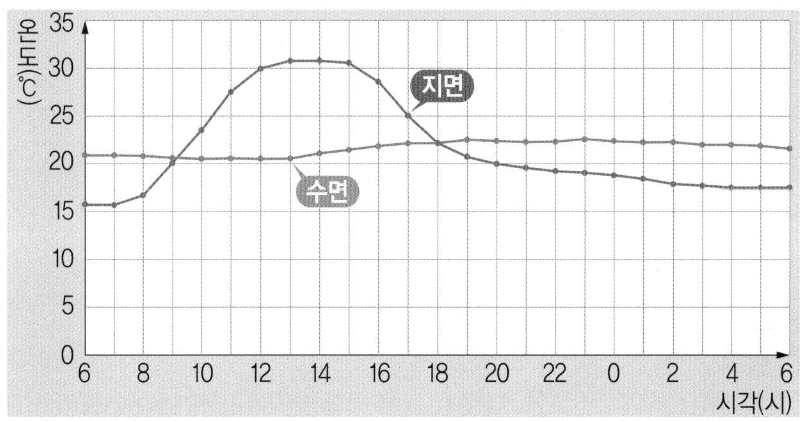

▲ 지면과 수면의 하루 동안 온도 변화

⑤ 하루 중 지면 위 공기의 온도가 수면 위 공기의 온도보다 높을 때는 9시부터 18시 무렵까지이다.

모래가 물보다 빨리 데워지는 까닭

물과 모래의 경우 똑같은 열을 받더라도 물보다 모래가 더 빠르게 온도가 높아지고, 식을 때는 모래가 더 빠르게 식는다. 그 까닭은 똑같은 양의 물과 모래의 온도를 1℃ 높이는 데 필요한 열의 양을 비교하면 모래가 물보다 적기 때문이다. 또 물이 모래에 비하여 온도 변화가 크지 않은 까닭은 물이 모래와 달리 대류가 일어나 열이 더 깊이 전달되고, 물이 증발할 때에 주위로부터 열을 빼앗기기 때문이다.

- **지면** 땅바닥.
- **수면** 물의 겉면.

모래와 물의 온도 변화 측정하기

과정

1. 모래와 물을 각각 $\frac{3}{4}$씩 담은 투명한 사각 플라스틱 그릇 두개를 나란히 붙여 놓은 후 두 그릇 뒤에 일정한 거리를 두고 전등을 각각 설치한다.
2. 스탠드 두 개를 두 그릇 옆에 각각 놓고 알코올 온도계의 액체샘이 모래와 물에 1cm 깊이로 꽂히도록 스탠드에 알코올 온도계를 각각 설치한다.
3. 전등을 켜고 2분 간격으로 10분 동안 모래와 물의 온도 변화를 측정한다.
4. 전등을 끄고 2분 간격으로 10분 동안 모래와 물의 온도 변화를 측정한다.

결과

▶ **모래와 물의 온도 변화를 표와 그래프로 나타내기**

전등을 켰을 때는 낮에 해당하고, 전등을 껐을 때는 밤에 해당한다.

시간(분) / 물질	0	2	4	6	8	10	12	14	16	18	20
	전등을 켬.						전등을 끔.				
모래(℃)	15.0	18.0	21.1	24.9	28.0	31.0	31.0	30.2	29.1	28.0	27.0
물(℃)	15.0	16.3	17.4	18.4	19.6	20.9	20.9	20.8	20.5	20.3	20.1

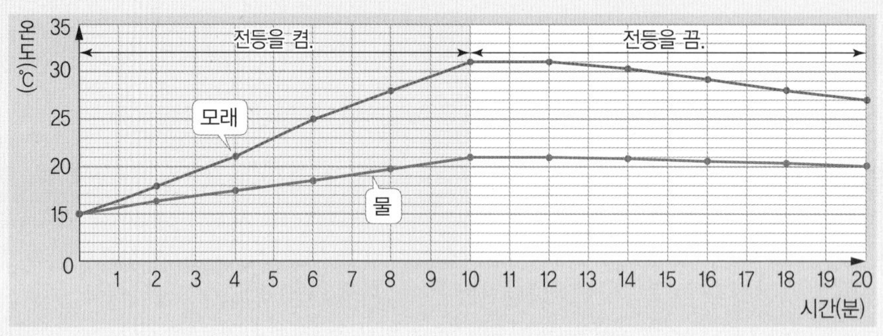

알 수 있는 사실 ▶ 모래는 물보다 빠르게 데워지고 빠르게 식으며, 물은 모래보다 천천히 데워지고 천천히 식는다.

정답과 해설 40쪽

[1~2] 다음과 같이 전등을 켜고 2분 간격으로 10분 동안 온도 변화를 측정하고, 전등을 끄고 2분 간격으로 10분 동안 모래와 물의 온도 변화를 측정했습니다. 물음에 답하시오.

(가)

▲ 전등을 켰을 때

(나)

▲ 전등을 껐을 때

1 앞 실험에 대한 설명으로 옳은 것에 ○표 하시오.

(1) 알코올 온도계의 액체샘이 모래와 물에 1cm 깊이로 꽂히도록 설치한다. ( )

(2) 모래 그릇 뒤에 설치하는 전등을 물 그릇 뒤에 설치하는 전등보다 큰 것으로 한다. ( )

2 다음 ( ) 안의 알맞은 말에 각각 ○표 하시오.

> ㉠(물, 모래)은/는 ㉡(물, 모래)보다 빠르게 데워지고 빠르게 식는다.

정답과 해설 40쪽

1 고기압과 저기압에 대한 설명으로 옳은 것은 어느 것입니까? (   )

① 상대적으로 저기압이 고기압보다 기압이 더 높다.
② 고기압과 저기압인 곳은 지역에 따라 정해져 있다.
③ 상대적으로 공기가 무거운 것을 고기압이라고 한다.
④ 상대적으로 저기압이 고기압보다 공기 알갱이가 더 많다.
⑤ 상대적으로 고기압이 저기압보다 공기 알갱이의 크기가 더 작다.

2 바람이 부는 까닭을 옳게 말한 사람의 이름을 쓰시오.

- 우호: 날씨가 추워지기 때문이야.
- 민지: 어느 두 지점의 기압이 동일하기 때문이야.
- 유진: 어느 두 지점 사이에 기압 차가 생기기 때문이야.
- 명현: 어느 두 지점의 공기 알갱이의 크기가 다르기 때문이야.

(   )

3 다음은 어느 두 지점의 공기 알갱이를 나타낸 그림입니다. 공기가 이동하는 방향을 옳게 표시한 것에 ○표 하시오.

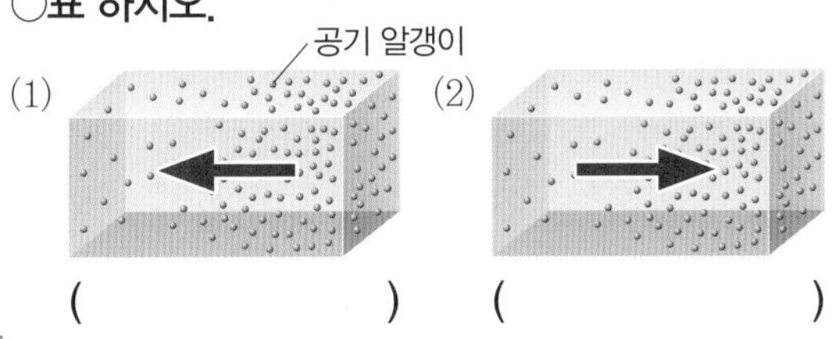

(1) (   ) (2) (   )

4 다음과 같이 플라스틱 통에 차가운 공기와 따뜻한 공기를 각각 넣고 무게를 측정하는 실험을 설명한 것으로 잘못된 것의 기호를 보기에서 골라 쓰시오.

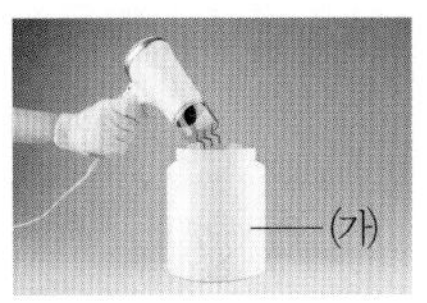

▲ 차가운 공기를 넣음.

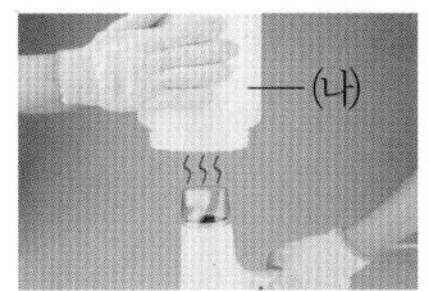

▲ 따뜻한 공기를 넣음.

보기

㉠ (가)와 (나)의 무게가 같다.
㉡ (가)는 (나)보다 기압이 높다.
㉢ 공기의 온도에 따른 공기의 무게를 비교하는 실험이다.
㉣ 차가운 공기는 밀도가 커서 플라스틱 통을 세운 채로 공기를 넣어야 한다.

(   )

5 다음 지면과 수면의 하루 동안 온도 변화를 나타낸 그래프를 보고 알 수 있는 것에 ○표 하시오.

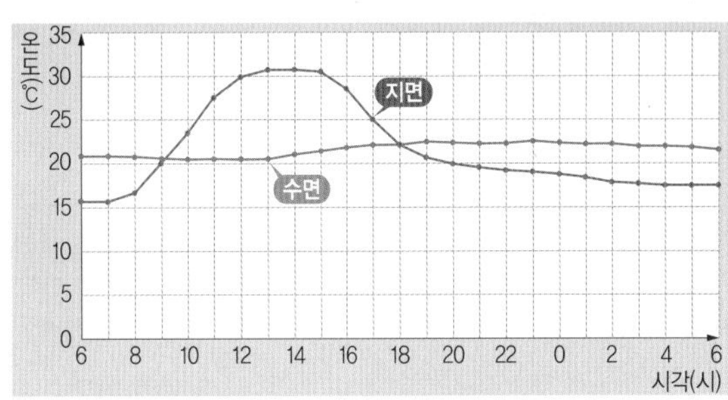

(1) 지면과 수면의 온도 차는 일정하다. (   )
(2) 수면은 지면보다 항상 온도가 낮다. (   )
(3) 지면이 수면보다 빨리 데워지고 빨리 식는다. (   )

6 다음 (   ) 안의 알맞은 말에 ○표 하시오.

무더운 여름철 낮에 맨발로 모래를 밟으면 뜨겁지만, 물에 들어가면 시원한 까닭은 낮에 지면이 수면보다 (느리게, 빠르게) 데워지기 때문이다.

3 해풍과 육풍, 계절별 날씨

개념 강의

만화로 보는
'해풍과 육풍'

1. 해풍과 육풍 교과서 속 탐구 48쪽

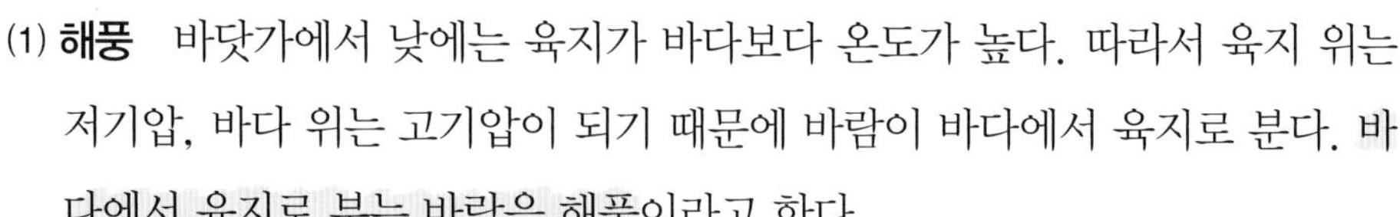

(1) **해풍** 바닷가에서 낮에는 육지가 바다보다 온도가 높다. 따라서 육지 위는 저기압, 바다 위는 고기압이 되기 때문에 바람이 바다에서 육지로 분다. 바다에서 육지로 부는 바람을 해풍이라고 한다.

(2) **육풍** 바닷가에서 밤에는 바다가 육지보다 온도가 높다. 따라서 바다 위는 저기압, 육지 위는 고기압이 되기 때문에 바람은 육지에서 바다로 분다. 육지에서 바다로 부는 바람을 육풍이라고 한다.

(3) **바람의 방향** 바람이 불어오는 방향을 바람의 방향이라고 한다. 따라서 해풍은 바다에서 육지로 부는 바람, 육풍은 육지에서 바다로 부는 바람이다. 마찬가지로 남쪽에서 바람이 불어오면 남풍, 북쪽과 서쪽 사이에서 바람이 불어오면 북서풍이라고 한다.

▲ 낮에 부는 바람(해풍)

▲ 밤에 부는 바람(육풍)

바람 자루가 날리는 방향

바닷가 주변이나 해양 도로 등에서 바람 자루가 날리는 방향을 보면 바람의 방향을 알 수 있다. 바닷가에서 해풍이 불면 바람 자루가 육지 쪽으로 펄럭인다.

심화 비열

어떤 물질 1kg의 온도를 1℃ 높이는 데 필요한 열량을 비열이라고 한다. 일반적으로 액체의 비열이 고체의 비열보다 크다. 비열이 클수록 온도를 높이는 데 더 많은 열량이 필요하기 때문에 액체의 온도가 고체보다 잘 변하지 않는다. 비열의 영향으로 바다는 육지보다 기온 변화가 작다. 또한 사막 지역은 해안 지역보다 일교차나 연교차가 크게 나타난다.

용어

- **일교차** 기온, 습도, 기압 따위가 하루 동안에 변화하는 차이.
- **연교차** 1년 동안 측정한 기온, 습도 따위의 최댓값과 최솟값의 차이.

2. 우리나라의 계절별 날씨

(1) **공기 덩어리와 날씨** 대륙이나 바다와 같이 넓은 곳을 덮고 있는 공기 덩어리가 한 지역에 오랫동안 머물게 되면 공기 덩어리는 그 지역의 온도나 습도와 비슷한 성질을 갖게 된다. 한 지역에 새로운 공기 덩어리가 이동해 오면 그 지역의 온도와 습도는 새롭게 이동해 온 공기 덩어리에 영향을 받는다.

(2) 우리나라에 영향을 주는 공기 덩어리

① 우리나라의 날씨는 주변 지역에서 이동해 오는 공기 덩어리 영향으로 계절별로 서로 다른 특징이 있다.
넓은 지역에 걸쳐 있는, 거의 같은 성질의 공기 덩어리를 기단이라고 한다.

② 봄과 가을: 남서쪽에서 이동해 오는 공기 덩어리 영향으로 따뜻하고 건조하다.
중국 양쯔강 유역에서 발생하는 기단

③ 여름: 남동쪽 바다에서 이동해 오는 공기 덩어리 영향으로 덥고 습하다.
북태평양에서 발생하는 기단

④ 겨울: 북서쪽 대륙에서 이동해 오는 공기 덩어리 영향으로 춥고 건조하다.
시베리아 일대에서 발생하는 기단

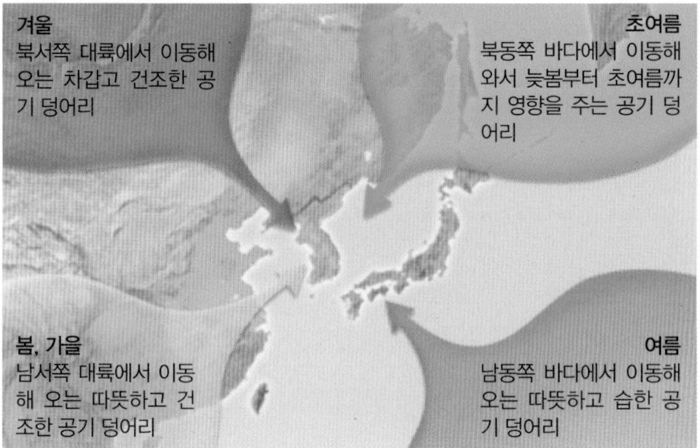

3. 날씨와 생활

(1) 날씨에 따라 달라지는 우리의 생활

① 날씨가 맑고 따뜻하면 나들이와 운동 등 야외 활동을 즐긴다.

② 날씨가 춥고 건조하면 따뜻한 옷을 입고 마스크를 착용해 감기에 걸리지 않도록 주의한다.

③ 황사나 미세 먼지가 많은 날은 외출 등의 야외 활동을 자제하고 외출할 때에는 마스크를 착용한다.

(2) 날씨 지수

날씨 지수를 확인하고 그날의 계획을 적절하게 세울 수 있다.

① 기상청에서는 우리가 다양한 날씨에 대처하도록 여러 가지 날씨 지수를 제공한다. 날씨 지수에는 감기 가능 지수, 불쾌지수, 식중독 지수, •자외선 지수, 피부 질환 지수 등이 있다.

② 감기 가능 지수는 기상 조건(최저 기온, 일교차, 현지 기압, 상대 습도)에 따른 감기 발생 가능 정도를 지수로 나타낸다.

③ 자외선 지수는 하루 중 태양이 가장 높이 떠 있을 때 지표면에 도달하는 자외선량을 지수로 나타낸다.

④ 피부 질환 지수는 기상 조건(최고 기온, 상대 습도)에 따른 피부 질환(피부 건조증, 무좀, 두드러기) 발생 가능 정도를 지수로 나타낸다.

날씨에 따라 달라지는 직업 모습

- 농부: 비가 많이 오면 도랑을 내어 빗물이 잘 빠질 수 있게 한다.
- 어부: 태풍이 불거나 파도가 높은 날에는 바다에 나갈 수 없다.
- 운전자: 비나 눈이 내리면 천천히 달리면서 안전 운전을 한다.

나만의 날씨 지수 만들기 예

- 제목: 양보 지수
- 설명: 기온이 너무 높거나 낮으면 불쾌감을 느낄 수 있다. 따라서 친구들끼리 다툼이 일어나지 않도록 양보 지수를 제공한다.

단계	대응 요령
좋음 (18℃~24℃)	함께 즐겁게 지낸다.
보통 (8℃~18℃), 24℃~28℃)	서로 배려한다.
경고 (8℃ 이하, 28℃ 이상)	내가 먼저 양보한다.

용어

- **자외선** 빛의 한 종류로 눈으로 볼 수는 없으나 살균 작용을 하며, 태양 광선 속의 자외선은 대기 중의 산소 분자에 의하여 대부분이 흡수되어 오존을 만듦.

바람이 부는 방향 관찰하기

과정

1. 모래와 물을 각각 $\frac{3}{4}$씩 담은 투명한 사각 플라스틱 그릇 두 개를 나란히 붙여 놓는다. 두 그릇 뒤에 일정한 거리를 두고 전등을 각각 설치한다.
2. 스탠드 두 개를 두 그릇 옆에 각각 놓고 알코올 온도계의 액체샘이 모래와 물에 1cm 깊이로 꽂히도록 스탠드에 알코올 온도계를 각각 설치한 뒤, 모래와 물의 온도를 측정해 본다.
3. 전등을 켜서 모래와 물을 5~6분 동안 가열한다. 가열한 모래와 물의 온도를 측정해 본다.
4. 가열한 모래와 물이 담긴 그릇을 투명한 상자로 덮는다.
5. 향에 불을 붙이고 투명한 상자 옆면 구멍으로 투명한 상자의 위쪽 중앙까지 향을 넣는다.
6. 약 30초 동안 향 연기의 움직임을 관찰한 뒤 향을 빼낸다.

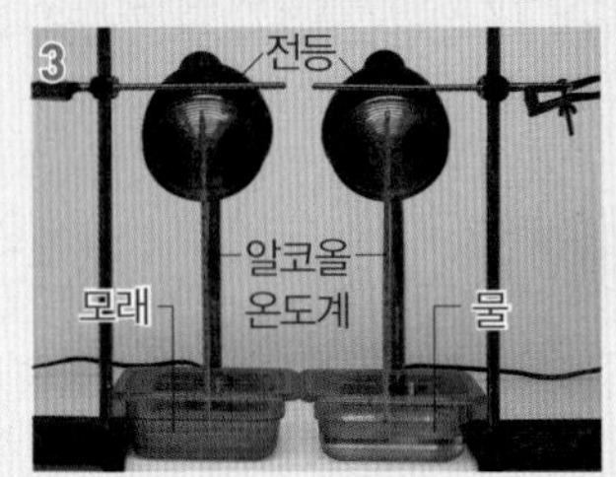

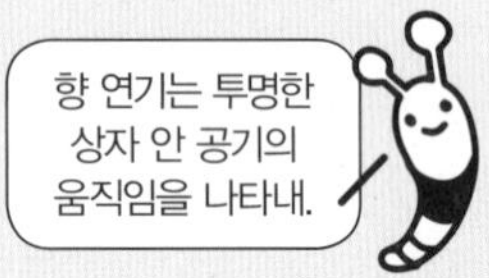

결과

- **가열하기 전의 온도**: 모래가 13.0℃, 물이 13.0℃로 모래와 물의 온도가 같다.
- **가열한 후의 온도**: 모래가 24.0℃, 물이 16.0℃로 모래가 물보다 높다.
- **향 연기의 움직임**: 물 쪽에서 모래 쪽으로 이동한다.

알 수 있는 사실

- 물은 모래보다 천천히 데워져서 공기가 온도가 낮은 물 위에서 온도가 높은 모래 쪽으로 이동한다.

정답과 해설 41쪽

[1~2] 다음과 같이 전등으로 가열한 모래와 물을 투명한 상자로 덮은 뒤 향을 넣었다가 뺐을 때 향 연기의 움직임을 알아보는 실험을 했습니다. 물음에 답하시오.

(가)

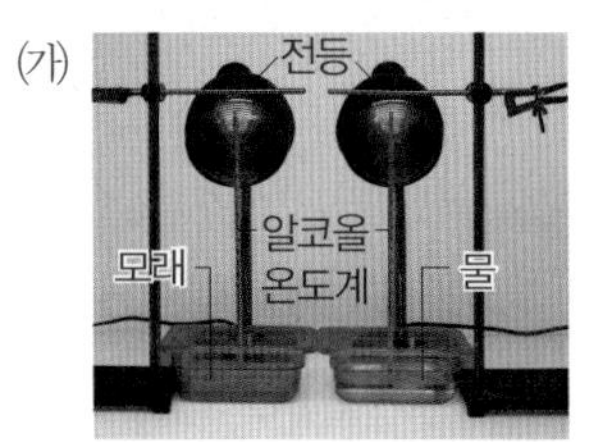

(나)

1 위 (가)에서 모래와 물 중 전등으로 가열한 뒤 측정한 온도가 더 높은 것을 쓰시오. (단, 가열하기 전의 온도는 모래와 물 모두 13.0℃임.)

( )

2 앞 (나)에서 향 연기의 이동 방향을 다음 그림 위에 화살표로 나타내시오.

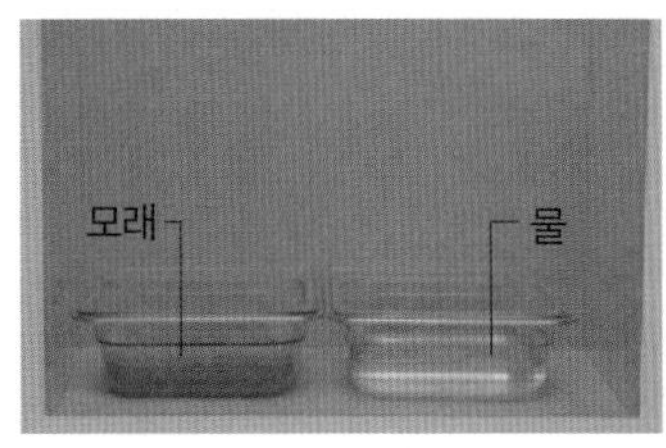

3 위 2번 답과 같이 향 연기가 수평으로 이동하는 것은 다음 중 무엇과 관련 있는지 골라 ○표 하시오.

비, 구름, 안개, 바람

확인 문제

정답과 해설 41쪽

1 다음은 낮에 바닷가의 모습입니다. 바람이 부는 방향을 그림 위에 화살표로 나타내시오.

[2~3] 전등으로 가열한 모래와 물을 오른쪽과 같이 투명한 상자로 덮은 뒤 향을 넣었을 때 향 연기의 움직임을 관찰하는 실험을 했습니다. 물음에 답하시오.

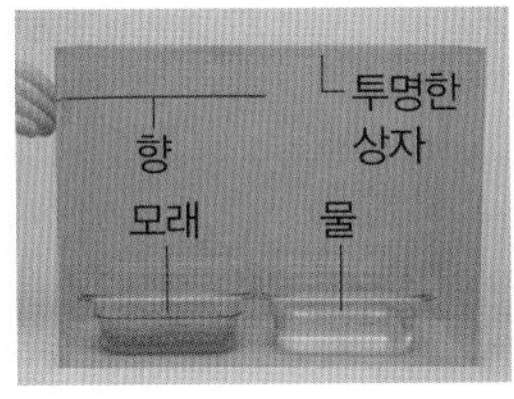

2 위 실험에서 전등으로 가열하기 전, 후 모래와 물의 온도를 측정한 결과가 다음과 같을 때 ㉠에 들어갈 알맞은 온도를 **보기**에서 골라 쓰시오.

구분	모래	물
가열하기 전의 온도(℃)	13.0	13.0
가열한 후의 온도(℃)	㉠	16.0

보기

9.0　13.0　16.0　24.0

(　　　　　　　　)

3 위 실험에서 투명한 상자 속의 향 연기가 움직이는 까닭으로 알맞은 것에 ○표 하시오.

(1) 물 위는 고기압이 되고 모래 위는 저기압이 되기 때문 (　　)

(2) 모래 위는 고기압이 되고 물 위는 저기압이 되기 때문 (　　)

4 다음 ㉠ 공기 덩어리에 대한 설명으로 (　　) 안의 알맞은 말에 각각 ○표 하시오.

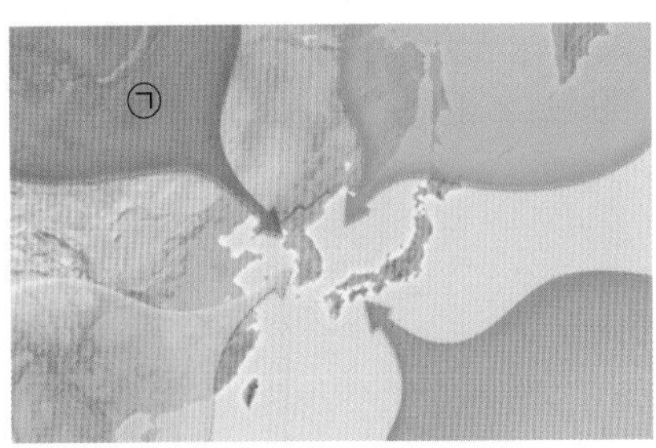

북서쪽 대륙에서 이동해 오는 공기 덩어리로 ㉠(차갑고, 따뜻하고) ㉡(습하다, 건조하다).

5 우리나라 여름철 날씨의 특징으로 알맞은 것을 **보기**에서 골라 기호를 쓰시오.

보기

㉠ 남동쪽에서 이동해 오는 공기 덩어리의 영향으로 덥고 습하다.

㉡ 북서쪽에서 이동해 오는 공기 덩어리의 영향으로 따뜻하고 건조하다.

㉢ 남서쪽에서 이동해 오는 공기 덩어리의 영향으로 따뜻하고 건조하다.

(　　　　　　　　)

6 날씨에 따른 우리 생활 모습으로 알맞은 것을 **보기**에서 찾아 각각 기호를 쓰시오.

보기

㉠ 우산을 쓰고, 장화를 신는다.

㉡ 두꺼운 옷을 입고 목도리를 착용한다.

㉢ 가벼운 옷차림으로 야외 활동을 즐긴다.

㉣ 야외 활동을 자제하고 외출할 때에는 마스크를 착용한다.

(1) 비 오는 날 (　　)

(2) 맑고 따뜻한 날 (　　)

(3) 황사나 미세 먼지가 많은 날 (　　)

[1~2] 다음과 같이 건습구 습도계를 이용하여 교실의 습도를 측정했습니다. 물음에 답하시오.

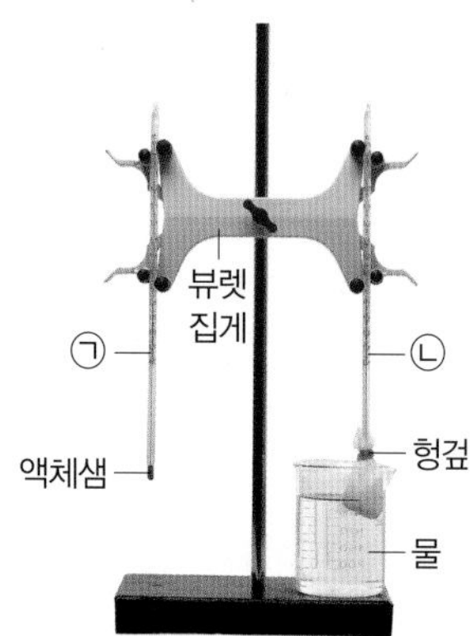

1 위 ㉠과 ㉡ 중 건구 온도계와 습구 온도계를 각각 골라 알맞은 기호를 쓰시오.

(1) 건구 온도계: (　　　　　　　)

(2) 습구 온도계: (　　　　　　　)

2 다음 습도표를 보고, 위 ㉠ 온도계의 온도가 26℃이고, ㉡ 온도계의 온도가 22℃일 때 교실의 현재 습도를 구하시오.

(단위: %)

건구 온도(℃)	건구 온도와 습구 온도의 차(℃)				
	0	1	2	3	4
26	100	92	85	78	71
27	100	92	85	78	71
28	100	93	85	78	72
29	100	93	86	79	72
30	100	93	86	79	73

(　　　　　　　)%

3 습도가 우리 생활에 미치는 영향에 대해 옳게 설명한 것을 두 가지 고르시오. (　　　　)

① 습도가 낮으면 산불이 나기 쉽다.
② 습도가 낮으면 음식이 상하기 쉽다.
③ 습도가 낮으면 감기에 걸리기 쉽다.
④ 습도가 높으면 젖은 수건이 잘 마른다.
⑤ 습도가 높으면 곰팡이가 생기지 않는다.

4 습도를 조절하는 방법이 잘못된 것의 기호를 쓰시오.

> ㉠ 가습기를 사용하여 실내 습도를 높인다.
> ㉡ 마른 숯을 실내에 놓아두어 습도를 낮춘다.
> ㉢ 옷장이나 신발장 속에 제습제를 넣어 습도를 높인다.
> ㉣ 실내에서 식물을 키워 적절한 습도를 유지하는 데 도움을 준다.

(　　　　　　　)

5 이슬에 대한 설명에는 '이', 안개에 대한 설명에는 '안', 이슬과 안개에 모두 해당하는 설명에는 '모'라고 쓰시오.

(1) 작은 물방울이 공중에 떠 있는 현상이다. (　　)

(2) 작은 물방울이 물체 표면에 맺히는 현상이다. (　　)

(3) 공기 중의 수증기가 응결하여 물방울로 변하면서 나타난다. (　　)

(4) 밤에 차가워진 나뭇가지나 풀잎 표면 등에 수증기가 응결해 물방울로 맺히는 것이다. (　　)

(5) 밤에 지표면 근처의 공기가 차가워지면 공기 중 수증기가 응결해 작은 물방울로 떠 있는 것이다. (　　)

6 다음 실험 (가)와 (나)에서 나타나는 현상과 비슷한 자연 현상은 무엇인지 각각 쓰시오.

• 실험 (가)
따뜻한 물이 담겨 있던 집기병 안에 향 연기를 넣은 뒤, 조각 얼음이 담긴 페트리 접시를 집기병 위에 올려놓았을 때 집기병 안에서 나타나는 현상

• 실험 (나)
물과 얼음 조각을 $\frac{2}{3}$ 정도 넣은 집기병 표면을 마른 수건으로 닦은 뒤, 집기병 표면에서 나타나는 현상

(1) 실험 (가): (　　　　　　　　)
(2) 실험 (나): (　　　　　　　　)

7 다음은 이슬, 안개, 구름의 공통점과 차이점을 정리한 표입니다. 빈칸에 알맞은 말을 **보기**에서 골라 알맞은 기호를 각각 쓰시오.

보기
㉠ 물체 표면에 맺힌다.
㉡ 높은 하늘에 떠 있다.
㉢ 지표면 근처에 떠 있다.
㉣ 건조한 실내에 떠 있다.

구분	이슬	안개	구름
공통점	수증기가 응결해 나타나는 현상이다.		
차이점	(1)	(2)	(3)

8 다음 실험 결과에서 (　　) 안에 들어갈 알맞은 말을 쓰시오.

• 실험 방법: 페트병 안 온도가 더 이상 변하지 않을 때까지 페트병 안에 공기를 넣은 뒤, 공기 주입 마개 뚜껑을 연다.

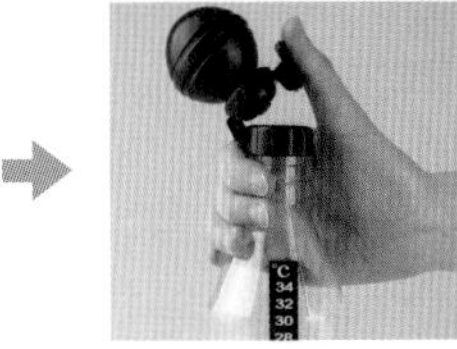

• 실험 결과: 페트병 안이 뿌옇게 흐려진다. 이것은 자연 현상 중에서 (　　　　)이/가 만들어지는 현상과 비슷하다.

(　　　　　　　　)

9 다음 설명 중 옳은 것에 ○표, 옳지 않은 것에 ×표 하시오.

(1) 공기는 무게가 있다. (　　)
(2) 공기의 무게로 생기는 누르는 힘을 바람이라고 한다. (　　)
(3) 일정한 부피에 공기 알갱이가 많을수록 공기는 가벼워진다. (　　)

10 고기압과 저기압이 무엇인지 설명하여 쓰고, 바람이 부는 방향을 고기압, 저기압과 관련하여 쓰시오.

11 다음은 공기의 온도에 따른 공기의 무게를 비교하는 실험에 대한 설명입니다. 밑줄 친 부분의 까닭으로 옳은 것을 보기 에서 골라 기호를 쓰시오.

차가운 공기를 넣을 때는 <u>플라스틱 통을 세우고</u>, 따뜻한 공기를 넣을 때는 <u>플라스틱 통을 뒤집는다.</u>

▲ 차가운 공기를 넣을 때

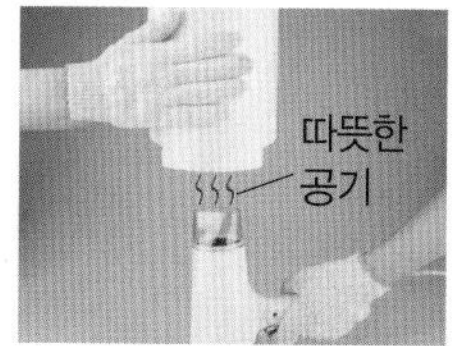

▲ 따뜻한 공기를 넣을 때

보기

㉠ 차가운 공기는 위로 올라가기 때문
㉡ 따뜻한 공기는 아래로 가라앉기 때문
㉢ 따뜻한 공기를 넣으면 플라스틱 통이 뜨겁기 때문
㉣ 차가운 공기는 밀도가 크고, 따뜻한 공기는 밀도가 작기 때문

( )

[12~14] 다음과 같이 장치한 뒤 각각 2분 간격으로 10분씩 20분 동안 모래와 물의 온도 변화를 측정했습니다. 물음에 답하시오.

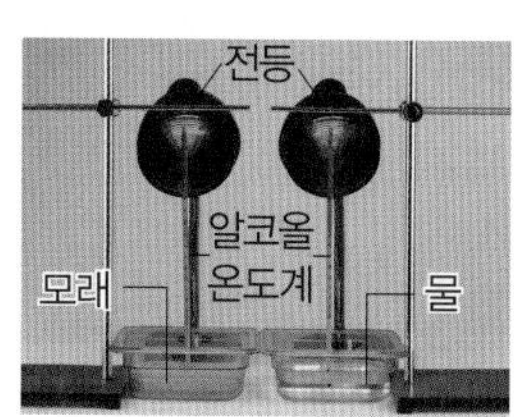

▲ 전등을 켰을 때

▲ 전등을 껐을 때

12 다음은 앞 결과를 표와 그래프로 나타낸 것입니다. 그래프에서 ㉠과 ㉡ 중 모래의 온도 변화를 나타낸 것의 기호를 쓰시오.

시간(분) / 물질	0	2	4	6	8	10	12	14	16	18	20
	전등을 켬.						전등을 끔.				
모래(℃)	15.0	18.0	21.1	24.9	28.0	31.0	31.0	30.2	29.1	28.0	27.0
물(℃)	15.0	16.3	17.4	18.4	19.6	20.9	20.9	20.8	20.5	20.3	20.1

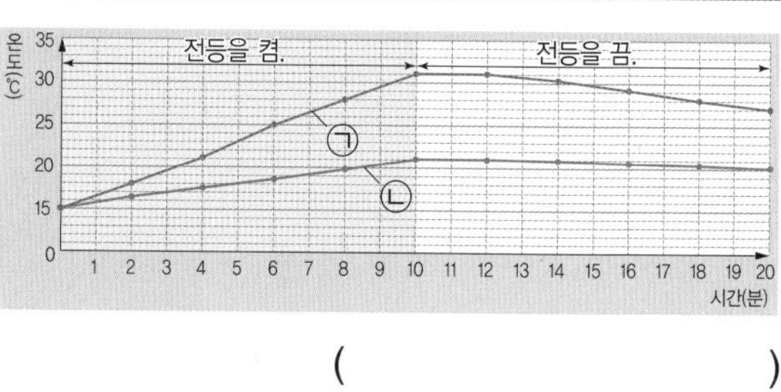

( )

13 앞 실험 결과를 통해 알 수 있는 사실로 ( ) 안의 알맞은 말에 각각 ○표 하시오.

(1) 전등을 켰을 때 모래는 ㉠(빨리, 천천히) 데워지고, 물은 ㉡(빨리, 천천히) 데워진다.
(2) 전등을 껐을 때 모래는 ㉠(빨리, 천천히) 식고, 물은 ㉡(빨리, 천천히) 식는다.
(3) ㉠(물, 모래)은/는 ㉡(물, 모래)보다 온도 변화가 크다.

14 앞 실험에서 사용한 모래, 물, 전등이 오른쪽과 같은 실제 자연에서 무엇을 나타내는지 보기 에서 각각 골라 쓰시오.

보기

바다, 육지, 태양, 바람, 공기

(1) 모래: ( )
(2) 물: ( )
(3) 전등: ( )

15 다음 ㉠, ㉡에 들어갈 알맞은 말을 각각 쓰시오.

> 바다에서 육지로 부는 바람을 (㉠)이라고 하고, 육지에서 바다로 부는 바람을 (㉡)이라고 한다.

㉠ ( ), ㉡ ( )

16 바닷가에서 부는 바람의 방향이 낮과 밤에 바뀌는 까닭을 쓰시오.

17 전등으로 모래와 물을 가열한 뒤 오른쪽과 같이 투명한 상자로 덮고 향 연기를 넣었습니다. 향 연기가 이동하는 방향으로 알맞은 것에 ○표 하시오.

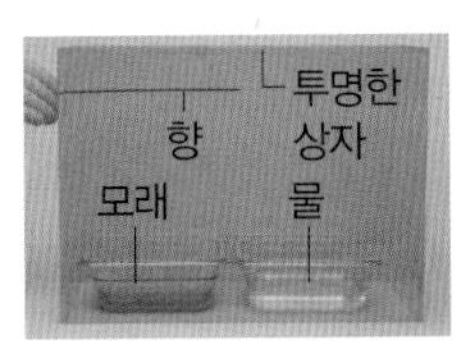

(1)  ( )

(2) 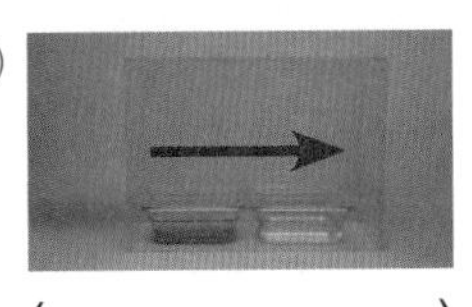 ( )

18 다음 ( ) 안에 공통으로 들어갈 알맞은 말을 쓰시오.

> • 한 지역에 새로운 ( )이/가 이동해 오면 그 지역의 온도와 습도는 새롭게 이동해 온 ( )에 영향을 받는다.
> • 우리나라의 날씨는 주변 지역에서 이동해 오는 ( )의 영향으로 계절별로 서로 다른 특징이 있다.

( )

19 다음 ㉠~㉣은 계절별로 우리나라 날씨에 영향을 주는 공기 덩어리입니다. 각 계절에 영향을 주는 공기 덩어리의 기호를 각각 쓰시오.

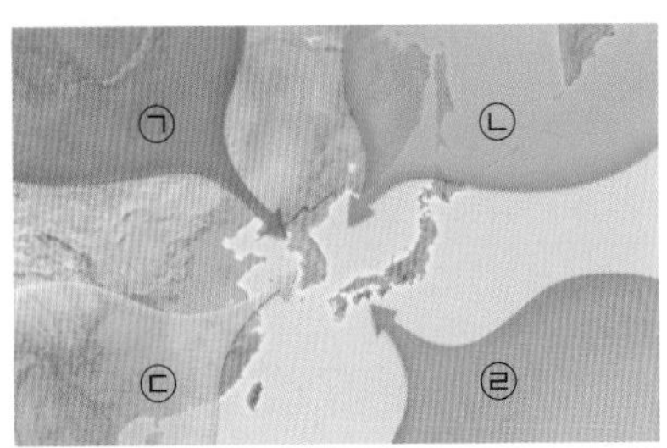

(1) 봄, 가을: ( )

(2) 여름: ( )

(3) 겨울: ( )

20 다음은 감기 가능 지수입니다. 주말의 감기 가능 지수 예보가 '매우 높음'일 때 적절한 주말 계획에 ○표 하시오.

단계	대응 요령
매우 높음	• 가급적 외출 자제하기 • 외출 시 마스크, 목도리를 착용하여 몸을 따뜻하게 하고 체온을 유지하기
높음	• 충분한 수면을 취하기 • 체온을 유지하고 실내를 적정한 온도와 습도로 유지하기
보통	• 규칙적인 생활 습관 유지하기 • 수분을 적절히 섭취하고, 외출 후 손과 발을 씻기
낮음	• 감기 예방을 위한 건강한 생활 습관 유지하기

(1) 추위를 이기기 위해 시원한 물로 씻는다. ( )

(2) 꼭 필요한 일이 아니면 집에서 되도록 나가지 않는다. ( )

(3) 간편한 운동복을 입고 친구들과 운동장에서 축구를 한다. ( )

1 내 방의 습도가 20%일 때, 내 방의 습도를 적정하게 조절하는 방법을 쓰고, 그 까닭을 쓰시오.

2 다음은 이슬과 안개의 모습입니다. 이슬과 안개의 공통점과 차이점을 한 가지씩 쓰시오.

▲ 이슬

▲ 안개

3 다음은 비와 눈의 모습입니다. 비와 눈이 내리는 과정을 각각 설명하여 쓰시오.

▲ 비

▲ 눈

4 다음은 구름 발생 실험 과정입니다. 과정 ㈑에서 나타나는 온도 변화와 페트병 안의 현상을 각각 쓰시오.

㈎ 페트병에 액정 온도계를 넣고, 공기 주입 마개로 덮는다.
㈏ 공기 주입 마개를 눌러 페트병 안에 공기를 넣는다. 이때 페트병 안 온도 변화를 관찰한다.
㈐ 페트병 안 온도가 더 이상 변하지 않을 때 페트병 안 온도를 측정한다.
㈑ 공기 주입 마개 뚜껑을 열어 페트병 안 온도를 측정하고, 이때 나타나는 변화를 관찰한다.

㈏

㈑
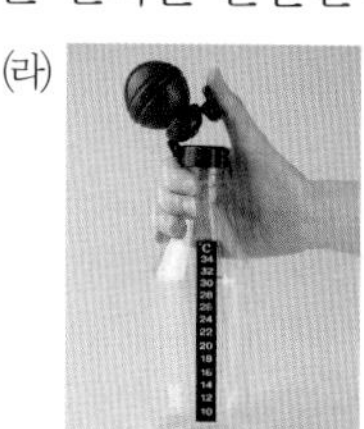

5 다음 ㉠과 ㉡ 중 더 무거운 것의 기호를 쓰고, 그 까닭을 쓰시오.

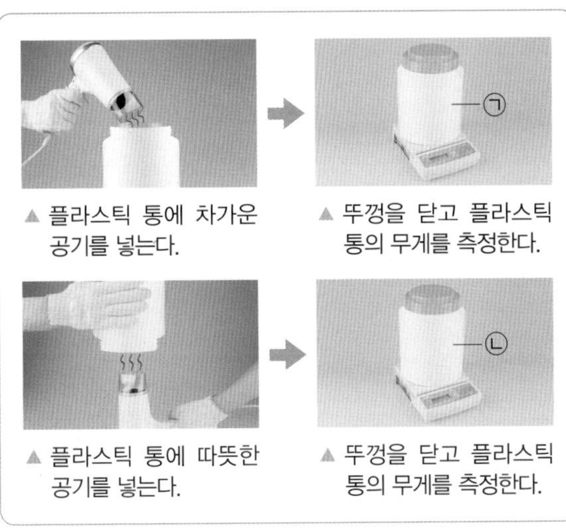

▲ 플라스틱 통에 차가운 공기를 넣는다.
▲ 뚜껑을 닫고 플라스틱 통의 무게를 측정한다.
▲ 플라스틱 통에 따뜻한 공기를 넣는다.
▲ 뚜껑을 닫고 플라스틱 통의 무게를 측정한다.

6 다음 그래프를 바탕으로 지면과 수면의 하루 동안 온도 변화를 쓰시오.

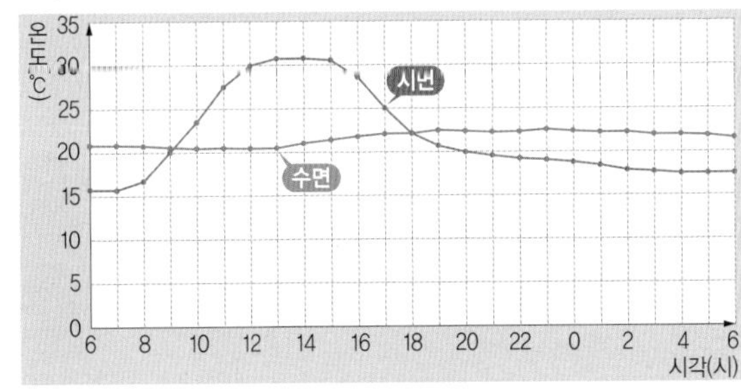

7 다음은 전등을 켜서 가열한 모래와 물이 담긴 그릇을 투명한 상자로 덮은 다음, 그 안에 향 연기를 넣었을 때 향 연기의 움직임을 나타낸 것입니다. 이때 공기의 이동을 고기압, 저기압과 관련지어 쓰시오.

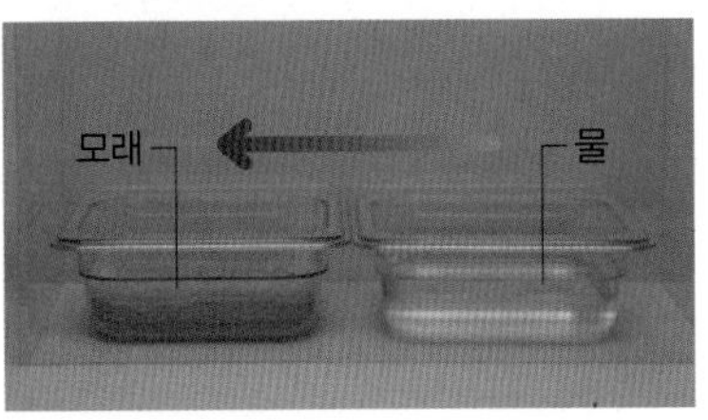

8 다음 ㉠~㉢ 중 여름에 우리나라의 날씨에 영향을 미치는 공기 덩어리의 기호를 쓰고, 그 공기 덩어리의 성질을 온도, 습도와 관련지어 쓰시오.

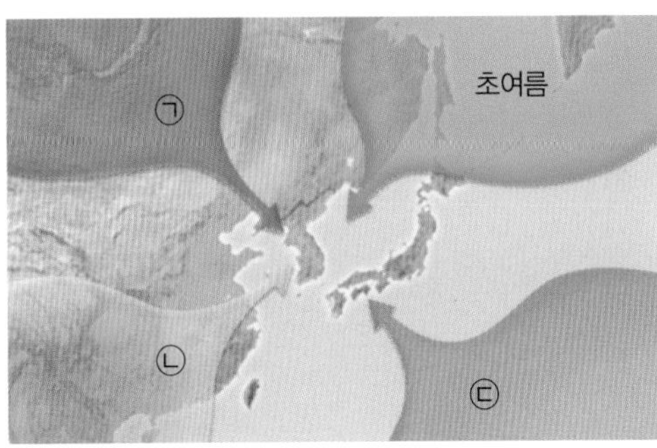

핵심 정리

습도가 우리 생활에 미치는 영향

습도가 높을 때	• 음식물이 부패하기 쉽다. • 빨래가 잘 마르지 않는다.
습도가 낮을 때	• 감기에 걸리기 쉽다. • 산불이 발생하기 쉽다.

▶ 습도는 건습구 습도계로 측정할 수 있다.

이슬, 안개, 구름

구분		이슬	안개	구름
공통점		수증기가 응결해 나타나는 현상이다.		
차이점	만들어지는 과정	밤에 차가워진 나뭇가지나 풀잎 등에 공기 중 수증기가 응결한다.	밤에 지표면 근처의 공기가 차가워지면 공기 중 수증기가 응결한다.	공기가 위로 올라가 차가워지면 공기 중 수증기가 응결하거나 얼음 알갱이로 변한다.
	만들어지는 위치	물체 표면에 맺힌다.	지표면 근처에 떠 있다.	높은 하늘에 떠 있다.

▶ 이슬, 안개, 구름은 모두 공기 중 수증기가 응결한 것이지만, 만들어지는 과정과 위치가 다르다.

고기압과 저기압

고기압	상대적으로 공기가 무거운 것이다.
저기압	상대적으로 공기가 가벼운 것이다.

해풍과 육풍

해풍	• 바다에서 육지로 부는 바람이다. • 바닷가에서 낮에는 육지가 바다보다 온도가 높아서 바다 위는 고기압이 되기 때문에 해풍이 분다.
육풍	• 육지에서 바다로 부는 바람이다. • 바닷가에서 밤에는 바다가 육지보다 온도가 높아서 육지 위는 고기압이 되기 때문에 육풍이 분다.

▶ 바닷가에서는 낮과 밤에 바람이 부는 방향이 바뀐다.

계절별 날씨와 공기 덩어리

봄, 가을 (양쯔강 기단)	• 봄과 가을에 중국 양쯔강 유역에서 발생한다. • 온도가 높고 건조하다.
초여름 (오호츠크해 기단)	• 오호츠크해에서 발생한다. • 늦봄에 발생하여 초여름까지 우리나라에 영향을 준다.
여름 (북태평양 기단)	• 북태평양에서 발생하며 여름에 우리나라로 세력을 확장해 온다. • 온도가 높고 습하다.
겨울 (시베리아 기단)	• 시베리아 일대에서 발생한다. • 온도가 낮고 건조하다.

▶ 우리나라는 주변 지역에서 이동해 오는 공기 덩어리 영향으로 계절별 날씨가 다르다.

구름과 강수

1 구름

개념 39쪽

구름은 공기가 단열 팽창하여 생성된다. 단열 팽창은 공기가 주변과 열을 주고받지 않고 팽창하는 현상이다.

지표면 중 일부분이 강하게 가열될 때, 기압이 낮은 곳으로 공기가 모여들 때, 공기가 산을 타고 오를 때, 따뜻한 공기와 찬 공기가 만날 때와 같이 공기 덩어리가 상승하는 경우에 구름이 만들어진다.

기온이 낮아져 공기 중의 수증기가 응결하기 시작할 때의 온도를 이슬점이라고 한다.

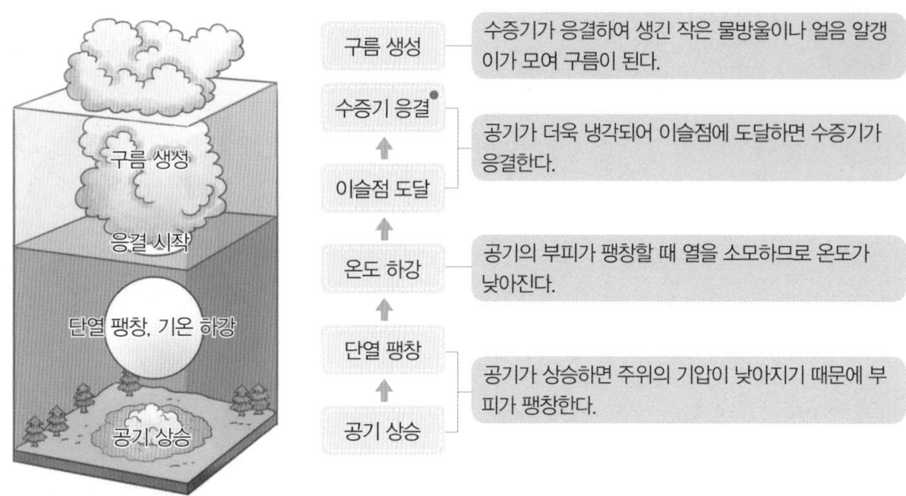

2 강수

개념 39쪽

구름에서 **비**나 **눈**이 지표로 떨어지는 것을 강수라고 한다. 중위도나 고위도 지방에서는 물방울에서 증발한 수증기가 얼음 알갱이에 달라붙어 얼음 알갱이가 커진다. 얼음 알갱이가 그대로 내리면 눈이 되고, 떨어지는 과정에서 녹으면 비가 된다.

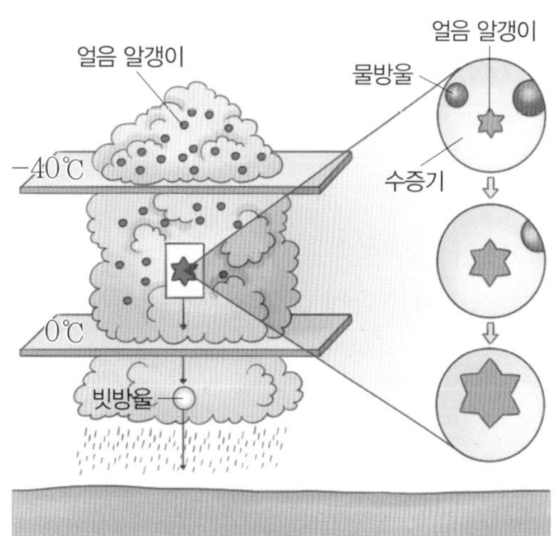

VISUAL SCIENCE

비주얼 **사이언스**

39쪽 참고 기권의 층상 구조

기권은 높이에 따른 기온 변화를 기준으로 대류권, 성층권, 중간권, 열권의 4개 층으로 구분한다.

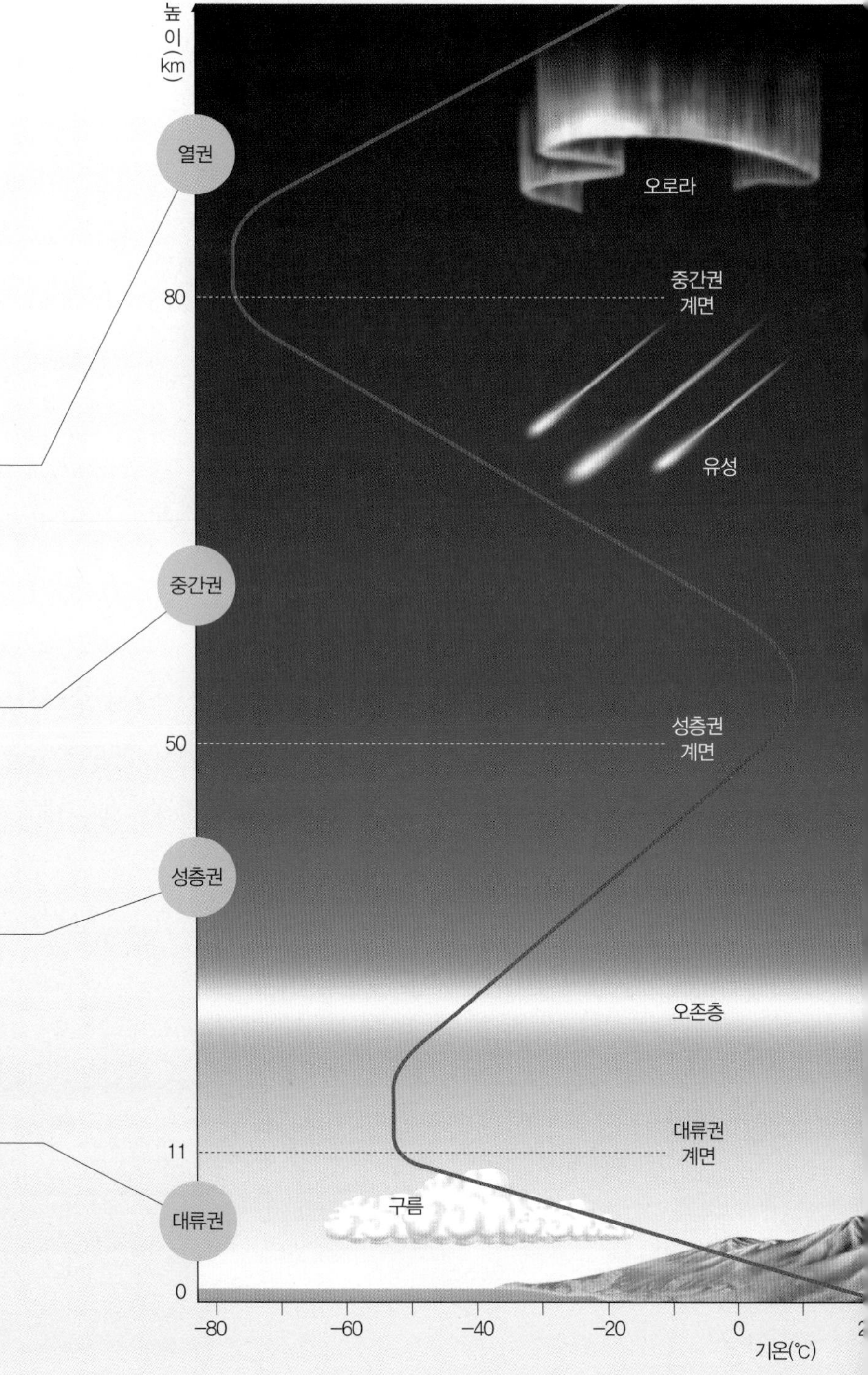

낮과 밤의 기온 차이가 매우 크고, 오로라가 나타나기도 한다. 오로라는 태양에서 방출된 입자의 일부가 지구 자기장에 이끌려 대기로 진입하면서 공기 분자와 반응하여 빛을 내는 현상이다.

수증기가 거의 없어서 기상 현상은 나타나지 않고, 유성이 관측되기도 한다. 유성은 지구의 대기권 안으로 들어와 빛을 내며 떨어지는 작은 물체이다.

오존이 집중적으로 모여 있는 오존층이 존재하며, 대류가 일어나지 않아 매우 안정하다. 오존층은 태양에서 오는 자외선을 흡수하여 지상의 생명체를 보호한다.

대류권에는 공기 대부분이 모여 있으며, 대류가 활발하게 일어나고 수증기가 있어서 비나 눈 등의 기상 현상이 나타난다.

▲ 지표면이 강하게 가열될 때

▲ 공기가 한군데로 모여들 때

▲ 공기가 산을 타고 오를 때

▲ 따뜻한 공기와 찬 공기가 만날 때

구름이 생성되는 경우

대기 중에서 구름이 생성되기 위해서는 지표의 공기 덩어리가 상승해야 한다. 공기가 자연 상태에서 상승하는 경우는 지표면이 강하게 가열될 때, 공기가 한군데로 모여들 때, 공기가 산을 타고 오를 때, 따뜻한 공기와 찬공기가 만날 때 등이다.

해륙풍

바닷가에서 하루를 주기로 방향이 바뀌는 바람을 해륙풍이라고 한다.
바닷가에서 낮에는 해풍이 불고, 밤에는 육풍이 분다.

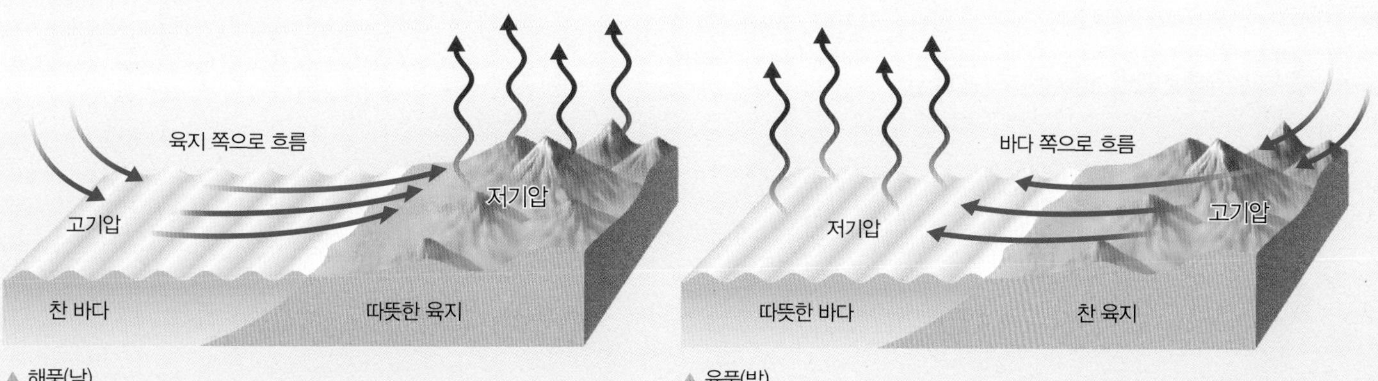

▲ 해풍(낮)
▲ 육풍(밤)

4 물체의 운동

1 운동하는 물체

2 물체의 빠르기 비교

3 속력과 안전

이 단원의 학습

• 5~6학년군 **물체의 운동**

후속 학습

• 중학교 1~3학년군
운동과 에너지

운동하는 물체

만화로 보는
'운동하는 물체'

1. 물체의 운동

(1) 운동하는 물체와 운동하지 않는 물체

① 시간이 지남에 따라 물체의 위치가 변할 때 물체가 운동한다고 한다.

② 도로에서 이동하는 사람과 자동차는 시간이 지남에 따라 위치가 변하기 때문에 운동을 하는 물체이고, 신호등과 도로 표지판은 시간이 지나도 위치가 변하지 않기 때문에 운동하지 않는 물체이다.

(2) 물체의 운동을 나타내는 방법  64쪽

교과서 속 탐구 64쪽

① 물체의 운동은 물체가 이동하는 데 걸린 시간과 이동 거리로 나타낸다.

② 다음 그림에서 자전거의 운동은 "자전거는 1초 동안 2m를 이동했다."라고 나타낸다.

물체의 이동 거리를 측정할 때에는 물체의 앞쪽 끝부분을 기준으로 측정하면 편리하다.

③ 나무의 운동은 "나무는 1초 동안 위치가 변하지 않았다."라고 나타낸다.

"나무는 멈춰 있다."라고 표현하지 않는다.

④ 운동하는 물체는 자전거이고, 운동하지 않는 물체는 나무이다.

긴 거리를 이동하는 철새

철새는 수십 일에 걸쳐 수백 킬로미터의 거리를 이동한다. 이러한 철새의 운동을 걸린 시간과 이동 거리로 나타낼 수 있다. 예를 들어 "청둥오리는 180일 동안 850km를 이동했다."라고 나타낸다.

보충 플러스 우리 생활에서 운동하는 물체와 운동하지 않는 물체 구분하기

구분	운동하는 물체	운동하지 않는 물체
뜻	시간이 지남에 따라 위치가 변하는 물체	시간이 지나도 위치가 변하지 않는 물체
예	걷는 사람, 하늘을 나는 비둘기, 떨어지는 낙엽, 공을 차는 아이, 국기 게양대에서 내려지는 국기, 달리는 자동차, 하늘을 나는 비행기, 달리는 육상 선수 등	신호등, 도로 표지판, 건물, 버스 정류장, 가로수, 가로등, 분수대, 동상, 연못, 국기 게양대, 음수대, 주차된 자동차, 탑승객이 내리고 있는 비행기, 출발 신호를 기다리는 육상 선수 등

용어

- **음수대** 물을 마실 수 있도록 만들어 놓은 곳.
- **철새** 철을 따라서 이리저리 옮겨 다니며 사는 새.

2. 여러 가지 물체의 운동

(1) 빠르게 운동하는 물체와 느리게 운동하는 물체 로켓은 달팽이보다 빠르게 운동하고 달팽이는 로켓보다 느리게 운동한다.

(2) 빠르기가 변하는 운동을 하는 물체

① 물체의 빠르기가 변한다는 것은 물체가 점점 느려지는 것, 물체가 점점 빨라지는 것, 물체가 빨라지거나 느려지는 것이다.

② 롤러코스터, 치타, 컬링 스톤, 비행기, 펭귄, 배드민턴공 등은 빠르기가 변하는 운동을 한다.

▲ 롤러코스터 내리막길에서 빨라지고 오르막길에서 느려진다.

▲ 치타

▲ 컬링 스톤

(3) 빠르기가 일정한 운동을 하는 물체

① 물체의 빠르기가 일정하다는 것은 물체의 빠르기가 변하지 않는 것이다.

② 자동계단, 자동길, 케이블카, 스키장 승강기, •우주 정거장 등은 빠르기가 일정한 운동을 한다.

▲ 자동계단

▲ 자동길

▲ 케이블카

(4) 여러 가지 놀이 기구의 운동

① **바이킹:** 바이킹이 타고 다녔던 배를 본떠 만든 놀이 기구로 빠르기가 변하는 운동을 한다. 위로 올라갈 때에는 점점 느려지다가 최고 높이에서 잠시 멈추고 다시 내려올 때에는 점점 빠르게 운동한다.

② **범퍼카:** 서로 부딪치면서 놀 수 있는 전기 자동차로 빠르기가 변하는 운동을 한다. 범퍼카의 가속 발판을 밟으면 속력이 점점 빨라지는데, 이때 다른 차와 부딪치면 빠르기가 갑자기 느려진다.

③ **대관람차:** 거대한 바퀴 둘레에 작은 방 여러 개가 매달려 일정한 빠르기로 회전하는 놀이 기구이다.

④ **순환 열차:** 관람객을 태우고 레일을 따라 일정한 빠르기로 놀이공원을 순환하는 열차이다.

먹이를 향해 날아드는 물수리

물수리는 평소에 하늘을 느리게 이동하며 날다가 먹이를 잡을 때 빠르게 이동하며 낙하해 물속에 있는 먹이를 낚아챈다.

용어

• **우주 정거장** 지구 주위를 도는, 사람이 있는 인공위성. 우주 비행사나 연구자가 머물 수 있도록 설계한 기지임.

물체의 운동 나타내기

과정

1. 1초 간격으로 거리의 모습을 나타낸 다음 그림을 보고 운동한 물체와 운동하지 않은 물체를 찾아본다.
2. 그림에 있는 물체의 운동을 이동하는 데 걸린 시간과 이동 거리로 나타내 본다.

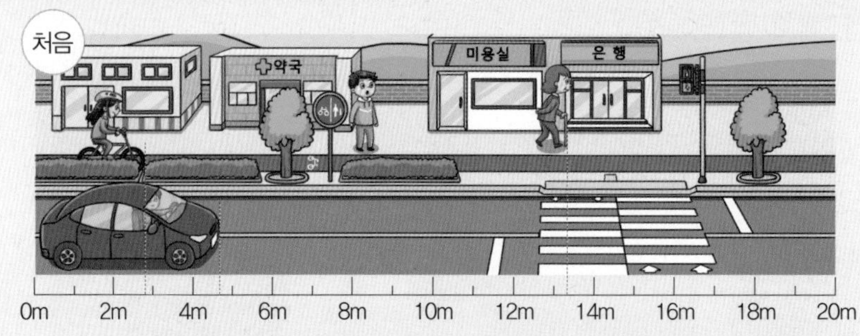

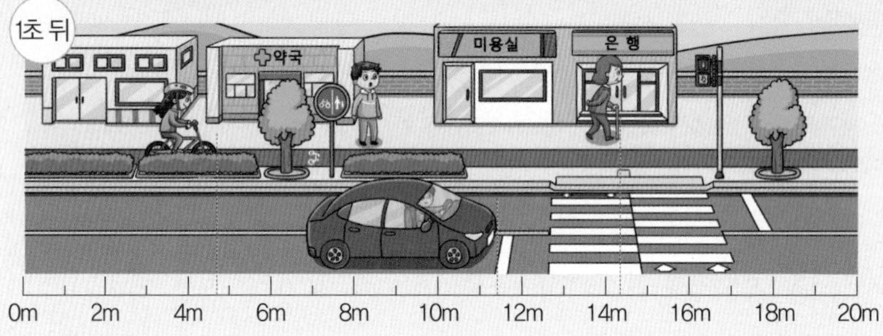

결과

▶ **운동한 물체**: 자전거, 자동차, 할머니 등

▶ **운동하지 않은 물체**: 남자아이, 나무, 신호등, 도로 표지판, 건물 등

▶ **물체의 운동**: 자전거는 1초 동안 2m를 이동했다. 자동차는 1초 동안 7m를 이동했다. 할머니는 1초 동안 1m를 이동했다.

알 수 있는 사실 ▶ 물체의 운동은 물체가 운동하는 데 걸린 시간과 이동 거리로 나타낸다.

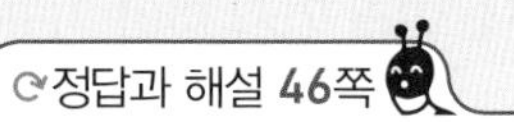
정답과 해설 46쪽

[1~2] 다음은 1초 간격으로 거리의 모습을 나타낸 것입니다. 물음에 답하시오.

1 앞 그림을 보고 운동한 물체와 운동하지 않은 물체를 빈칸에 한 가지씩 쓰시오.

운동한 물체	운동하지 않은 물체
(1)	(2)

2 위 1번 답에서 운동한 물체의 운동을 이동하는 데 걸린 시간과 이동 거리로 나타내어 쓰시오.

확인 문제

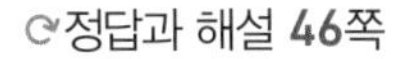
정답과 해설 46쪽

1 다음 (　　) 안에 들어갈 알맞은 말을 쓰시오.

> 시간이 지남에 따라 물체의 (　　　　)이/가 변할 때 물체가 운동한다고 한다.

(　　　　　　　　　　)

2 나무의 운동을 나타내는 표현 중 알맞은 것에 ○표 하시오.

(1) 나무는 멈춰 있다. (　　)

(2) 나무는 1초 동안 위치가 변하지 않았다. (　　)

3 물체의 운동에 대해 옳게 말한 사람의 이름을 쓰시오.

> • 승호: 물체의 운동은 말로 나타낼 수 없어.
> • 인희: 물체의 운동은 물체가 멈춰 있던 시간과 이동 거리로 나타내야 해.
> • 재우: 자동차의 운동을 나타낼 때는 "자동차는 1초 동안 이동했다."라고 해.
> • 리진: 자전거의 운동을 나타낼 때는 "자전거는 1초 동안 2m를 이동했다."라고 해.

(　　　　　　　　　　)

4 두 물체의 빠르기를 비교하여 ○ 안에 >, =, <로 나타내시오.

(1) 로켓 ○ 달팽이

(2) 자전거 ○ 자동차

(3) 개미 ○ 치타

5 물체의 빠르기가 변한다는 의미를 **보기**에서 모두 골라 알맞은 기호를 쓰시오.

> **보기**
> ㉠ 물체의 빠르기가 일정한 것을 말한다.
> ㉡ 물체의 빠르기가 점점 느려지는 것을 말한다.
> ㉢ 물체의 빠르기가 점점 빨라지는 것을 말한다.
> ㉣ 물체의 빠르기가 빨라지거나 느려지는 것을 말한다.

(　　　　　　　　　　)

6 다음 중 빠르기가 변하는 운동을 하는 물체에는 ○표, 빠르기가 일정한 운동을 하는 물체에는 ×표 하시오.

(1)

▲ 롤러코스터

(　　　　)

(2)

▲ 자동계단

(　　　　)

(3)

▲ 자동길

(　　　　)

(4)

▲ 배드민턴공

(　　　　)

물체의 빠르기 비교

만화로 보는
'물체의 빠르기 비교'

1. 일정한 거리를 이동한 물체의 빠르기

(1) **일정한 거리를 이동한 물체의 빠르기 비교** 일정한 거리를 이동한 물체의 빠르기는 물체가 이동하는 데 걸린 시간으로 비교한다. 일정한 거리를 이동하는 데 짧은 시간이 걸린 물체가 긴 시간이 걸린 물체보다 더 빠르다.

(2) **수영 경기에서 선수들의 빠르기 비교** 선수들이 출발선에서 동시에 출발했다면 결승선에 먼저 도착한 선수가 더 빠르다. 결승선에 먼저 도착한 선수는 나중에 도착한 선수보다 일정한 거리를 이동하는 데 걸린 시간이 더 짧다.

자유형 50m

순위	이름	걸린 시간
1	홍○○	28초 50
2	박○○	28초 75
3	이○○	29초 05
4	김○○	29초 20
5	양○○	30초 50
6	최○○	31초 20

◀ 수영 경기의 순위와 기록
- 홍○○ 선수가 가장 빠르다. 50m를 이동하는 데 걸린 시간(28초 50)이 가장 짧기 때문이다.
- 최○○ 선수가 가장 느리다. 50m를 이동하는 데 걸린 시간(31초 20)이 가장 길기 때문이다.

(3) **이동하는 데 걸린 시간으로 빠르기를 비교하는 운동 경기** 스피드 스케이팅, 조정, 마라톤, 쇼트 트랙, 알파인 스키, 100m 달리기, 사이클, 카약, 자동차 경주 등은 일정한 거리를 이동하는 데 걸린 시간으로 빠르기를 비교한다.

조정

조정은 물에서 일정한 거리를 이동하는 데 걸린 시간으로 빠르기를 겨루는 운동 경기이다. 출발선에서 동시에 출발해 결승선까지 이동하는 데 걸린 시간으로 순위를 정한다.

용어
- **알파인 스키** 길고 굵은 폴 하나를 가지고 타는 스키.
- **카약** 작은 배의 좌석에 앉아 발을 앞으로 하고 노를 저어 빠르기를 겨루는 경기.

Mini 탐구 일정한 거리를 이동한 물체의 빠르기 비교하기

과정

1. 운동장에 50m 경주로를 그리고, 출발 신호에 따라 모둠별로 달리기를 한다.
2. 각 모둠에서 결승선에 가장 먼저 도착한 친구가 달리는 데 걸린 시간을 기록해 본다.
3. 우리 반에서 가장 빠르게 달린 친구를 어떻게 알 수 있는지 이야기해 본다.

결과

- 각 모둠에서 결승선에 가장 먼저 도착한 친구가 달리는 데 걸린 시간 예

모둠	이름	걸린 시간	모둠	이름	걸린 시간	모둠	이름	걸린 시간
1	정원	8초 55	2	연희	9초 34	3	경희	8초 43
4	정현	9초 54	5	성은	9초 12	6	정민	8초 77

- 결승선까지 달리는 데 가장 짧은 시간이 걸린 친구(경희)가 가장 빠르게 달린 친구이다.

2. 일정한 시간 동안 이동한 물체의 빠르기  68쪽

교과서 속 탐구 68쪽

(1) **일정한 시간 동안 이동하는 물체의 빠르기 비교** 일정한 시간 동안 이동한 물체의 빠르기는 물체가 이동한 거리로 비교한다. 일정한 시간 동안 긴 거리를 이동한 물체가 짧은 거리를 이동한 물체보다 더 빠르다.

(2) **여러 교통수단이 3시간 동안 이동한 거리로 빠르기 비교**

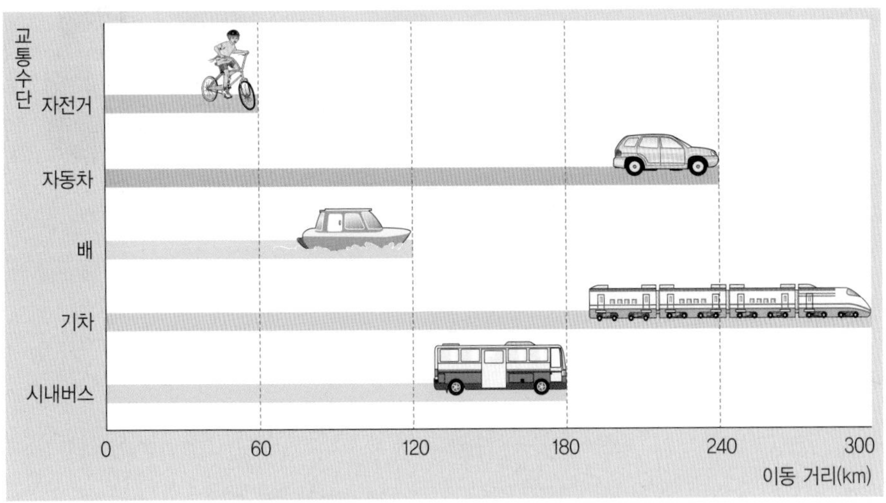

▲ 여러 교통수단이 3시간 동안 이동한 거리

① 위 그래프에서 3시간 동안 가장 긴 거리인 300km를 이동한 기차가 가장 빠르다. 자동차는 3시간 동안 240km, 시내버스는 3시간 동안 180km, 배는 3시간 동안 120km, 자전거는 3시간 동안 60km를 이동했기 때문에 빠른 순서로 교통수단을 나열하면 기차, 자동차, 시내버스, 배, 자전거이다.

② 시내버스보다 빠른 교통수단은 기차, 자동차이고, 시내버스보다 느린 교통수단은 배와 자전거이다.

보충 플러스⁺ 이동한 거리를 비교해 승부를 겨루는 운동 경기

스피드 스케이팅의 팀 추월 경기는 두 팀이 서로 상대방의 뒤를 쫓는 경기이다. 개인 또는 소수의 팀원으로 구성된 서로 다른 팀이 경주로의 반대편에서 동시에 출발해 상대 팀을 추월하면 승리한다. 즉 같은 시간 동안 더 긴 거리를 이동한 팀이 승리하는 경기이다.

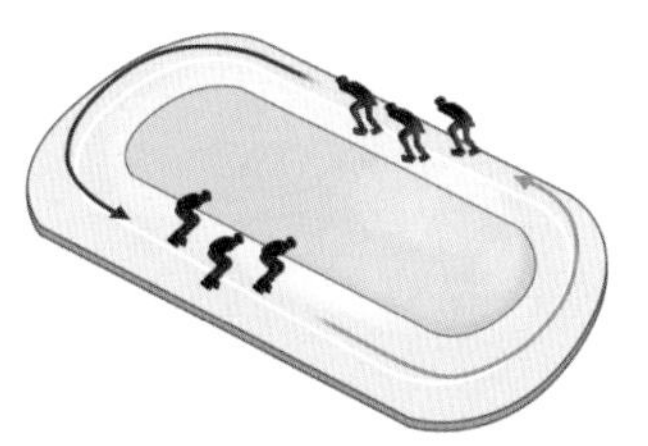

▲ 스피드 스케이팅의 팀 추월 경기

심화 이동한 시간과 이동한 거리가 다른 두 물체의 빠르기 비교

이동한 시간과 이동한 거리가 다른 두 물체의 빠르기는 이동한 시간 또는 이동한 거리를 맞춰서 비교한다. 즉 10초 동안 30m를 이동한 토끼와 20초 동안 100m를 이동한 개가 있을 때, 토끼는 20초 동안 30m×2=60m를 이동할 수 있다. 따라서 20초 동안 100m를 이동한 개가 토끼보다 빠르다.

치타의 빠르기 측정

야생에서 달리는 치타의 빠르기를 측정하려면 달리는 치타를 1초 간격으로 2회 사진을 찍는다. 치타의 몸통 길이와 사진 두 장에 나타난 이동 거리를 비교해 1초 동안 치타가 이동한 거리를 알 수 있다.

일정한 시간 동안 이동한 물체의 빠르기 비교하기

과정

1. 교실 바닥에 출발선을 표시하고 줄자를 출발선과 수직으로 펼쳐 놓고 경주 시간을 정한다.
2. 종이 자동차를 출발선에 놓고 시간을 측정하는 친구가 출발 신호를 보내면, 부채질을 하면서 종이 자동차를 출발시킨다.
3. 경주 시간이 끝나면 시간을 측정하는 친구가 정지 신호를 보내고, 그 순간 종이 자동차의 위치에 붙임쪽지를 붙여 이동 거리를 측정한다.
4. 친구들이 만든 종이 자동차의 이동 거리를 차례대로 측정해 가장 빠른 종이 자동차를 찾아본다.

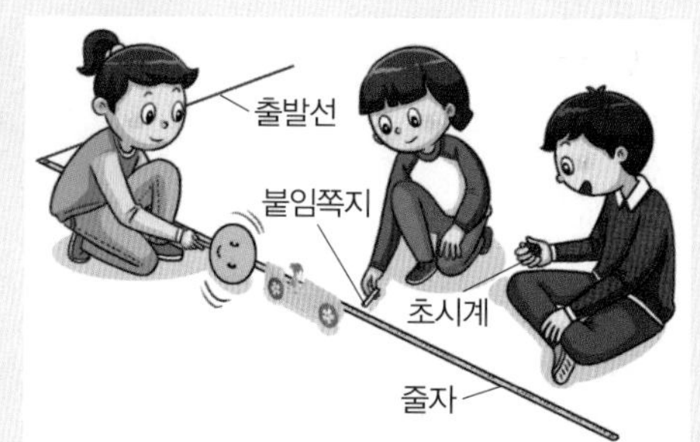

결과

▶ **경주 시간 4초 동안 종이 자동차의 이동 거리 측정**

구분	이동 거리	구분	이동 거리	구분	이동 거리
이민준이 만든 종이 자동차	120cm	이서현이 만든 종이 자동차	80cm	우시안이 만든 종이 자동차	60cm

▶ 가장 빠른 종이 자동차는 이민준이 만든 종이 자동차이다. 일정한 시간(4초) 동안 이동한 거리(120cm)가 가장 길기 때문이다.

알 수 있는 사실 ▶ 일정한 시간 동안 긴 거리를 이동한 물체가 짧은 거리를 이동한 물체보다 빠르다.

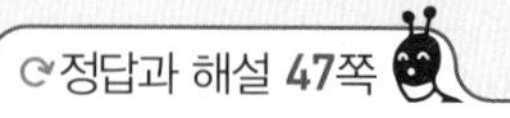

1 종이 자동차 ㉠은 4초 동안 100cm, 종이 자동차 ㉡은 4초 동안 90cm, 종이 자동차 ㉢은 4초 동안 70cm를 이동했습니다. 종이 자동차 ㉠~㉢ 중 가장 빠른 종이 자동차의 기호를 쓰시오.

종이 자동차 (　　　)

2 위 **1**번 답처럼 생각한 까닭으로 (　　) 안의 알맞은 말에 ○표 하시오.

> 일정한 시간 동안 가장 (짧은, 긴) 거리를 이동한 물체가 가장 빠른 물체이기 때문이다.

3 다음은 종이 자동차 ㉠~㉢이 출발선에서 동시에 출발하여 3초 동안 이동한 모습입니다. 자동차의 빠르기가 빠른 순서대로 (　　) 안에 기호를 쓰시오.

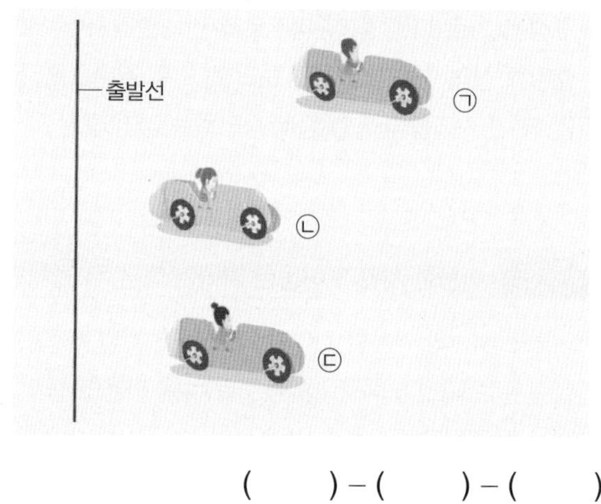

(　　) – (　　) – (　　)

정답과 해설 47쪽

[1~3] 다음 표는 50m의 경주로에서 출발 신호에 따라 모둠별로 달리기를 하여 각 모둠에서 결승선에 가장 먼저 도착한 사람이 달리는 데 걸린 시간을 기록한 것입니다. 물음에 답하시오.

모둠	이름	걸린 시간	모둠	이름	걸린 시간
1	정원	8초 55	2	연희	9초 34
3	경희	8초 43	4	정현	9초 54
5	성은	9초 12	6	정민	8초 77

1 위 표를 보고, 우리 반에서 가장 빠르게 달린 사람의 이름을 쓰시오.

( )

2 위 1번 답처럼 생각한 까닭을 옳게 말한 사람의 이름을 쓰시오.

- 함이: 일정한 시간 동안 가장 짧은 거리를 이동했기 때문이야.
- 달우: 일정한 거리를 이동하는 데 가장 긴 시간이 걸렸기 때문이야.
- 진홍: 일정한 거리를 이동하는 데 걸린 시간을 알 수 없기 때문이야.
- 미미: 일정한 거리를 이동하는 데 가장 짧은 시간이 걸렸기 때문이야.

( )

3 위 표를 보고, 우리 반에서 가장 느리게 달린 사람의 이름과 그 사람이 50m를 달리는 데 걸린 시간을 쓰시오.

( )

[4~5] 다음은 우리 생활에서 쉽게 접할 수 있는 여러 교통수단이 3시간 동안 이동한 거리를 그래프로 나타낸 것입니다. 물음에 답하시오.

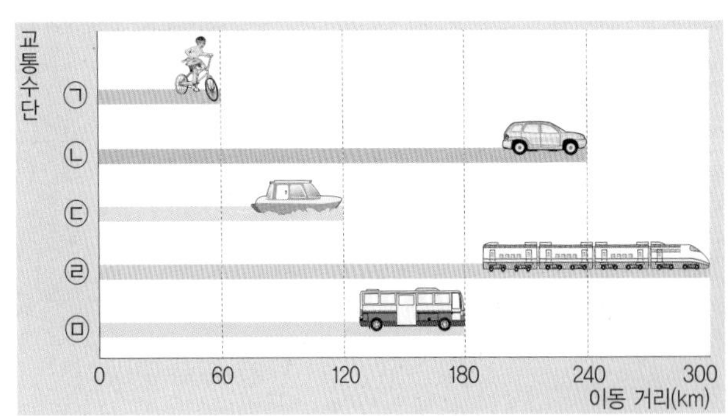

4 위 그래프에 나타난 교통수단 ㉠~㉤의 빠르기를 비교하여 빠른 순서대로 기호를 쓰시오.

( )

5 지하철이 3시간 동안 210km를 이동했습니다. 위 교통수단 ㉠~㉤을 지하철보다 빠른 것과 느린 것으로 분류하여 빈칸에 알맞은 기호를 각각 쓰시오.

지하철보다 빠른 교통수단	지하철보다 느린 교통수단
(1)	(2)

6 다음 ( ) 안에 들어갈 알맞은 말을 각각 쓰시오.

일정한 거리를 이동한 물체의 빠르기는 물체가 이동하는 데 걸린 (㉠)(으)로 비교할 수 있고, 일정한 시간 동안 이동한 물체의 빠르기는 물체가 이동한 (㉡)(으)로 비교할 수 있다.

㉠ ( ), ㉡ ( )

3 속력과 안전

개념 강의

만화로 보는 '속력과 안전'

1. 물체의 속력

(1) 속력

① 이동하는 데 걸린 시간과 이동 거리가 모두 다른 물체의 빠르기는 물체의 빠르기를 속력으로 나타내 비교한다.

② 속력은 1초, 1분, 1시간 등과 같은 단위 시간 동안 물체가 이동한 거리이다.

(2) 속력 구하기

① 속력은 물체가 이동한 거리를 걸린 시간으로 나누어 구한다.

(속력)=(이동 거리)÷(걸린 시간)

② 물체의 속력을 나타낼 때는 속력의 크기와 속력의 단위를 함께 쓴다. 속력의 단위에는 km/h, m/s 등이 있다. 이때 걸린 시간의 단위로 시간은 h, 초는 s를 쓴다. 우리 생활에서 사용하는 속력의 단위는 매우 다양하지만 과학 시간에는 두 가지 단위를 중심으로 다룬다.

③ 3시간 동안 240km를 이동한 자동차의 속력은 다음과 같이 나타낸다.

(자동차의 속력)=(이동 거리)÷(걸린 시간)=240km÷3h=80km/h

(3) 속력을 읽는 방법

① 80km/h: 1시간 동안 80km를 이동한 물체의 속력을 나타내며 '팔십 킬로미터 퍼 아워' 또는 '•시속 팔십 킬로미터'라고 읽는다.

② 13m/s: 1초 동안 13m를 이동한 물체의 속력을 나타내며 '십삼 미터 퍼 세컨드' 또는 '•초속 십삼 미터'라고 읽는다.

생활에서 물체의 빠르기를 속력으로 나타낸 예

- 일기 예보에서 바람의 빠르기를 속력으로 나타낸다. 태풍은 중심 부근 최대 풍속이 17.2m/s이다.
- 여러 가지 운동 경기에서 물체의 빠르기를 속력으로 나타낸다. 야구 경기에서 투수가 던진 공의 속력이 150km/h라고 나타낸다.
- 소리의 빠르기를 속력(약 340m/s)으로 나타낸다.

용어

- **시속** 1시간을 단위로 잰 속도.
- **초속** 1초를 단위로 잰 속도.

심화 가속 운동, 감속 운동, 등속 운동

물체의 빠르기가 변한다는 것은 속력이 변한다는 뜻이다. 이때 빠르기가 점점 빨리지는 것, 즉 일정한 시간 동안 이동하는 거리가 점점 길어지는 것을 가속 운동이라고 한다. 반대로 빠르기가 점점 느려지는 것, 즉 일정한 시간 동안 이동하는 거리가 점점 짧아지는 것을 감속 운동이라고 한다. 빠르기가 일정한 운동, 즉 속력이 항상 같은 운동은 등속 운동이라고 한다. 자동계단, 자동길, 스키장 승강기 등은 등속 운동을 한다.

(4) 여러 가지 물체의 속력 비교  교과서 속 탐구 72쪽

① 속력이 큰 물체가 더 빠르다. 속력이 크다는 것은 물체가 더 빠르다는 뜻이다.

② 배의 속력이 40km/h이고 자전거의 속력이 18km/h일 때 배가 자전거보다 더 빠르다.

③ 철민이의 걷는 속력이 5m/s이고 미진이의 걷는 속력이 6m/s일 때 미진이가 철민이보다 더 빠르다.

2. 속력과 관련된 안전장치

(1) 자동차에 설치된 안전장치

① **안전띠**: 긴급 상황에서 탑승자의 몸을 고정한다.

② **에어백**: 충돌 사고에서 압축된 공기주머니를 빠르게 팽창시켜 탑승자의 몸에 가해지는 충격을 줄여 준다.

(2) 도로에 설치된 안전장치

① **과속 방지 턱**: 자동차의 속력을 줄여서 사고를 막는다. 일반적으로 주택가나 학교 앞 어린이 보호 구역 등에 설치한다.

② **어린이 보호 구역**: 초등학교, 유치원, 어린이집, 학원 등 13세 미만 어린이 시설 주변 도로 중 일정 구간을 지정한 곳을 말한다. 학교 주변 도로에서 자동차의 속력을 제한해 어린이들의 교통 안전사고를 막는다.

안전 표지판, 도로 반사경, 과속 방지 턱을 설치하고, 운행 속력 시속 30km/h 이내의 제한 조치를 취할 수 있다.

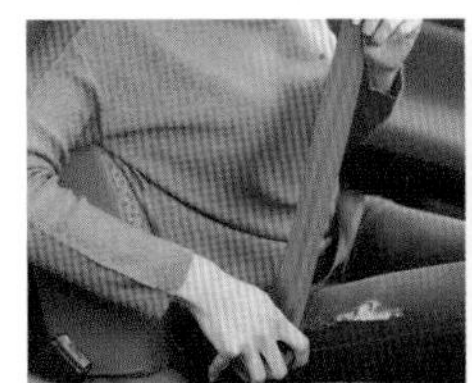
▲ 안전띠

▲ 에어백

▲ 과속 방지 턱

▲ 어린이 보호 구역 표지판

3. 교통 안전사고 예방

(1) 교통안전 수칙 도로 주변에서 안전을 위해 지켜야 하는 규칙을 말한다.

(2) 도로 주변에서 어린이가 지켜야 할 교통안전 수칙

① 횡단보도를 건널 때는 스마트 기기 등을 보지 않고, 좌우를 잘 살핀다.

② 버스를 기다릴 때는 차도로 내려가지 않는다.

③ 도로 주변에서 바퀴 달린 신발을 타지 않는다.

④ 도로 주변에서 공은 공 주머니에 넣고 다닌다.

(3) 도로 주변에서 어른이 지켜야 할 교통안전 수칙

① 어린이 보호 구역에서 자동차를 운전할 때는 속력을 30km/h 이하로 줄이고, 도로에 어린이가 있는지 잘 살핀다.

② 자동차 운전자는 •보행자가 횡단보도를 건널 때는 보행자가 다 건널 때까지 기다린다.

• **보행자** 걸어서 길거리를 왕래하는 사람.

교통 안전사고가 일어나지 않도록 노력하는 사람들

• 교통경찰: 교통 안전사고가 일어나지 않도록 자동차 운전자나 보행자가 교통 법규를 잘 지키는지 단속한다.
• 녹색 학부모: 학교 주변에서 어린이들이 안전하게 등교하거나 하교하도록 돕는다.

여러 가지 물체의 속력 알아보기

과정

1. 다음 그림에서 교통수단 두 가지를 골라 속력을 비교해 본다.

2. 우리 동네의 내일 일기 예보를 보고, 하루 중 바람이 가장 빠르게 불 때의 속력을 알아본다.
3. 여러 가지 동물의 빠르기를 속력으로 나타낸 예를 조사하여 이야기해 본다.
4. 여러 가지 운동 경기에서 물체의 빠르기를 속력으로 나타낸 예를 조사하여 이야기해 본다.

결과

- 기차의 속력은 140km/h이고 헬리콥터의 속력은 250km/h이므로 헬리콥터가 기차보다 더 빠르다.
- 예 오전 9시에 바람이 8m/s의 속력으로 가장 빠르다.
- 예 치타의 속력은 120km/h이다. 제비의 비행 속력은 100km/h이다.
- 예 양궁 화살의 속력은 240km/h이다. 야구 경기에서 투수가 던진 공의 속력은 150km/h이다.

알 수 있는 사실 ▶ 이동 거리와 걸린 시간이 모두 다른 물체의 빠르기는 속력으로 나타내어 비교한다.

정답과 해설 48쪽

[1~2] 다음은 여러 가지 교통수단의 속력을 나타낸 것입니다. 물음에 답하시오.

- 자전거는 18km/h로 가고 있다.
- 배는 4시간 동안 160km를 이동했다.
- 자동차는 3시간 동안 240km를 이동했다.

1 위 배의 속력을 구해 단위와 함께 쓰시오.

( )

2 앞 교통수단의 속력을 비교하여 ( ) 안의 알맞은 말에 각각 ○표 하시오.

(1) 자전거는 배보다 더 (느리다, 빠르다).

(2) 배는 자동차보다 더 (느리다, 빠르다).

3 다음 ( ) 안에 들어갈 알맞은 말을 쓰시오.

이동 거리와 걸린 시간이 모두 다른 물체의 빠르기는 ( )(으)로 나타내어 비교한다.

( )

정답과 해설 48쪽

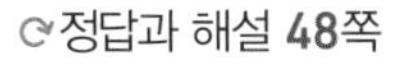

1 속력에 대해 잘못 말한 사람의 이름을 쓰시오.

- 민지: 물체가 이동할 때 걸린 시간을 이동한 거리로 나누어 구해.
- 영훈: 1초, 1분, 1시간 등과 같은 단위 시간 동안 물체가 이동한 거리를 말해.
- 슬기: 걸린 시간의 단위에는 시간(h), 초(s) 등이 있고 속력의 단위에는 km/h, m/s 등이 있어.
- 덕진: 이동하는 데 걸린 시간과 이동 거리가 모두 다른 물체의 빠르기는 속력으로 나타내 비교해.

( )

2 3시간 동안 180km를 이동한 자동차의 속력을 보기 에서 골라 알맞은 기호를 쓰시오.

보기

㉠ 60m/s ㉡ 60km/h
㉢ 180m/s ㉣ 180km/h

( )

3 속력이 더 크다는 의미로 알맞은 설명에 ○표 하시오.

(1) 물체가 더 빠르다. ( )

(2) 일정한 시간 동안 더 짧은 거리를 이동한다. ( )

(3) 일정한 거리를 이동하는 데 더 긴 시간이 걸린다. ( )

4 다음은 서해안에 있는 섬 ㉠～㉣의 일기 예보입니다. 바람이 가장 빠르게 불 것으로 예상되는 섬의 기호를 쓰시오.

㉠		
수온 2℃	풍속 10m/s	파도 높이 1.6m

㉡		
수온 0℃	풍속 14m/s	파도 높이 1.0m

㉢		
수온 4℃	풍속 8m/s	파도 높이 2.2m

㉣		
수온 1℃	풍속 11m/s	파도 높이 2.0m

( )

5 다음 ( ) 안에 들어갈 알맞은 말을 각각 쓰시오.

(㉠)와/과 (㉡)은/는 자동차에 설치된 안전장치이다. (㉠)은/는 긴급 상황에서 탑승자의 몸을 고정하고, (㉡)은/는 충돌 사고에서 공기주머니를 팽창시켜 탑승자의 몸에 가해지는 충격을 줄여 준다.

㉠ ( ), ㉡ ( )

6 안전 수칙으로 옳은 것에 ○표, 틀린 것에 ×표 하시오.

(1) 바퀴 달린 신발은 도로에서만 탄다. ( )

(2) 도로 주변에서 공은 공 주머니에 넣고 다닌다. ( )

(3) 횡단보도를 건널 때 스마트 기기는 잠깐만 본다. ( )

(4) 버스를 기다릴 때는 차도에 있다가 신속하게 탄다. ( )

1 다음 (   ) 안에 공통으로 들어갈 알맞은 말을 쓰시오.

> 도로에서 신호등과 도로 표지판은 시간이 지나도 (   )이/가 변하지 않지만, 이동하는 자동차는 시간이 지남에 따라 (   )이/가 변한다. 시간이 지남에 따라 물체의 (   )이/가 변할 때 물체가 운동한다고 한다.

(   )

2 다음은 도로를 따라 이동하는 자동차의 운동을 나타낸 그림입니다. 자동차의 운동을 걸린 시간과 이동 거리로 나타내어 쓰시오.

처음

0m 1m 2m 3m 4m 5m 6m 7m 8m 9m

1초 뒤

0m 1m 2m 3m 4m 5m 6m 7m 8m 9m

____

____

3 다음은 우리 주변의 여러 가지 물체를 운동하는 물체와 운동하지 않는 물체로 분류한 것입니다. 분류가 잘못된 물체를 찾아 쓰시오.

운동하는 물체	운동하지 않는 물체
걷는 사람, 떨어지는 낙엽, 공을 차는 아이	신호등, 건물, 나무, 달리는 자동차

(   )

4 여러 가지 물체의 빠르기를 비교한 내용으로 옳지 않은 것을 두 가지 고르시오. (   )

① 기차는 사람보다 빠르다.
② 개미는 사람보다 빠르다.
③ 로켓은 자전거보다 빠르다.
④ 달팽이는 로켓보다 느리다.
⑤ 비행기는 자동차보다 느리다.

5 다음은 범퍼카의 운동 모습입니다. 범퍼카의 운동에 대한 설명으로 옳은 것에 ○표 하시오.

(1) 범퍼카는 가속 발판을 밟으면 멈춘다. (   )
(2) 범퍼카의 가속 발판을 밟으면 빠르기가 일정한 운동을 한다. (   )
(3) 범퍼카의 가속 발판을 밟으면 점점 빨라지고, 다른 차와 부딪치면 빠르기가 갑자기 느려진다. (   )

6 빠르기가 일정한 운동을 하는 것을 보기에서 모두 골라 기호를 쓰시오.

보기

㉠ ▲ 물수리
㉡ ▲ 자동길
㉢ ▲ 케이블카
㉣ ▲ 자동계단
㉤ ▲ 롤러코스터
㉥ ▲ 컬링 스톤

( )

7 다음 두 운동 경기에서 공통적으로 순위를 정하는 방법을 쓰시오.

▲ 조정 ▲ 마라톤

8 수영 경기에서 가장 빠른 사람을 알 수 있는 방법으로 옳은 것을 보기에서 골라 기호를 쓰시오.

보기

㉠ 출발선에서 가장 먼저 출발한 사람을 찾는다.
㉡ 출발선에서 가장 늦게 출발한 사람을 찾는다.
㉢ 결승선까지 이동하는 데 가장 긴 시간이 걸린 사람을 찾는다.
㉣ 결승선까지 이동하는 데 가장 짧은 시간이 걸린 사람을 찾는다.

( )

9 다음은 미진이네 반에서 100m 달리기를 한 뒤 기록을 측정한 것입니다. 세 번째로 빠르게 달린 사람의 이름을 쓰시오.

이름	걸린 시간
지영	20초 69
민수	19초 21
우희	16초 55
호철	22초 89
미진	18초 56

( )

10 일정한 거리를 이동해 빠르기를 비교하는 경기를 두 가지 고르시오. ( )

① 카약
② 양궁
③ 사이클
④ 태권도
⑤ 리듬 체조

11 다음 표는 여러 가지 장난감 자동차가 4초 동안 이동한 거리를 측정한 결과입니다. 가장 빠른 장난감 자동차는 무엇인지 쓰시오.

종류	이동 거리
태엽 자동차	110cm
풍선 자동차	90cm
종이 자동차	50cm

( ) 자동차

[12~13] 다음은 여러 가지 교통수단이 3시간 동안 이동한 거리를 그래프로 나타낸 것입니다. 물음에 답하시오.

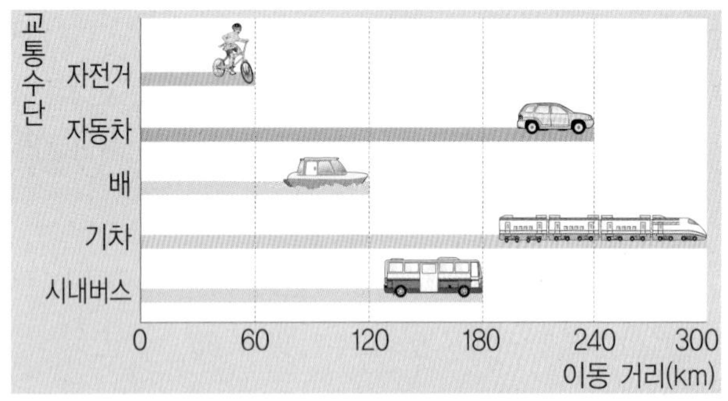

12 위 그래프에 나타난 교통수단 중 가장 빠른 교통수단을 쓰고, 그렇게 생각한 까닭을 쓰시오.

13 위 그래프에 나타난 여러 가지 교통수단 중 1시간 동안 50km를 이동하는 관광버스보다 느린 교통수단을 모두 쓰시오.

( )

14 스피드 스케이팅의 팀 추월 경기는 다음과 같이 두 팀이 서로 반대편에서 동시에 출발하여 상대팀을 추월하면 이기는 경기입니다. 이런 방법으로 승패를 정하는 까닭으로 옳은 것에 ○표 하시오.

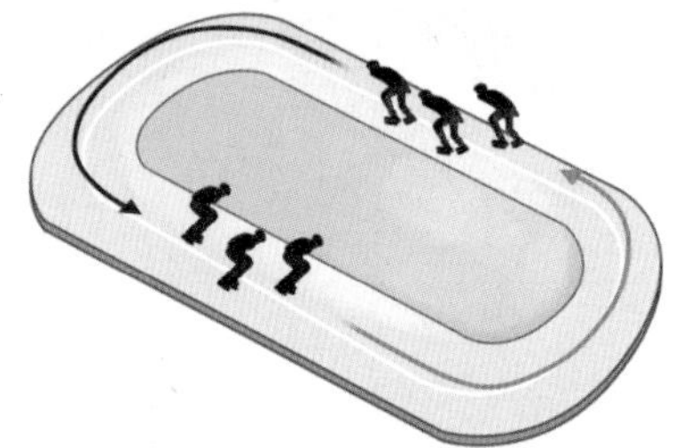

(1) 상대팀을 추월하려면 일정한 시간 동안 더 긴 거리를 이동해야 하므로 더 빠른 팀을 찾을 수 있기 때문이다. ( )

(2) 상대팀을 추월하려면 일정한 시간 동안 더 짧은 거리를 이동해야 하므로 더 빠른 팀을 찾을 수 있기 때문이다. ( )

15 다음 속력을 두 가지 방법으로 읽을 때 ( ) 안에 들어갈 알맞은 말을 각각 쓰시오.

50km/h

- 오십 킬로미터 퍼 (㉠)
- (㉡) 오십 킬로미터

㉠ ( ), ㉡ ( )

16 현수와 민지는 한라산에 올랐습니다. 두 사람의 대화를 보고 더 빠르게 이동한 사람과 그 사람의 속력을 알맞게 짝 지은 것을 보기에서 골라 기호를 쓰시오.

- 현수: 나는 3시간 동안 6km를 걸었어.
- 민지: 나는 2시간 동안 3km를 걸었어.

보기

㉠ 현수, 2km/h　　㉡ 민지, 2km/h
㉢ 현수, 1.5km/h　　㉣ 민지, 1.5km/h

(　　　　　　)

17 다음 그림에서 교통수단 두 가지를 골라 속력을 구하고 비교해 쓰시오.

18 다음 일기 예보를 읽고 예상되는 태풍의 속력과 바람의 속력을 각각 구해 단위와 함께 쓰시오.

태풍 '홍비'는 14시 현재 제주도에서 남쪽으로 240km 떨어진 해상을 지나고 있다. 오늘 밤 22시에는 제주도에 상륙할 것으로 예상된다. 태풍 '홍비'가 동반한 바람은 10초에 450m를 이동하는 강풍으로 제주도에 큰 피해를 줄 것으로 예상된다.

(1) 태풍의 속력: (　　　　　　)
(2) 바람의 속력: (　　　　　　)

19 다음에서 설명하는 안전장치를 보기에서 골라 기호를 각각 쓰시오.

보기

㉠ ▲ 안전띠　㉡ ▲ 에어백
㉢ ▲ 과속 방지 턱　㉣ ▲ 횡단보도

(1) 긴급 상황에서 탑승자의 몸을 고정한다. (　　)
(2) 학교 앞 등에 설치해 자동차의 속력을 줄여서 사고를 막는다. (　　)

20 교통 안전사고가 일어나지 않도록 노력하는 사람을 보기에서 모두 골라 기호를 쓰시오.

보기

㉠ 소방관　　㉡ 교통경찰
㉢ 환경미화원　　㉣ 녹색 학부모

(　　　　　　)

1 '물체가 운동한다.'가 의미하는 것을 쓰고, 물체의 운동을 나타내는 방법을 쓰시오.

2 진주네 모둠에서 각자 운동을 나타내는 발표를 하고 있습니다. 운동을 나타내는 방법을 잘못 말한 사람의 이름을 쓰고, 그 까닭을 쓰시오.

- 진주: 나는 운동장에서 앉아 있었어.
- 현우: 나는 10분 동안 100m를 이동했어.
- 새빛: 나는 걸어서 1시간 동안 1km를 이동했어.
- 홍진: 나는 버스를 타고 40분 동안 2km를 이동했어.

3 다음 놀이공원에서 볼 수 있는 놀이 기구 중 빠르기가 변하는 운동을 하는 것과 빠르기가 일정한 운동을 하는 것을 한 가지씩 골라 각각의 운동을 비교하여 쓰시오.

4 다음은 자유형 50m 수영 경기에 참가한 선수들의 기록입니다. 가장 느린 선수의 이름을 쓰고, 그렇게 생각한 까닭을 쓰시오.

이름	걸린 시간	이름	걸린 시간
준희	1분 8초 55	주빈	1분 10초 22
미경	1분 8초 43	이지	1분 3초 33
운호	1분 9초 12	황수	1분 12초 89

5 서울에서 동시에 출발한 자동차와 열차가 두 시간 뒤 각각 대전과 대구에 도착했습니다. 자동차와 열차 중 더 빠른 교통수단을 쓰고, 그렇게 생각한 까닭을 쓰시오.

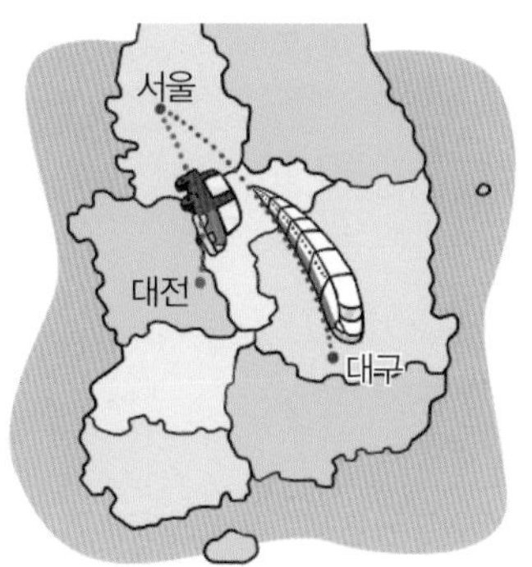

6 이동하는 데 걸린 시간과 이동 거리가 모두 다른 물체의 빠르기는 속력으로 나타내 비교합니다. 속력의 뜻과 속력을 구하는 방법을 쓰시오.

7 다음 배와 자전거 중 속력이 큰 물체를 쓰고, '속력이 크다.'는 의미를 쓰시오.

▲ 배의 속력: 40km/h

▲ 자전거의 속력: 20km/h

8 다음 그림의 도로 주변에서 일어나는 위험한 행동을 한 가지 쓰고, 행동을 어떻게 고쳐야 할지 쓰시오.

운동하는 물체와 운동하지 않는 물체

운동하는 물체	• 시간이 지남에 따라 위치가 변한다. • 달리는 자전거, 달리는 자동차, 걷는 사람 등은 운동하는 물체이다.
운동하지 않는 물체	• 시간이 지남에 따라 위치가 변하지 않는다. • 나무, 신호등, 도로 표지판, 건물 등은 운동하지 않는 물체이다.

▶ 물체의 운동은 물체가 이동하는 데 걸린 시간과 이동 거리로 나타낸다.

여러 가지 물체의 운동

운동하는 물체의 빠르기 비교	• 로켓은 달팽이보다 빠르게 운동한다. • 달팽이는 로켓보다 느리게 운동한다.
빠르기가 변하는 운동을 하는 물체	롤러코스터는 위로 올라갈 때에는 점점 느려지다가 최고 높이에서 잠시 멈추고 다시 내려올 때에는 점점 빠르게 운동한다.
빠르기가 일정한 운동을 하는 물체	대관람차는 거대한 바퀴 둘레에 작은 방 여러 개가 매달려 일정한 빠르기로 회전하며 운동한다.

물체의 빠르기 비교

일정한 거리를 이동한 물체의 빠르기 비교	• 일정한 거리를 이동한 물체의 빠르기는 물체가 이동하는 데 걸린 시간으로 비교한다. • 일정한 거리를 이동하는 데 짧은 시간이 걸린 물체가 긴 시간이 걸린 물체보다 더 빠르다.
일정한 시간 동안 이동한 물체의 빠르기 비교	• 일정한 시간 동안 이동한 물체의 빠르기는 물체가 이동한 거리로 비교한다. • 일정한 시간 동안 긴 거리를 이동한 물체가 짧은 거리를 이동한 물체보다 더 빠르다.

속력

의미	단위 시간 동안 물체가 이동한 거리이다.
속력을 나타내는 방법	• (속력)=(이동 거리)÷(걸린 시간) • 속력의 단위에는 km/h, m/s 등이 있다.

안전장치와 안전 수칙

안전장치	• 안전띠는 긴급 상황에서 탑승자의 몸을 고정한다. • 에어백은 탑승자의 몸에 가해지는 충격을 줄여 준다. • 과속 방지 턱은 자동차의 속력을 줄여서 사고를 막는다. • 어린이 보호 구역은 학교 주변 도로에서 자동차의 속력을 제한해 어린이들의 교통 안전사고를 막는다.
안전 수칙	• 횡단보도를 건널 때 도로 좌우를 잘 살핀다. • 버스는 인도에서 기다린다. • 바퀴 달린 신발은 안전한 장소에서 탄다. • 도로 주변에서 공은 공 주머니에 넣고 이동한다.

물체의 운동

1 물체의 운동과 다중 섬광 사진

물체의 위치를 일정한 시간 간격으로 나타내어 **운동**을 표현한다. **속력**은 단위 시간 동안 운동한 물체가 이동한 거리이다. 속력은 운동하는 물체의 빠르기를 나타내며, 단위는 m/s, km/h 등을 사용한다.

$$\text{속력(m/s)} = \frac{\text{이동 거리(m)}}{\text{걸린 시간(s)}}$$

다음은 물체의 운동을 0.1초 간격으로 나타낸 다중 섬광 사진으로, 이를 통해 물체의 운동을 분석할 수 있다.

운동 방향 ⟶

다중 섬광 사진에서 물체와 물체 사이의 거리는 단위 시간(0.1초) 동안 이동한 거리를 나타내므로 속력으로 볼 수 있다. 따라서 다중 섬광 사진에서 물체와 물체 사이의 거리가 점점 넓어지다가 좁아지므로, 물체는 속력이 빨라지다가 느려지는 운동을 한다는 것을 알 수 있다.

2 등속 운동과 자유 낙하 운동

개념 63쪽

속력이 변하지 않고 **일정한 운동**을 등속 운동이라고 한다. 등속 운동을 하는 예로 공항의 수하물 컨베이어, 자동길, 자동계단, 케이블카의 운동 등이 있다.

공기의 저항이 없을 때, 정지해 있던 물체가 중력만을 받아 아래로 떨어지는 운동을 자유 낙하 운동이라고 한다. 자유 낙하 운동을 하는 물체의 속력은 매 초 9.8m/s씩 일정하게 증가한다. 즉, 자유 낙하 운동을 하는 물체의 속력은 낙하한 시간에 비례한다. 따라서 같은 높이에서 동시에 자유 낙하 하는 물체는 물체의 종류나 모양, 질량에 관계없이 모두 동시에 지면에 떨어진다.

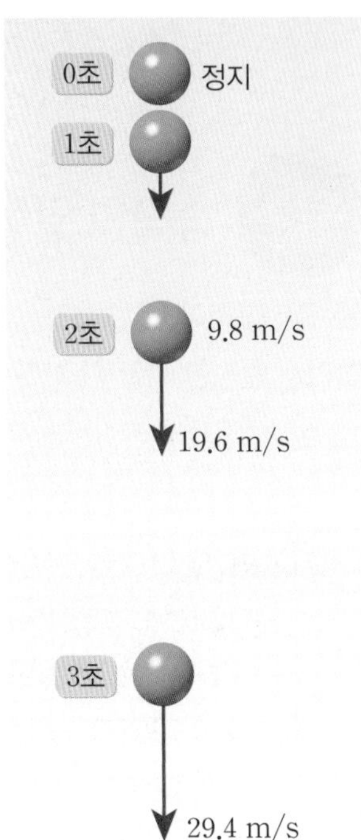

▲ 자유 낙하 운동

VISUAL SCIENCE

비주얼 사이언스

62쪽 참고 운동의 기록

운동하는 물체를 일정한 시간 간격으로 촬영하여 한 장의 사진에 나타내면, 물체의 운동을 기록하여 해석할 수 있다.

운동하는 물체를 일정한 시간 간격으로 촬영하여 한 장의 사진에 나타낸 사진에서 물체와 물체 사이의 거리는 같은 시간 간격 동안 이동한 거리인 속력으로 해석할 수 있다.

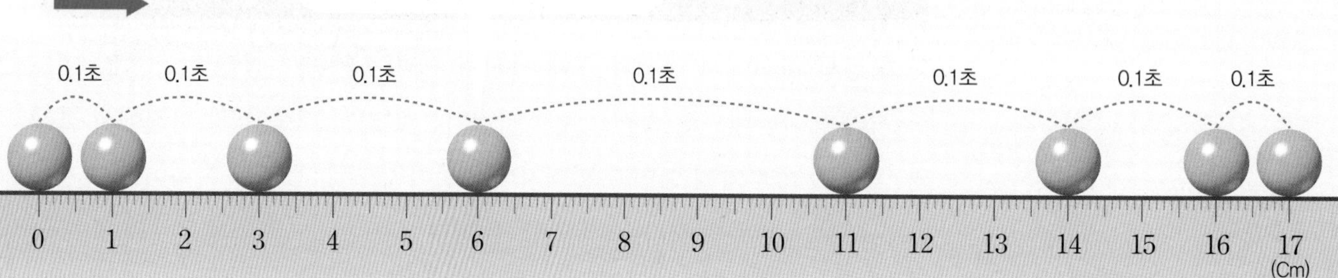

63쪽 참고 속력이 일정한 운동의 표현

물체의 속력이 일정하므로 같은 시간 동안 이동한 거리가 같다. 따라서 일정한 시간 간격으로 촬영한 사진에서 물체와 물체 사이의 간격이 일정하게 나타난다.

물체와 물체 사이의 시간 간격은 0.1초로 일정하다. 즉, 물체는 0.1초 동안 4cm(=0.04m)씩 일정한 속력으로 운동한다.

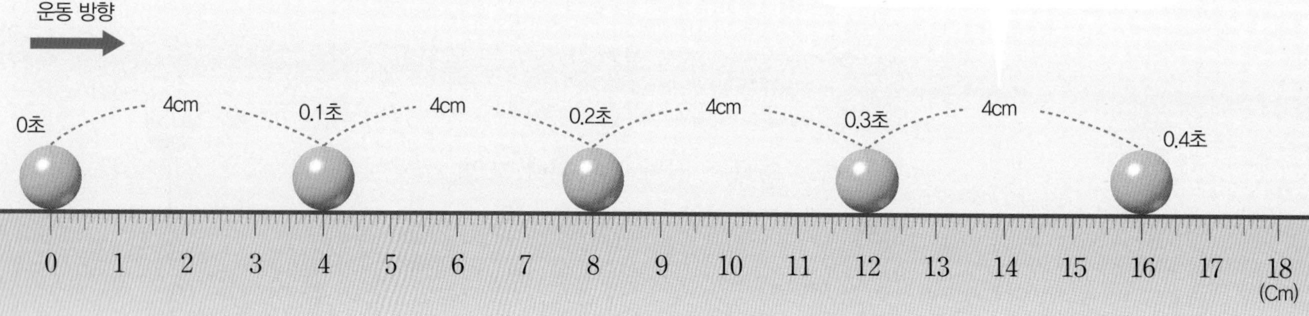

63쪽 참고 자유 낙하 운동

자유 낙하 운동을 하는 물체는 속력이 점점 증가하므로, 일정한 시간 간격으로 촬영한 사진에서 물체와 물체 사이의 간격이 점점 넓어진다.

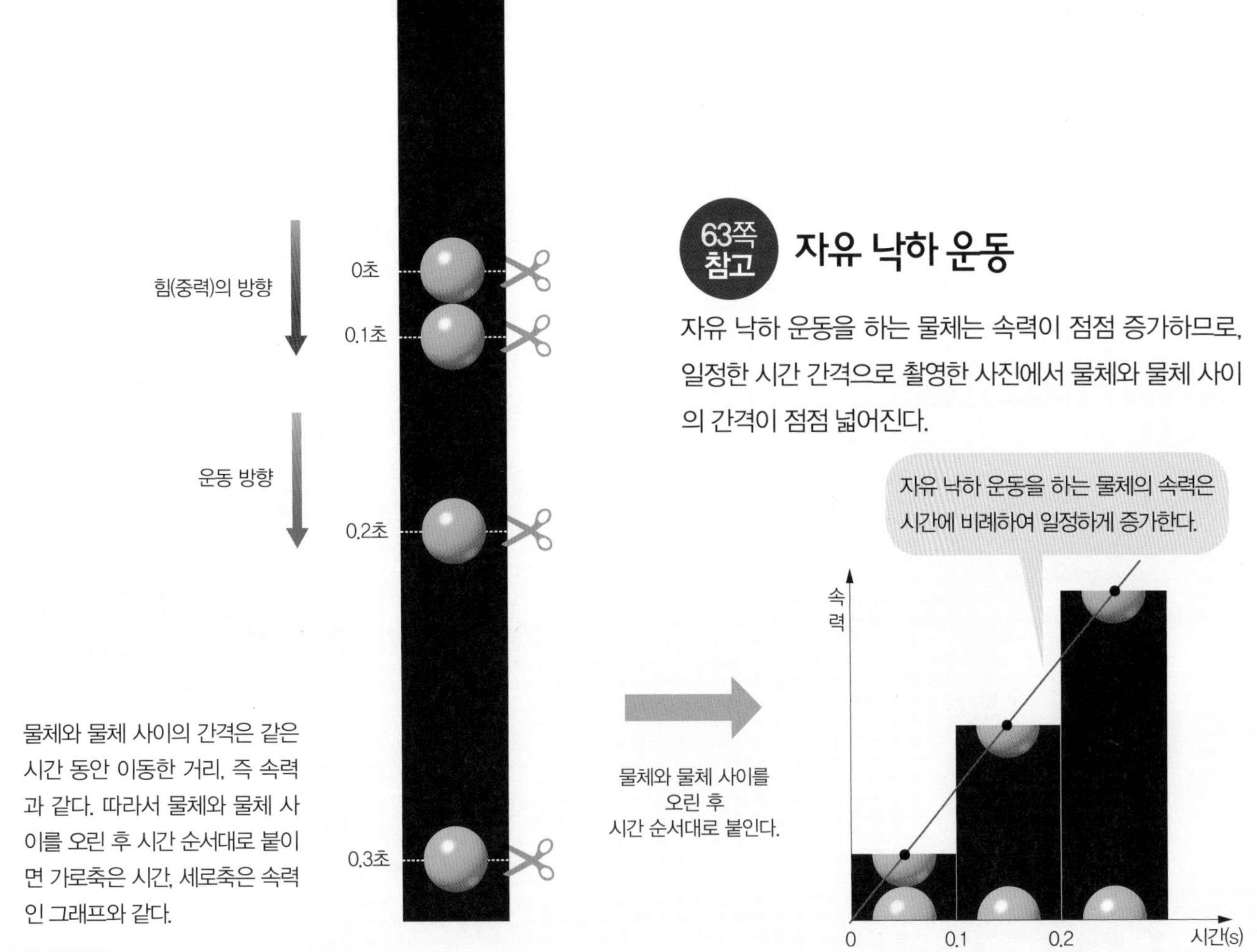

71쪽 참고 자동차의 속력 단속

구간 과속 단속은 위험 구간이 시작되는 지점과 끝나는 지점에 각각 카메라를 설치하여 지나가는 자동차의 구간 평균 속력을 측정하여 단속하는 방식이다.

$$\text{평균 속력} = \frac{\text{A와 B 사이의 구간 거리}}{\text{걸린 시간}}$$

A 지점

B 지점

제어기

제어기

1차 단속 지점

2차 단속 지점

A와 B 사이의 구간 거리

구간 거리를 통과하는 데 걸린 시간으로 나눈 값, 즉 평균 속력을 단속의 기준으로 삼아 과속을 판단하는 것이다.

5

산과 염기

1 용액의 분류

2 산성 용액과 염기성 용액

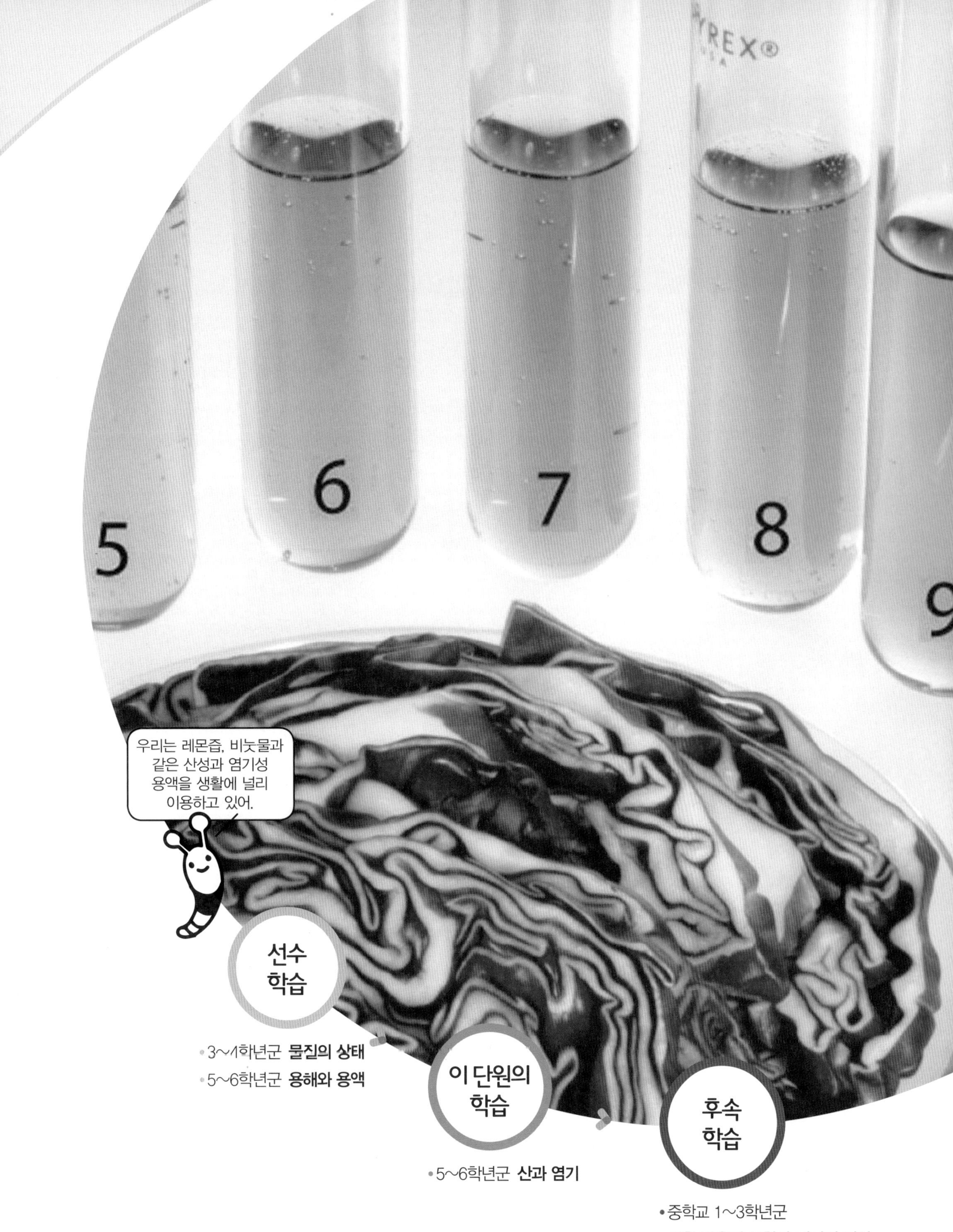

선수 학습

- 3~4학년군 **물질의 상태**
- 5~6학년군 **용해와 용액**

이 단원의 학습

- 5~6학년군 **산과 염기**

후속 학습

- 중학교 1~3학년군 **화학 반응의 규칙과 에너지 변화**

용액의 분류

만화로 보는 **'지시약'**

여러 가지 용액의 특징

구분	색깔	투명성	냄새
식초	연한 노란색	○	○
레몬즙	연한 노란색	×	○
*유리 세정제	연한 푸른색	○	○
사이다	무색	○	○
*빨랫비누 물	하얀색	×	○
석회수	무색	○	×
묽은 염산	무색	○	○
묽은 수산화 나트륨 용액	무색	○	×

* 용액을 흔들면 거품이 3초 이상 유지된다.

1. 여러 가지 용액의 분류

(1) 여러 가지 용액의 특징

① 식초의 색깔은 연한 노란색이고 투명하며 냄새가 난다.

② 레몬즙은 연한 노란색이고 불투명하며 냄새가 난다.

③ 유리 세정제는 연한 푸른색이고 투명하며 냄새가 난다. 용액을 흔들면 거품이 3초 이상 유지된다.

유리 세정제와 빨랫비누 물만 거품이 3초 이상 유지된다.

④ 사이다는 무색이고 투명하며 냄새가 난다.

⑤ 빨랫비누 물은 하얀색이고 불투명하며 냄새가 난다. 용액을 흔들면 거품이 3초 이상 유지된다.

⑥ 석회수는 무색이고 투명하며 냄새가 나지 않는다.

⑦ 묽은 염산은 무색이고 투명하며 냄새가 난다. 묽은 염산 냄새를 맡을 때는 직접 코에 대지 않고 바람을 일으켜 냄새를 맡아야 한다.

묽은 염산과 묽은 수산화나트륨 용액은 피부에 닿으면 위험할 수 있으므로 주의한다.

⑧ 묽은 수산화 나트륨 용액은 무색이며 투명하고 냄새가 나지 않는다.

(2) 용액을 분류하는 기준

① '색깔이 있는가?', '투명한가?', '냄새가 나는가?', '흔들었을 때 거품이 3초 이상 유지되는가?' 등의 기준으로 용액을 분류할 수 있다.

② **분류 기준에 따라 용액 분류하기:** '색깔이 있는가?'를 분류 기준으로 할 때, 색깔이 있는 용액은 식초, 레몬즙, 유리 세정제, 빨랫비누 물이고 색깔이 없는 용액은 사이다, 석회수, 묽은 염산, 묽은 수산화 나트륨 용액이다.

③ 용액을 관찰하여 알게 된 겉보기 성질만으로 용액을 분류하면 무색이고 투명한 용액들은 쉽게 구분되지 않아 분류하기 어렵다. 어떤 용액들은 냄새를 맡기 어려워 분류하기 어렵다.

2. 지시약을 이용한 용액의 분류

(1) **지시약**

① 지시약은 어떤 용액을 만났을 때에 그 용액의 성질에 따라 눈에 띄는 변화가 나타나는 물질이다.

② •리트머스 종이, 페놀프탈레인 용액, 자주색 양배추 지시약 등의 지시약을 이용하면 여러 가지 용액을 산성 용액과 염기성 용액으로 분류할 수 있다.

(2) **지시약에 따른 산성 용액과 염기성 용액의 색깔 변화** 
교과서 속 탐구 88쪽

① **푸른색 리트머스 종이**: 산성 용액에서 붉은색으로 변하고, 염기성 용액에서 변화가 없다.

② **붉은색 리트머스 종이**: 산성 용액에서 변화가 없고, 염기성 용액에서 푸른색으로 변한다.

③ **페놀프탈레인 용액**: 산성 용액에서 변화가 없고, 염기성 용액에서 붉은색으로 변한다.

④ **자주색 양배추 지시약**: 산성 용액에서 붉은색 계열의 색깔로 변하고, 염기성 용액에서 푸른색이나 노란색 계열의 색깔로 변한다.

지시약에 따른 색깔 변화

지시약	산성 용액	염기성 용액
푸른색 리트머스 종이	붉은색으로 변함.	변화 없음.
붉은색 리트머스 종이	변화 없음.	푸른색으로 변함.
페놀프탈레인 용액	변화 없음.	붉은색으로 변함.
자주색 양배추 지시약	붉은색 계열로 변함.	푸른색이나 노란색 계열로 변함.

Mini 탐구 자주색 양배추 지시약으로 용액 분류하기

과정

1. 여러 가지 용액 실험판에 24홈판을 올려놓고 •점적병에 담긴 용액을 각각의 홈에 $\frac{1}{3}$씩 넣는다.
2. 자주색 양배추 지시약을 각각의 홈에 두세 방울 떨어뜨린 뒤 색깔 변화를 관찰하고, 색깔이 비슷하게 변한 용액끼리 분류해 본다.

결과

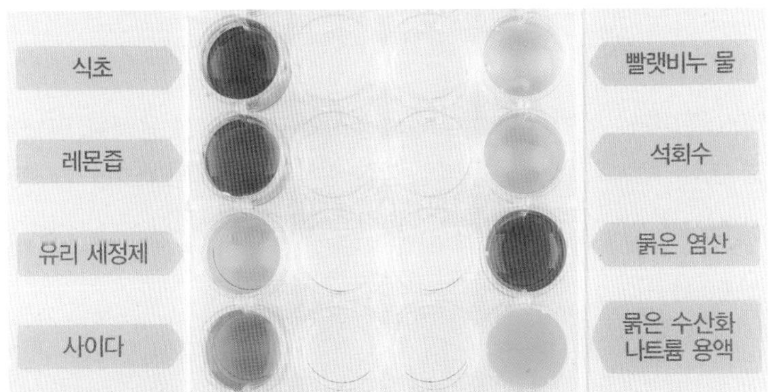

붉은색 계열(산성 용액)	식초, 레몬즙, 사이다, 묽은 염산
푸른색이나 노란색 계열(염기성 용액)	유리 세정제, 빨랫비누 물, 석회수, 묽은 수산화 나트륨 용액

자주색 양배추 지시약 만드는 방법

① 자주색 양배추를 잘게 잘라 비커에 담는다.
② 비커에 자주색 양배추가 잠길 정도로 뜨거운 물을 넣는다.
③ 자주색 양배추를 우려낸 용액을 충분히 식혀 거른 뒤 사용한다.

용어

- **리트머스 종이** 리트머스의 수용액을 물들인 거름종이.
- **점적병** 약물이나 액즙 따위의 분량을 한 방울씩 떨어뜨려서 헤아리는 기구.

리트머스 종이와 페놀프탈레인 용액으로 용액 분류하기

과정

1. 여러 가지 용액 실험판에 24홈판을 올려놓고 푸른색 리트머스 종이와 붉은색 리트머스 종이를 각각 $\frac{1}{3}$ 크기로 자른 뒤 핀셋을 사용해 홈에 넣는다.
2. 점적병에 담긴 용액을 푸른색 리트머스 종이와 붉은색 리트머스 종이에 각각 한두 방울씩 떨어뜨린 뒤 색깔 변화를 관찰해 본다.
3. 점적병에 담긴 용액을 나머지 홈에 $\frac{1}{3}$씩 넣고 페놀프탈레인 용액을 각각의 홈에 한두 방울씩 떨어뜨린 뒤 색깔 변화를 관찰해 본다.
4. 리트머스 종이와 페놀프탈레인 용액의 색깔 변화에 따라 용액을 각각 분류해 본다.

결과

▶ 리트머스 종이의 색깔 변화

푸른색 리트머스 종이를 붉은색으로 변화시킨 용액	붉은색 리트머스 종이를 푸른색으로 변화시킨 용액
식초, 레몬즙, 사이다, 묽은 염산 └ 붉은색 리트머스 종이는 변화시키지 않는다.	유리 세정제, 빨랫비누 물, 석회수, 묽은 수산화 나트륨 용액 – 푸른색 리트머스 종이는 변화시키지 않는다.

▶ 페놀프탈레인 용액의 색깔 변화

색깔이 변하지 않은 용액	붉은색으로 변화시킨 용액
식초, 레몬즙, 사이다, 묽은 염산	유리 세정제, 빨랫비누 물, 석회수, 묽은 수산화 나트륨 용액

지시약의 색깔 변화를 이용해 여러 가지 용액을 산성 용액과 염기성 용액으로 분류할 수 있다.

알 수 있는 사실 ▶ 식초, 레몬즙, 사이다, 묽은 염산은 산성 용액이고, 유리 세정제, 빨랫비누 물, 석회수, 묽은 수산화 나트륨 용액은 염기성 용액이다.

정답과 해설 53쪽

[1~3] 다음은 여러 가지 용액을 푸른색 리트머스 종이와 붉은색 리트머스 종이에 떨어뜨렸을 때 색깔을 변화시킨 용액을 정리한 표입니다. 물음에 답하시오.

푸른색 리트머스 종이를 붉은색으로 변화시킨 용액	붉은색 리트머스 종이를 푸른색으로 변화시킨 용액
식초, 레몬즙, 사이다, 묽은 염산	유리 세정제, 빨랫비누 물, 석회수, 묽은 수산화 나트륨 용액

1 위 표를 보고, 산성 용액을 모두 찾아 쓰시오.

( )

2 리트머스 종이와 같이 어떤 용액을 만났을 때에 그 용액의 성질에 따라 눈에 띄는 변화가 나타나는 물질을 무엇이라고 하는지 쓰시오.

( )

3 앞 표에서 붉은색 리트머스 종이를 푸른색으로 변화시킨 용액에 페놀프탈레인 용액을 떨어뜨렸을 때의 변화를 쓰시오.

정답과 해설 53쪽

1 다음 중 불투명한 용액에 ○표 하시오.

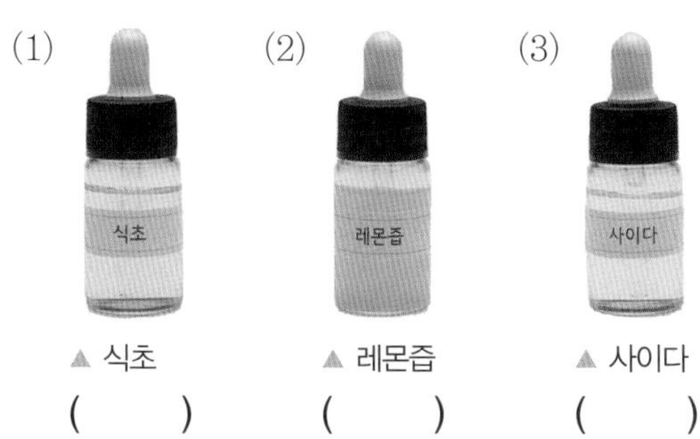

▲ 식초 ( ) ▲ 레몬즙 ( ) ▲ 사이다 ( )

[2~3] 다음은 분류 기준에 따라 여러 가지 용액을 분류한 결과입니다. 물음에 답하시오.

• 분류 결과 ㈎

그렇다.	그렇지 않다.
식초, 레몬즙, 유리 세정제, 빨랫비누 물	사이다, 석회수, 묽은 염산, 묽은 수산화 나트륨 용액

• 분류 결과 ㈏

그렇다.	그렇지 않다.
식초, 유리 세정제, 사이다, 묽은 염산, 묽은 수산화 나트륨 용액	레몬즙, 석회수, 빨랫비누 물

2 위 분류 결과 ㈎의 분류 기준을 **보기**에서 찾아 알맞은 기호를 쓰시오.

보기
㉠ 투명한가? ㉡ 색깔이 있는가?
㉢ 냄새가 나는가? ㉣ 기포가 있는가?

( )

3 위 분류 결과 ㈏의 분류 기준이 '투명한가?'일 때 잘못 분류된 용액을 찾아 쓰시오.

( )

[4~6] 다음은 24홈판에 리트머스 종이와 페놀프탈레인 용액을 넣고 여러 가지 용액을 떨어뜨린 모습입니다. 물음에 답하시오.

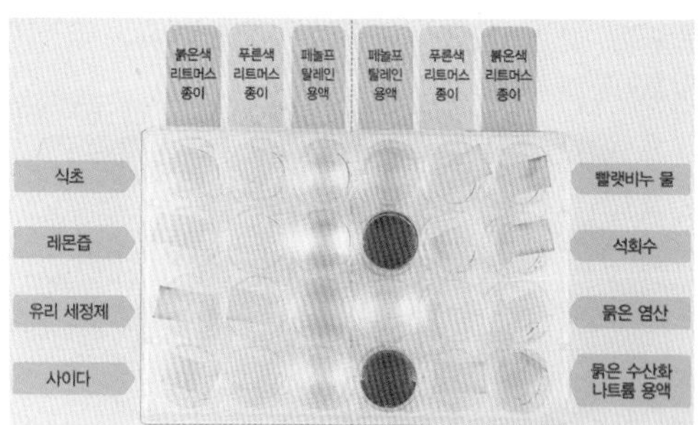

4 붉은색 리트머스 종이에 떨어뜨렸을 때 색깔 변화가 나머지와 다른 용액을 **보기**에서 골라 기호를 쓰시오.

보기
㉠ 식초
㉡ 사이다
㉢ 묽은 염산
㉣ 묽은 수산화 나트륨 용액

( )

5 페놀프탈레인 용액을 떨어뜨렸을 때 붉게 변하는 용액을 두 가지 골라 ○표 하시오.

식초, 레몬즙, 석회수, 사이다, 유리 세정제

6 자주색 양배추 지시약을 떨어뜨렸을 때 붉은색 계열로 변하는 용액을 **보기**에서 모두 골라 쓰시오.

보기
식초, 레몬즙, 사이다, 석회수, 유리 세정제, 묽은 염산, 묽은 수산화 나트륨 용액

( )

산성 용액과 염기성 용액

만화로 보는
'산성과 염기성'

1. 산성 용액과 염기성 용액의 성질

(1) 산성 용액에 여러 가지 물질 넣어 보기

묽은 염산

① 달걀 껍데기를 넣으면 기포가 발생하면서 바깥쪽 껍데기가 녹아 없어진다.

② 대리석 조각을 넣으면 기포가 발생하면서 대리석 조각이 녹는다.

③ 삶은 달걀 흰자와 두부를 넣으면 아무런 변화가 없다.

▲ 묽은 염산+달걀 껍데기

▲ 묽은 염산+대리석 조각

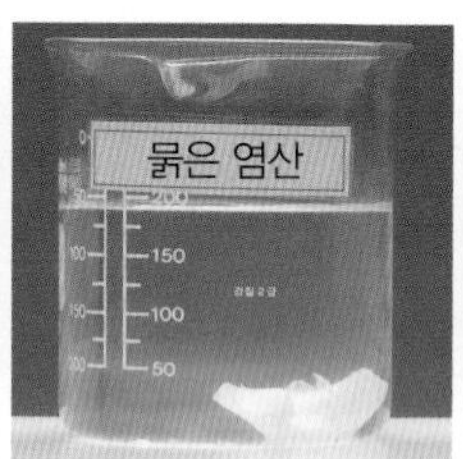

▲ 묽은 염산+삶은 달걀 흰자

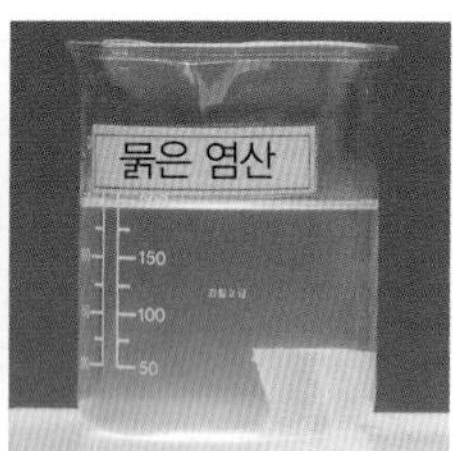

▲ 묽은 염산+두부

(2) 염기성 용액에 여러 가지 물질 넣어 보기

묽은 수산화 나트륨 용액

① 달걀 껍데기와 대리석 조각을 넣으면 아무런 변화가 없다.

② 삶은 달걀 흰자를 넣으면 시간이 지나면서 삶은 달걀 흰자가 녹아 흐물흐물해진다.

③ 두부를 넣으면 시간이 지남에 따라 두부가 녹아 흐물흐물해지며 용액이 뿌옇게 흐려진다.

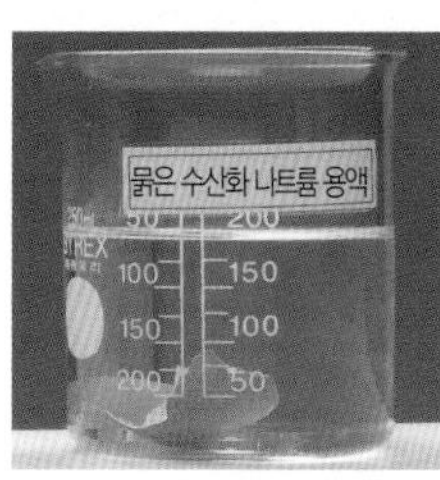

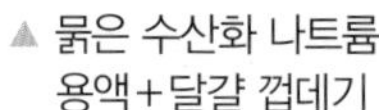
▲ 묽은 수산화 나트륨 용액+달걀 껍데기

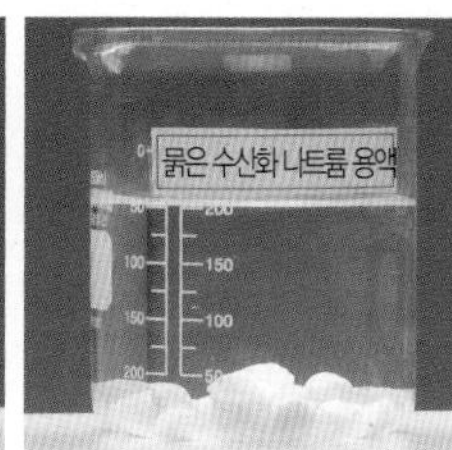

▲ 묽은 수산화 나트륨 용액+대리석 조각

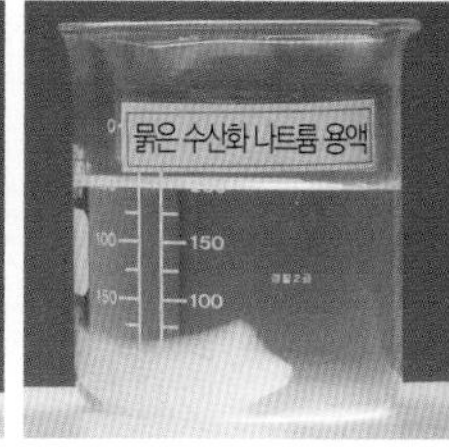

▲ 묽은 수산화 나트륨 용액+삶은 달걀 흰자

▲ 묽은 수산화 나트륨 용액+두부

(3) 산성 용액과 염기성 용액을 섞어 보기  교과서 속 탐구 92쪽

① 산성 용액에 염기성 용액을 넣을수록 산성이 점점 약해지고, 염기성 용액에 산성 용액을 넣을수록 염기성이 점점 약해진다.

② 산성 용액과 염기성 용액을 섞으면 산성을 띠는 물질과 염기성을 띠는 물질이 서로 짝을 맞추면서 각각의 성질을 잃어버려 용액의 성질이 약해진다.

대리석 석탑 보호 장치

대리석으로 만든 서울 원각사지 십층 석탑은 유리 보호 장치를 하여 보호하고 있다. 그 이유는 산성을 띤 빗물이나 새의 배설물에 대리석 석탑이 훼손될 수 있기 때문이다.

• **대리석** 건축, 조각 등에 쓰이는 돌.

2. 산성 용액과 염기성 용액의 이용

(1) 산성 용액의 이용

① 생선을 손질한 도마를 산성인 식초로 닦아 낸다.

② 변기를 청소할 때에는 산성인 변기용 세제를 사용한다.

(2) 염기성 용액의 이용

① 염기성인 치약으로 양치질을 하면 입안의 산성 물질을 없애 세균의 활동을 억제한다.
충치를 만드는 세균들은 산성 환경에서 활발히 활동한다.

② 속이 쓰릴 때 염기성인 •제산제를 먹는다.

③ 욕실을 청소할 때는 염기성인 표백제를 사용한다.

④ 하수구가 막혔을 때는 염기성인 하수구 세정제를 사용한다.

염산 누출 사고에서 소석회를 뿌리는 까닭

염산의 산성을 약하게 하기 위해 염산이 누출된 사고 현장에 염기성인 소석회를 뿌린다. 소석회는 수산화 칼슘이라고도 하며 물에 녹여 석회수를 만들기도 한다.

용어

• **제산제** 위에서 나오는 산이 너무 많아 생기는 병을 치료하는 약.

Mini 탐구 요구르트와 치약의 성질 알아보기

과정

1. 요구르트를 비커에 담은 뒤 유리 막대로 푸른색 리트머스 종이와 붉은색 리트머스 종이에 각각 묻혀 색깔 변화를 관찰해 본다.
2. 요구르트를 담은 비커에 페놀프탈레인 용액을 떨어뜨려 색깔 변화를 관찰해 본다.
3. 물에 녹인 치약을 비커에 담은 뒤 유리 막대로 푸른색 리트머스 종이와 붉은색 리트머스 종이에 각각 묻혀 색깔 변화를 관찰해 본다.
4. 물에 녹인 치약을 담은 비커에 페놀프탈레인 용액을 떨어뜨려 색깔 변화를 관찰해 본다.

결과

• 요구르트의 색깔 변화

구분	리트머스 종이의 색깔 변화		페놀프탈레인 용액의 색깔 변화
	푸른색 리트머스 종이	붉은색 리트머스 종이	
요구르트	붉은색으로 변한다.	변화가 없다.	변화가 없다.

• 치약의 색깔 변화

구분	리트머스 종이의 색깔 변화		페놀프탈레인 용액의 색깔 변화
	푸른색 리트머스 종이	붉은색 리트머스 종이	
치약	변화가 없다.	푸른색으로 변한다.	붉은색 또는 분홍색으로 변한다.

→ 요구르트는 산성 용액이고 물에 녹인 치약은 염기성 용액이다.

리트머스 종이의 색깔 변화

푸른색 리트머스 종이에 산성 용액이 닿으면 붉은색으로 변한다.

붉은색 리트머스 종이에 염기성 용액이 닿으면 푸른색으로 변한다.

"산성 용액과 염기성 용액을 섞으며 지시약의 색깔 변화 관찰하기"

과정

1. 삼각 플라스크에 묽은 염산 20mL를 넣고, 자주색 양배추 지시약을 열 방울 떨어뜨린다.
2. 1의 삼각 플라스크에 묽은 수산화 나트륨 용액을 5mL씩 여섯 번 넣으면서 지시약의 색깔 변화를 관찰하고, 지시약의 색깔 변화를 자주색 양배추 지시약의 색깔 변화표와 비교해 본다.
3. 묽은 수산화 나트륨 용액과 묽은 염산을 바꿔 1~2와 같은 방법으로 실험하며 지시약의 색깔 변화를 자주색 양배추 지시약의 색깔 변화표와 비교해 본다.

결과

▶ **지시약의 색깔 변화를 자주색 양배추 지시약의 색깔 변화표와 비교하기**

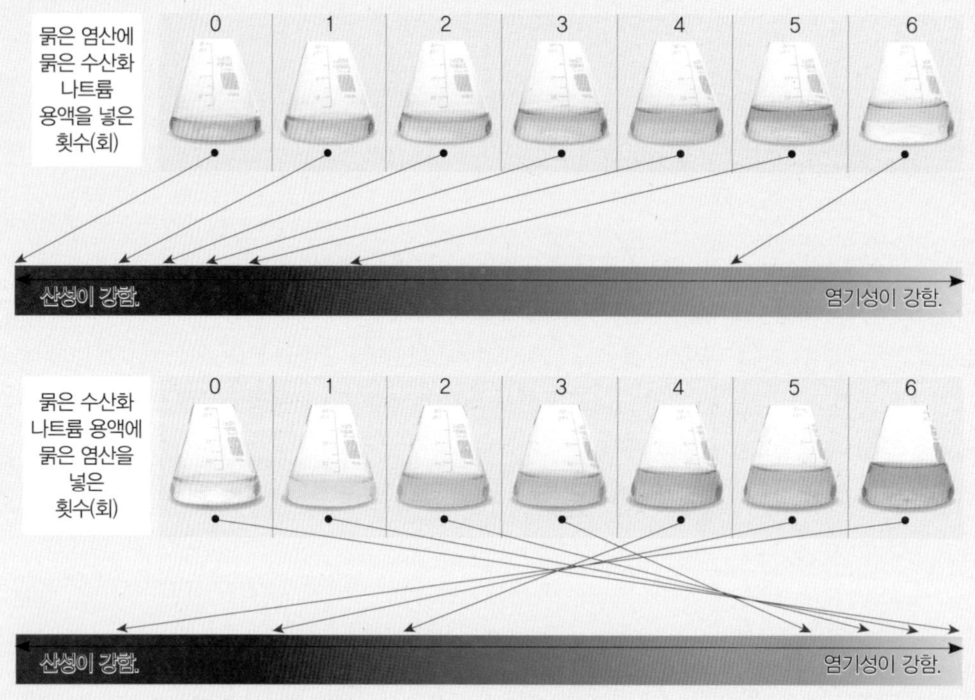

알 수 있는 사실

▶ 산성 용액에 염기성 용액을 넣을수록 산성이 점점 약해진다.

▶ 염기성 용액에 산성 용액을 넣을수록 염기성이 점점 약해진다.

정답과 해설 54쪽

1 다음 ( ) 안의 알맞은 말을 골라 쓰시오.

> 묽은 염산에 자주색 양배추 지시약을 떨어뜨리면 지시약의 색깔은 (붉은색, 푸른색)으로 변한다.

( )

2 다음 중 알맞은 사실에 ○표 하시오.

(1) 묽은 염산에 묽은 수산화 나트륨 용액을 넣으면 묽은 염산의 성질이 점점 약해진다. ( )

(2) 묽은 염산에 묽은 수산화 나트륨 용액을 넣으면 묽은 염산의 성질이 변하지 않는다. ( )

정답과 해설 54쪽

1 다음 ㉠ 용액에 대한 설명을 보고, ㉠ 용액에 자주색 양배추 지시약을 넣었을 때 색깔 변화로 알맞은 것에 ○표 하시오.

- ㉠ 용액에 대리석 조각을 넣으면 기포가 발생하면서 대리석 조각이 녹는다.
- 푸른색 리트머스 종이에 ㉠ 용액을 한 방울 떨어뜨리면 붉은색으로 변한다.

(1) 붉은색 계열로 변한다. ( )

(2) 푸른색이나 노란색 계열로 변한다. ( )

2 산성 용액과 염기성 용액에 대한 설명으로 옳지 않은 것을 **보기**에서 골라 기호를 쓰시오.

보기

㉠ 염기성 용액에 두부를 넣으면 흐물흐물해진다.

㉡ 산성 용액에 삶은 달걀 흰자를 넣으면 변화가 없다.

㉢ 산성 용액에 달걀 껍데기를 넣으면 바깥쪽 껍데기가 녹는다.

㉣ 염기성 용액에 삶은 달걀 흰자를 넣으면 갈색으로 변한다.

( )

3 산성 용액과 염기성 용액을 섞으면 용액의 성질이 약해지는 까닭으로 알맞은 것은 무엇입니까? ( )

① 산성을 띠는 물질이 나뉘어지기 때문이다.

② 염기성을 띠는 물질이 물로 변하기 때문이다.

③ 산성을 띠는 물질과 염기성을 띠는 물질이 증발하기 때문이다.

④ 산성을 띠는 물질이 염기성을 띠는 물질을 둘러싸기 때문이다.

⑤ 산성을 띠는 물질과 염기성을 띠는 물질이 서로 짝을 맞추어 성질을 잃어버리기 때문이다.

4 염산이 누출된 사고 현장에 사용할 수 있는 물질을 골라 ○표 하시오.

흙 , 식초 , 소석회 , 묽은 염산

5 자주색 양배추 지시약의 색깔 변화표를 보고, 묽은 수산화 나트륨 용액에 자주색 양배추 지시약을 몇 방울 떨어뜨렸을 때 나타나는 색깔을 **보기**에서 골라 쓰시오.

산성이 강함. ↔ 염기성이 강함.

▲ 자주색 양배추 지시약의 색깔 변화표

보기

붉은색, 자주색, 보라색, 노란색

( )

6 다음은 요구르트와 물에 녹인 치약을 푸른색 리트머스 종이와 페놀프탈레인 용액에 각각 떨어뜨렸을 때의 색깔 변화입니다. 이 결과를 통해 알 수 있는 사실을 옳게 말한 사람의 이름을 쓰시오.

구분	요구르트	치약
푸른색 리트머스 종이	붉은색	변화 없다.
페놀프탈레인 용액	변화 없다.	붉은색

- 철민: 요구르트와 치약은 모두 산성이야.
- 수호: 요구르트를 마시면 입안이 염기성 환경이 돼.
- 민지: 치약으로 양치질을 하면 입안의 염기성 물질을 없앨 수 있어.
- 라희: 요구르트는 산성 용액이고 물에 녹인 치약은 염기성 용액이야.

( )

1 다음 **보기**의 용액들을 분류 기준에 따라 분류하여 빈칸에 알맞게 쓰시오.

보기

▲식초 ▲레몬즙 ▲유리 세정제 ▲석회수 ▲묽은 염산 ▲묽은 수산화 나트륨 용액

• 분류 기준: 색깔이 있는가?

그렇다.	그렇지 않다.
(1)	(2)

2 여러 가지 용액들을 분류할 수 있는 기준으로 알맞은 것에 ○표 하시오.

(1) 투명한가? ( )

(2) 냄새가 향긋한가? ( )

(3) 투명한 병에 담겨 있는가? ( )

3 용액을 관찰하여 알게 된 겉보기 성질만으로 용액을 분류할 때 어려운 점을 옳게 말한 사람의 이름을 모두 쓰시오.

- 진용: 냄새를 맡기 어려운 용액들이 있어.
- 미희: 색깔이 뚜렷한 용액은 구분하기 어려워.
- 서지: 분류하는 동안 용액이 모두 증발해 버려.
- 상현: 무색이고 투명한 용액은 쉽게 구분되지 않아.

( )

[4~5] 다음은 리트머스 종이에 여러 가지 용액을 떨어뜨렸을 때의 색깔 변화를 나타낸 표입니다. 물음에 답하시오.

용액	(가)	식초	레몬즙	사이다	(나)	석회수	빨랫비누 물	(다)
푸른색 리트머스 종이	붉은색				색깔 변화가 없다.			
붉은색 리트머스 종이	색깔 변화가 없다.				푸른색			

4 위 (가) 용액으로 알맞은 것을 **보기**에서 골라 쓰시오.

보기

묽은 염산, 유리 세정제, 묽은 수산화 나트륨 용액

( )

5 다음은 위 (나), (다) 용액에 대한 설명입니다. (나), (다) 용액으로 알맞은 것을 **보기**에서 각각 골라 쓰시오.

- (나)는 무색이며 투명하고, 냄새가 나지 않는다.
- (다)는 연한 푸른색이고 투명하며 냄새가 난다.

보기

묽은 염산, 유리 세정제, 묽은 수산화 나트륨 용액

(1) (나): ( )

(2) (다): ( )

6 다음 ( ) 안의 알맞은 말을 각각 골라 쓰시오.

석회수, 빨랫비누 물은 ㉠(산성, 염기성) 용액이고 페놀프탈레인 용액을 ㉡(노란색, 붉은색)으로 변화시킨다.

㉠ ( ), ㉡ ( )

7 지시약을 이용하면 여러 가지 용액을 효과적으로 분류할 수 있습니다. 지시약이 무엇인지 쓰시오.

8 여러 가지 용액을 산성 용액과 염기성 용액으로 분류할 때 이용할 수 있는 물질을 **보기**에서 골라 기호를 쓰시오.

보기

㉠ 설탕물 용액　㉡ 소금물 용액
㉢ 과일 주스 용액　㉣ 페놀프탈레인 용액

( )

[9~10] 다음은 자주색 양배추 지시약을 여러 가지 용액이 담긴 각각의 홈에 두세 방울 떨어뜨린 뒤 나타난 색깔 변화입니다. 물음에 답하시오.

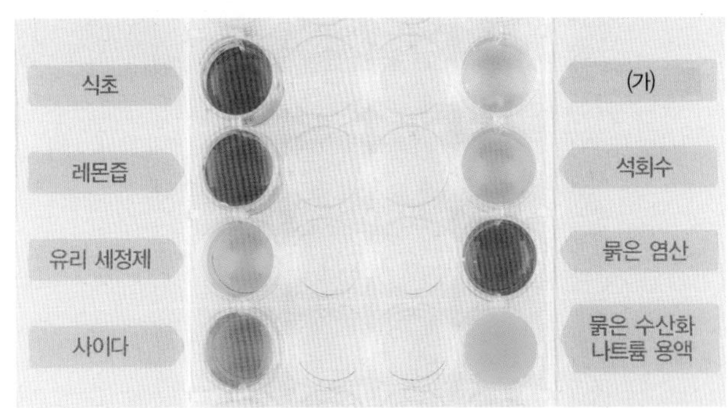

9 다음 중 산성 용액이 아닌 것은 어느 것입니까? ( )

① 식초　② 석회수
③ 레몬즙　④ 사이다
⑤ 묽은 염산

10 위 (가) 용액을 붉은색 리트머스 종이와 푸른색 리트머스 종이에 각각 떨어뜨릴 때 나타나는 변화로 옳은 것에 모두 ○표 하시오.

(1) 붉은색 리트머스 종이의 색이 변하지 않는다. ( )

(2) 붉은색 리트머스 종이가 푸른색으로 변한다. ( )

(3) 푸른색 리트머스 종이의 색이 변하지 않는다. ( )

(4) 푸른색 리트머스 종이가 붉은색으로 변한다. ( )

11 오른쪽과 같이 ㉠ 용액에 달걀 껍데기를 넣었더니 기포가 발생하면서 달걀의 바깥쪽 껍데기가 녹았습니다. ㉠ 용액과 비슷한 성질을 가진 용액을 두 가지 고르시오. (　　　　)

① 식초
② 석회수
③ 묽은 염산
④ 유리 세정제
⑤ 묽은 수산화 나트륨 용액

12 다음은 두부를 산성 용액과 염기성 용액에 넣은 모습입니다. 산성 용액에는 '산', 염기성 용액에는 '염'이라고 각각 쓰시오.

(1) 
(　　　　)

(2) 

(　　　　)

13 오른쪽은 대리석으로 만든 서울 원각사지 십층 석탑의 모습입니다. 유리 보호막을 하는 까닭을 대리석과 관련지어 쓰시오.

14 다음은 용액 ㉠과 ㉡에 각각 삶은 달걀 흰자를 넣은 모습입니다. 용액 ㉠과 ㉡에 페놀프탈레인 용액을 떨어뜨렸을 때의 색깔 변화를 옳게 짝 지은 것은 어느 것입니까? (　　　)

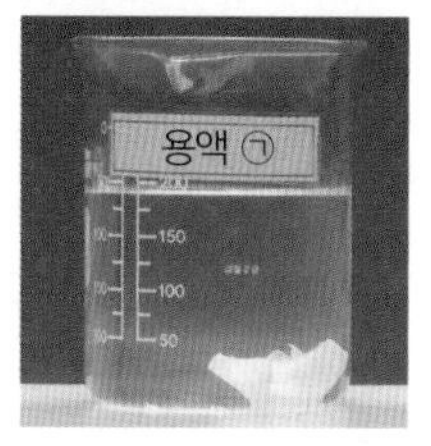

▲ 용액 ㉠+달걀 흰자

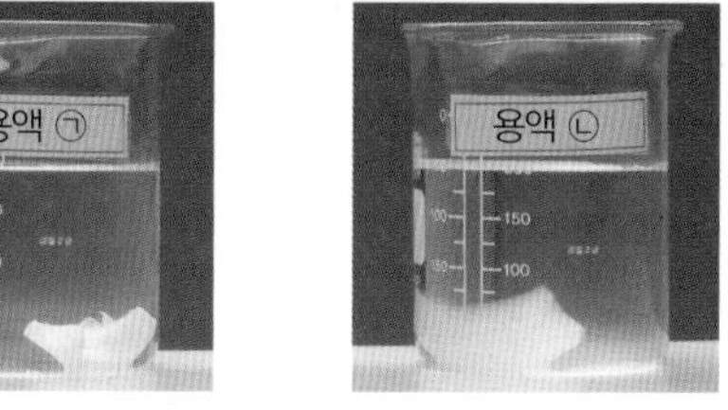

▲ 용액 ㉡+달걀 흰자

	용액 ㉠	용액 ㉡
①	붉은색	변화 없다.
②	붉은색	붉은색
③	붉은색	푸른색
④	변화 없다.	붉은색
⑤	변화 없다.	변화 없다.

15 오른쪽은 묽은 염산 20mL에 자주색 양배추 지시약을 열 방울 떨어뜨린 용액입니다. 이 용액에 묽은 수산화 나트륨 용액을 5mL씩 여섯 번 넣으면서 지시약의 색깔 변화를 관찰할 때 용액의 색깔 변화 과정에 알맞게 (　　) 안에 숫자를 쓰시오.

산성이 강함. → 염기성이 강함.

▲ 자주색 양배추 지시약의 색깔 변화표

(1) (　　　)

(2) 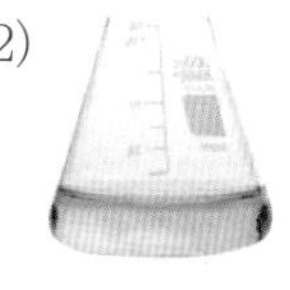
(　　　)

(3) 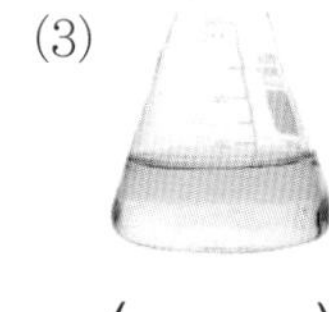
(　　　)

16 삼각 플라스크에 묽은 수산화 나트륨 용액을 20mL 넣고, 자주색 양배추 지시약을 열 방울 떨어뜨린 후 묽은 염산을 5mL씩 6회 넣으면서 색깔 변화를 관찰했습니다. 이 실험으로 알 수 있는 사실로 옳은 것에 ○표, 옳지 않은 것에 ×표 하시오.

(1) 산성 용액에 염기성 용액을 넣을수록 산성은 점점 강해진다. ( )

(2) 염기성 용액에 산성 용액을 넣을수록 염기성이 점점 약해진다. ( )

(3) 묽은 염산을 6회 이상 계속 넣으면 푸른색 계열의 색깔로 변한다. ( )

(4) 삼각 플라스크에 묽은 수산화 나트륨 용액을 20mL 넣고 자주색 양배추 지시약을 떨어뜨리면 노란색으로 변한다. ( )

17 속이 쓰릴 때 제산제를 먹는 까닭으로 ( ) 안에 들어갈 알맞은 말을 쓰시오.

> 산성인 위산 때문에 속이 쓰릴 때 ( )인 제산제를 먹으면 산성의 성질이 약해지기 때문이다.

( )

18 우리 생활에서 산성 용액과 염기성 용액을 이용하는 예에 대한 설명이 아닌 것을 보기에서 골라 알맞은 기호를 쓰시오.

> **보기**
> ㉠ 된장찌개에 간장을 넣어 간을 맞춘다.
> ㉡ 생선을 손질한 도마를 식초로 닦아 낸다.
> ㉢ 욕실을 청소할 때에는 표백제를 사용한다.
> ㉣ 변기를 청소할 때에는 변기용 세제를 사용한다.

( )

19 다음은 리트머스 종이에 요구르트를 각각 묻혔을 때 나타나는 색깔 변화입니다. 이 실험 결과에 대해 옳게 말한 사람의 이름을 쓰시오.

요구르트를 묻힘.

▲ 푸른색 리트머스 종이의 색깔 변화

▲ 붉은색 리트머스 종이의 색깔 변화

> • 민희: 푸른색 리트머스 종이를 붉은색으로 변화시키기 때문에 요구르트는 산성 용액이야.
> • 준오: 푸른색 리트머스 종이를 붉은색으로 변화시키기 때문에 요구르트는 염기성 용액이야.
> • 진홍: 붉은색 리트머스 종이에 변화가 없기 때문에 요구르트는 산성 용액이나 염기성 용액이 아니야.

( )

20 다음 표는 물에 녹인 치약을 리트머스 종이와 페놀프탈레인 용액에 떨어뜨렸을 때의 결과입니다. 이 결과를 보고 ( ) 안의 알맞은 말에 각각 ○표 하시오. (단, 충치를 만드는 세균은 산성 환경에서 활발히 활동함.)

구분	리트머스 종이의 색깔 변화		페놀프탈레인 용액의 색깔 변화
	푸른색 리트머스 종이	붉은색 리트머스 종이	
치약	변화 없다.	푸른색	붉은색

> 치약이 ㉠(산성, 염기성)이기 때문에 양치질을 하면 입속의 ㉡(산성, 염기성) 물질을 없애 세균의 활동을 억제한다.

1 다음 네 가지 용액을 보고, 각 용액의 색깔과 투명한 정도를 관찰해서 쓰시오.

▲ 식초 ▲ 레몬즙 ▲ 사이다 ▲ 석회수

2 다음과 같이 사이다와 석회수를 보관하던 용기에서 이름표가 지워졌습니다. 두 용액을 겉보기 성질만으로 구분할 때 어려운 점을 쓰고, 효과적으로 구분할 수 있는 방법을 한 가지 쓰시오.

3 다음과 같은 리트머스 종이로 산성 용액과 염기성 용액을 분류하는 방법을 쓰시오.

▲ 푸른색 리트머스 종이 ▲ 붉은색 리트머스 종이

4 다음은 여러 가지 용액에 자주색 양배추 지시약을 각각 두세 방울 떨어뜨린 뒤 나타난 색깔 변화입니다. 보기 의 용액 중 산성 용액을 모두 골라 쓰고, 그렇게 생각한 까닭을 자주색 양배추 지시약과 관련하여 쓰시오.

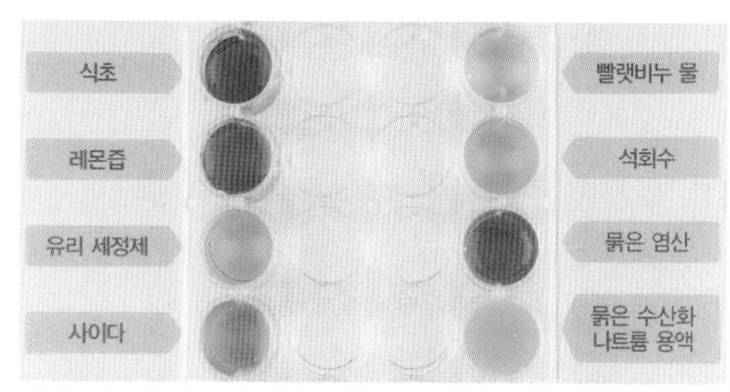

보기

식초, 레몬즙, 유리 세정제, 사이다, 빨랫비누 물, 석회수, 묽은 염산, 묽은 수산화 나트륨 용액

5 오른쪽과 같이 용액 ㉠을 비커에 담고 두부를 넣었더니 뿌옇게 흐려졌습니다. 용액 ㉠을 다른 비커에 담고 대리석 조각을 넣었을 때의 변화를 쓰고, 그렇게 생각한 까닭을 쓰시오.

6 염산 누출 사고 현장에는 염기성인 소석회를 뿌립니다. 이와 같이 우리 생활에서 염기성 용액을 이용하는 예를 한 가지 쓰시오.

7 다음은 자주색 양배추 지시약의 색깔 변화표입니다. 묽은 염산 20mL에 자주색 양배추 지시약을 넣고, 묽은 수산화 나트륨 용액을 5mL씩 7회 넣을 때 지시약의 색깔 변화를 쓰고, 색깔 변화로 알 수 있는 사실을 쓰시오.

산성이 강함. 염기성이 강함.

8 다음은 물에 녹인 치약을 리트머스 종이에 묻힌 결과와 물에 녹인 치약에 페놀프탈레인 용액을 몇 방울 떨어뜨렸을 때의 결과입니다. 물에 녹인 치약이 산성 용액인지 염기성 용액인지 쓰고, 그렇게 생각한 까닭을 쓰시오.

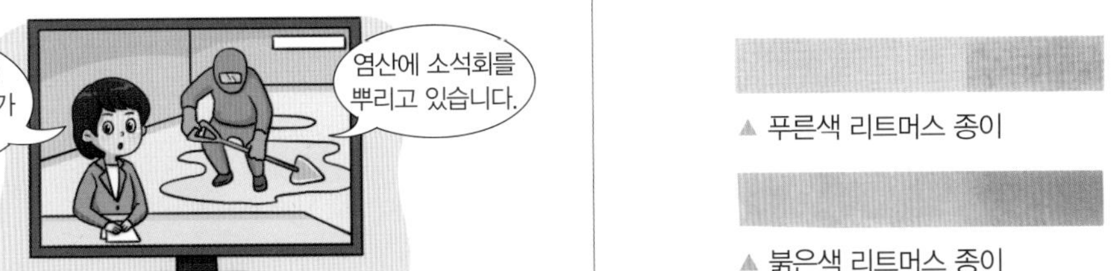

▲ 푸른색 리트머스 종이

▲ 붉은색 리트머스 종이

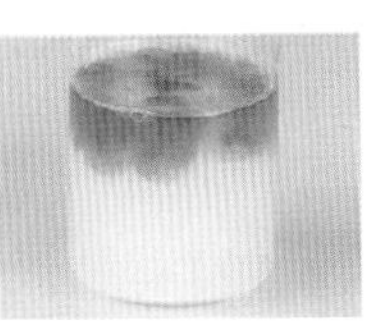

▲ 페놀프탈레인 용액을 떨어뜨렸을 때

산성 용액과 염기성 용액

산성 용액	• 식초, 레몬즙, 사이다, 묽은 염산 등이다. • 푸른색 리트머스 종이를 붉게 변화시킨다. • 페놀프탈레인 용액을 떨어뜨리면 색깔이 변하지 않는다. • 자주색 양배추 지시약을 떨어뜨리면 붉은색 계열의 색깔로 변한다.
염기성 용액	• 유리 세정제, 빨랫비누 물, 석회수, 묽은 수산화 나트륨 용액 등이다. • 붉은색 리트머스 종이를 푸르게 변화시킨다. • 페놀프탈레인 용액을 떨어뜨리면 색깔이 붉은색으로 변한다. • 자주색 양배추 지시약을 떨어뜨리면 푸른색이나 노란색 계열의 색깔로 변한다.

▶ 지시약을 이용하면 여러 가지 용액을 산성 용액과 염기성 용액으로 분류할 수 있다.

산성 용액과 염기성 용액에 여러 가지 물질을 넣었을 때의 변화

구분	달걀 껍데기	삶은 달걀 흰자	대리석 조각	두부
산성 용액	바깥쪽 껍데기가 녹는다.	변화가 없다.	대리석 조각이 녹는다.	변화가 없다.
염기성 용액	변화가 없다.	삶은 달걀 흰자가 녹아 흐물흐물해진다.	변화가 없다.	두부가 녹아 용액이 뿌옇게 흐려진다.

▶ 산성 용액은 달걀 껍데기와 대리석 조각을 녹이고, 염기성 용액은 삶은 달걀 흰자와 두부를 녹인다.

산성 용액과 염기성 용액 섞어 보기

산성 용액에 염기성 용액 넣기	산성이 점점 약해지고, 염기성이 점점 강해진다.
염기성 용액에 산성 용액 넣기	염기성이 점점 약해지고, 산성이 점점 강해진다.

▶ 산성 용액과 염기성 용액을 섞으면 산성을 띠는 물질과 염기성을 띠는 물질이 서로 짝을 맞추면서 각각의 성질을 잃어버린다.

산성 용액과 염기성 용액의 이용

산성 용액의 이용	• 생선을 손질한 도마는 식초로 닦아 낸다. • 변기를 청소할 때 변기용 세제를 사용한다.
염기성 용액의 이용	• 치약으로 양치질을 한다. • 속이 쓰릴 때에는 제산제를 먹는다. • 욕실을 청소할 때 표백제를 사용한다. • 하수구가 막혔을 때 하수구 세정제를 사용한다.

산과 염기의 성질

1 산

물에 녹아 수소 이온을 내놓는 물질을 산이라고 하고, **염산**, 질산, 황산 등이 산에 속한다.

산은 대부분 신맛을 내고, 달걀 껍데기, 대리석, 석회석의 주성분인 탄산 칼슘과 반응하여 이산화 탄소 기체를 발생시킨다. 또 산을 나타내는 물질은 지시약에 의한 색 변화가 같아서 지시약의 색 변화를 통해 산을 분류할 수 있다.

지시약	리트머스 종이	페놀프탈레인 용액	메틸 오렌지 용액	BTB 용액
색 변화	푸른색 → 붉은색	무색	붉은색	노란색

이와 같이 산이 나타내는 공통적인 성질을 산성이라고 한다. 산이 공통적인 성질을 나타내는 까닭은 산이 물에 녹아 모두 수소 이온을 내놓기 때문이다.

2 염기

개념 90쪽

물에 녹아 수산화 이온을 내놓는 물질을 염기라고 하고, **수산화 나트륨**, 수산화 칼륨, 수산화 칼슘, 암모니아 등이 염기에 속한다.

염기는 단백질을 녹이는 성질이 있어서 손으로 만지면 미끈미끈하다. 그래서 손에 비누칠을 하면 비누의 주성분인 염기성 물질이 피부의 단백질을 녹여 미끈미끈한 것이다. 또 염기를 나타내는 물질은 지시약에 의한 색 변화가 같아서 지시약의 색 변화를 통해 염기를 분류할 수 있다.

지시약	리트머스 종이	페놀프탈레인 용액	메틸 오렌지 용액	BTB 용액
색 변화	붉은색 → 푸른색	붉은색	노란색	푸른색

이와 같이 염기가 나타내는 공통적인 성질을 염기성이라고 한다. 염기가 공통적인 성질을 나타내는 까닭은 염기가 물에 녹아 모두 수산화 이온을 내놓기 때문이다.

VISUAL SCIENCE

비주얼 사이언스

 87쪽 참고 수소 이온 농도 지수(pH)의 측정

수소 이온은 산성을 나타내는 이온이다. 용액 속의 수소 이온의 농도를 이용하여 산의 세기를 비교하는 척도로 만든 것이 수소 이온 농도 지수(pH)이다. pH를 측정하기 위해서는 만능 pH 시험지나 pH 미터를 사용한다.

pH 시험지는 여러 가지 지시약을 혼합하여 만든 것으로, pH를 알고자 하는 용액을 묻혔을 때 나타나는 색을 표준색과 비교하여 대략적인 pH를 알아낸다.

▲ 만능 pH 시험지

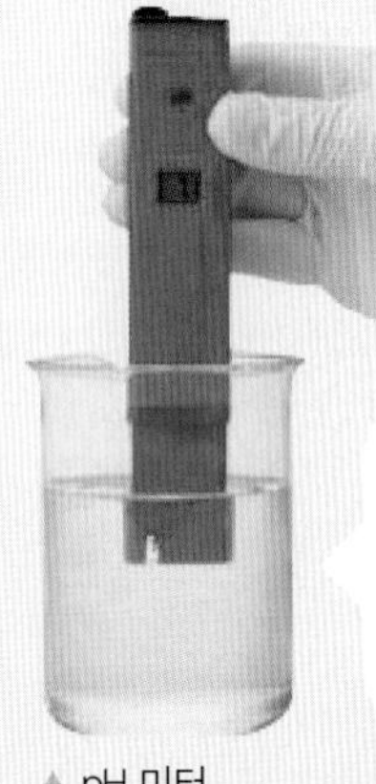
▲ pH 미터

pH 미터로는 정확한 pH를 알 수 있다. pH 미터의 센서를 용액에 담그면 수치가 화면에 표시되어 정확한 pH를 알 수 있다.

91쪽 참고 우리 주변 물질들의 pH

pH 값이 7보다 작으면 산성, 7이면 중성, 7보다 크면 염기성을 나타낸다. 우리 주변 물질들의 대략적인 pH는 다음과 같다.

101쪽 참고 지시약의 색깔 변화

12홈판의 가로줄에 묽은 염산, 묽은 수산화 나트륨 용액, 물을 넣고 여러 가지 지시약을 떨어뜨렸을 때의 색깔 변화이다.

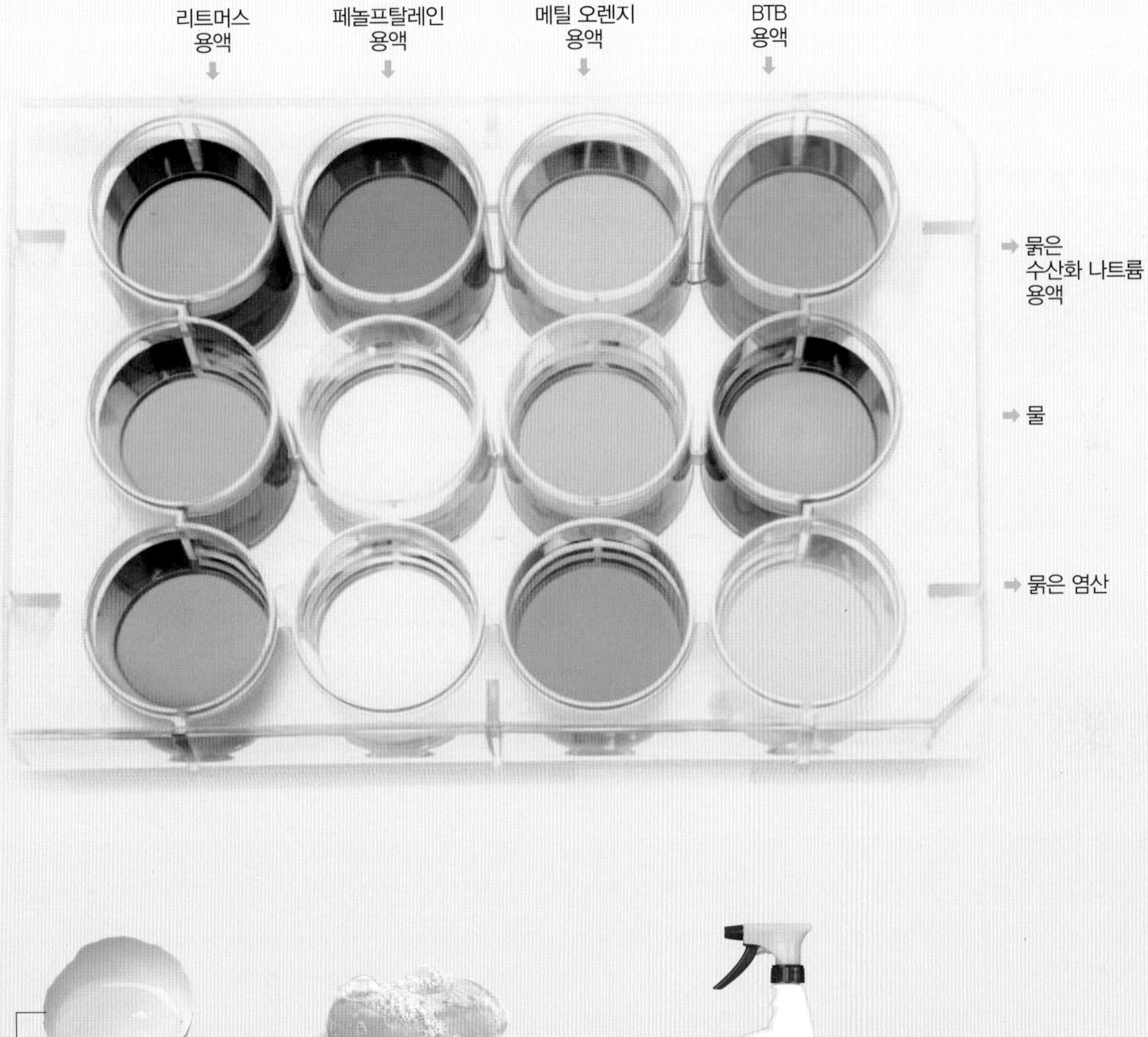

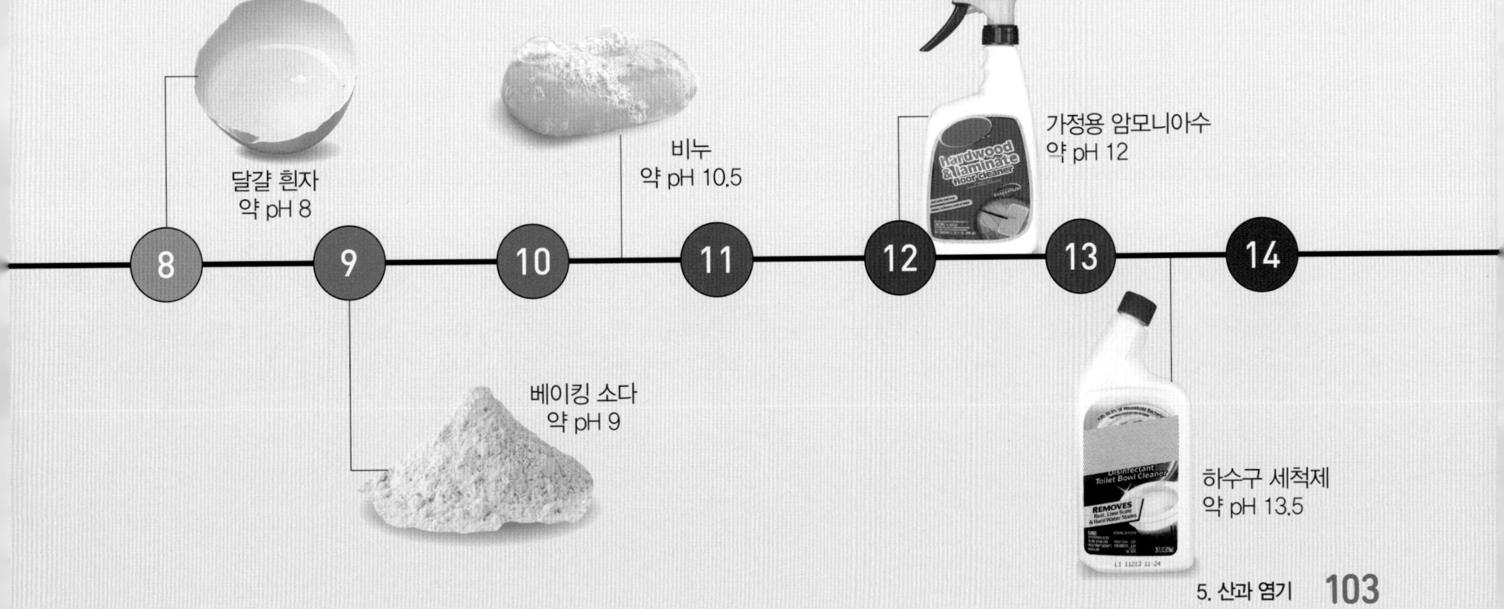

Where there is a will,
there is a way.